ENTRE NOUS

TOUT EN UN

A1 MÉTHODE DE FRANÇAIS
LIVRE DE L'ÉLÈVE + CAHIER D'ACTIVITÉS + CD

AUTEURS :
Neige Pruvost
Frédérique Courteaud
Sonia Gómez-Jordana
François Blondel
Fatiha Chahi
Ginebra Caballero
Sylvie Poisson-Quinton
Cindy Daupras
Gaëlle Delannoy
Katia Brandel

CONSEIL PÉDAGOGIQUE ET RÉVISION :
Christian Puren et Agustín Garmendia

EDITIONS

maison des langues

www.emdl.fr/fle

AVANT-PROPOS

ENTRE NOUS, POUR UN APPRENTISSAGE ADAPTÉ ET RÉUSSI !

Proposer à leurs apprenants des cours de français motivants, dynamiques et qui leur permettent de progresser rapidement tout en les éveillant à la culture francophone actuelle ? Tel est le rêve de tous les enseignants de français... Or, préparer des cours de qualité suppose un travail important pour l'enseignant : une séquence didactique construite et efficace ; des documents écrits et oraux, authentiques ou semi-authentiques avec des exploitations pédagogiques de qualité ; une progression grammaticale et lexicale réussie avec un grand nombre d'exercices de systématisation ; des activités de phonétique bien pensées.

ENTRE NOUS est un outil clé en main qui facilite le travail quotidien des enseignants de français... et la vie des apprenants ! En effet, il propose des dynamiques variées (travail individuel, inter-individuel, en groupes, en groupe-classe) adaptées à tous les publics pour que la classe soit véritablement un espace de partage et de travail collaboratif.

UNE MÉTHODE NÉE D'UNE RÉALITÉ DE TERRAIN ET D'ÉCHANGES CONSTANTS AVEC LES ENSEIGNANTS

ENTRE NOUS est un manuel construit à partir de la réalité actuelle de l'enseignement/apprentissage du FLE : cet ouvrage est le résultat de la prise en compte de l'expérience de nos équipes pédagogiques ainsi que des commentaires des enseignants utilisateurs de *Version Originale*.

UNE STRUCTURE ET UNE ORGANISATION DES UNITÉS CLAIRE ET EFFICACE

Chacune des 8 unités est clairement organisée en étapes d'apprentissage et mise en valeur par la mise en page de l'ouvrage :

Étape 1 « DÉCOUVERTE »
* 1 double-page de documents déclencheurs visuels (« Premiers regards ») pour une découverte et une première exposition à la langue française avec des activités de compréhension écrites et orales et des productions orales (« Et vous ? »).
* 1 double-page de documents textuels pour situer les contenus et les thématiques de l'unité (« Premiers textes ») avec un travail sur les compétences de compréhension.

Étape 2 « OBSERVATION ET ENTRAÎNEMENT »
* 3 doubles-pages de travail sur la grammaire à partir de documents en contexte amenant les apprenants à observer un fait de langue, à déduire et à construire sa règle, à s'entraîner dans des situations de communication et enfin à le systématiser.
* Pour aller plus loin, des explications grammaticales plus développées sont proposées dans le précis de grammaire.
* 1 page complète d'activités de lexique, pour une réutilisation et une systématisation du lexique de l'unité.
* 1 page de phonétique, prosodie et phonie-graphie qui contient des explications et des activités en contexte et qui permet aux apprenants de découvrir la prosodie du français et d'améliorer leur prononciation.

Étape 3 « REGARDS CULTURELS »
* 1 double-page culturelle, contenant des documents actuels et originaux ainsi que des activités de compréhension et de production.
* Une fenêtre ouverte sur le monde et la réalité culturelle et sociale française.
* 1 vidéo en ligne (document authentique, reportage, publicité, etc.) liée au point culturel abordé.

Étape 4 « TÂCHES FINALES »
* 1 page avec 2 tâches finales distinctes, une à dominante écrite et l'autre à dominante orale. L'enseignant peut réaliser ces 2 tâches avec ses apprenants ou mettre en place une tâche en classe et garder la seconde pour l'évaluation.

Pour ce projet ambitieux, nous avons eu à nouveau le plaisir de bénéficier des conseils pédagogiques de Christian Puren, Professeur émérite de l'université de Saint-Étienne. Nous le remercions chaleureusement pour ses commentaires avisés et expérimentés.

C'est parce que nous pensons qu'un enseignant épanoui et sûr de lui est synonyme d'une classe heureuse et motivée que nous avons créé **ENTRE NOUS**. Nous espérons que ce manuel vous aidera dans votre travail et vous accompagnera au quotidien.

La maison d'édition

STRUCTURE DU LIVRE DE L'ÉLÈVE

- 1 dossier de présentation et personnalisation pour l'apprenant
- 8 unités de 16 pages chacune
- 1 dossier culturel
- 1 préparation au DELF
- 1 cahier d'activités

- Un précis de grammaire
- Des tableaux de conjugaison
- Les transcriptions des enregistrements du *Livre* et du *Cahier d'activités*
- Des cartes de la francophonie et de différents pays francophones

Chaque unité est composée de 16 pages :

LA PAGE D'OUVERTURE DE L'UNITÉ

L'ensemble des rubriques, thèmes et ressources travaillés dans l'unité présenté de façon claire et schématique.

Le thème

Les tâches finales

Les points de langues étudiés

Activités complémentaires disponibles sur notre Espace virtuel (exercices auto-correctifs, nuages de mots...)

Activités de réflexion sur la culture et la vie quotidienne

PREMIERS REGARDS

Cette double-page permet à l'apprenant d'aborder l'unité à partir de ses connaissances préalables du monde et, éventuellement, de la langue française.

Les documents déclencheurs de cette double-page sensibilisent l'apprenant au thème et aux objectifs de l'unité de manière très visuelle.

Petites activités de compréhension globale et de production orale

Ce pictogramme indique que l'activité comprend un audio et donne le numéro de la piste

 CD 2 PISTE 1

C. Écoutez d'autres personnes qui répondent à l'enquête. Quels points communs ont-elles avec les cinq personnes des photos ?

- N°1 : Elle aime cuisiner comme Thibaud.

Les textes en rouge sont des échantillons de productions et d'interactions orales. Il s'agit d'amorces qui peuvent guider l'apprenant.

DYNAMIQUE DES UNITÉS

PREMIERS TEXTES

Cette double-page permet à l'apprenant d'entrer en contact avec des documents authentiques qui vont lui permettre de découvrir l'emploi de la langue en contexte.

Elle permet un travail sur les compétences de compréhension et débouche souvent sur des interactions.

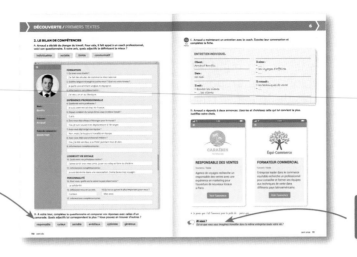

Interactions en binôme

Interactions en groupe-classe

OBSERVATION ET ENTRAÎNEMENT

Grammaire

Ces pages vont aider l'apprenant à découvrir un fait de langue en contexte, à construire sa règle et à se l'approprier. Dans un deuxième temps, il va pouvoir le réemployer sous différentes formes.

Lexique

Cette page propose des activités variées et permet de réutiliser le lexique découvert dans l'unité dans différents contextes.

Phonétique

Cette page permet aux apprenants de se familiariser avec la phonétique, la prosodie et la phonie-graphie à travers des exercices d'écoute et de production.

Construction de la règle de grammaire

Une colonne d'exercices permettant l'entraînement et la systématisation des points de grammaire abordés dans la double-page

+ d'exercices : pages 185-188

Système de renvois vers les 4 pages du Cahier d'activités correspondant à l'unité

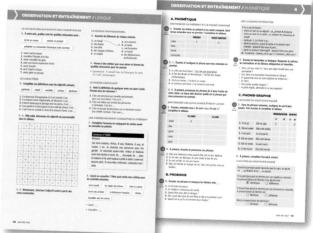

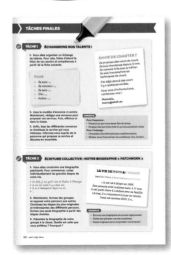

TÂCHES FINALES

Cette page propose 2 tâches distinctes qui permettent de remobiliser les compétences acquises dans l'unité. Des conseils et des exemples de productions vous aideront à mieux les mettre en place en classe.

REGARDS CULTURELS

Une double-page permettant de compléter ses connaissances culturelles et sociologiques et de développer ses compétences interculturelles.

DOSSIER CULTUREL

Un dossier de 9 pages pour découvrir la culture et la gastronomie de 3 villes et d'une région francophones.

Une vidéo authentique et moderne en lien avec la thématique de l'unité et disponible sur l'Espace virtuel

LE CAHIER D'ACTIVITÉS

32 pages de cahier d'activités reprenant l'ensemble des points de langue vus dans les unités et structuré de la façon suivante :

- 3 pages d'activités pour travailler les points de grammaire de chaque unité en contexte qui suivent la progression du livre et rebrassent le lexique et les thématiques ;

- 1 page dédiée au travail des activités langagières.

Une navigation optimale grâce à un système de renvois entre le *Livre* et le *Cahier d'activités*.

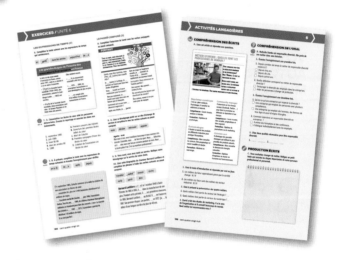

PRÉPARATION AU DELF

Un livret de 8 pages organisé par compétences pour s'entraîner efficacement à l'épreuve du DELF A1.

DOSSIER DE L'APPRENANT

Un premier contact avec la réalité francophone et la langue française dans ce dossier, très visuel, que l'apprenant peut facilement compléter grâce aux exemples donnés. Une découverte en douceur permettant une appropriation de l'ouvrage par l'apprenant.

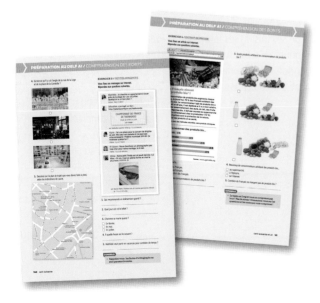

TABLEAU DES CONTENUS

UNITÉ	TYPOLOGIE TEXTUELLE	COMMUNICATION	GRAMMAIRE

DOSSIER APPRENANT

UNITÉ	TYPOLOGIE TEXTUELLE	COMMUNICATION	GRAMMAIRE
1 **ENCHANTÉ !**	• Jeu de chance • Plan d'une ville • Interview • Illustrations • Brochure touristique • Site Internet • Messagerie instantanée • Infographie	• Reconnaître des mots en français • Épeler • Saluer et se présenter • Compter de 0 à 20 • Appliquer des stratégies de lecture • La langue de la classe • Différencier le *tu* et le *vous*	• Les pronoms personnels sujets • Les verbes en *-er* • Le verbe *s'appeler* au présent • Les articles définis • Le genre et le nombre des noms • Les pronoms toniques
2 **VOYAGE AUTOUR DU MONDE**	• Articles de magazine • Quiz • Témoignages • Interview • Publicité • Infographie • Carton de loto • Blog	• Demander et donner des renseignements personnels • Renseigner sur l'identité, la nationalité et la profession • Nommer les pays, les régions et les villes • Compter de 20 à 100	• L'interrogation (1) : *quel, quelle, quels, quelles* • Les adjectifs possessifs • La négation (1) : *ne … pas* • Le verbe *être* au présent • Les prépositions et les noms de pays et de villes • L'interrogation (2) : *où* • Les articles indéfinis • Le féminin des adjectifs de nationalité • Le verbe *avoir* au présent
3 **UNE VILLE, DES QUARTIERS**	• Témoignages • Couverture de magazine • Forum • Articles de magazine • Illustrations • Album photo en ligne • Blog • Sites Internet	• Décrire une ville ou un quartier • Nommer les lieux de la ville, les commerces et les moyens de transport • Localiser	• *Il y a / Il n'y a pas de/d'* • L'interrogation (3) : *est-ce que ? / qu'est-ce que ?* • Le pronom *on* (1) : à valeur de *nous* • Le verbe *aller* au présent • Les prépositions et les moyens de transport • Les articles contractés (1) : avec la préposition *à* • *C'est* ou *il/elle est* • L' accord des adjectifs qualificatifs
4 **UN PEU, BEAUCOUP, À LA FOLIE**	• Articles de magazine • Présentation d'une série française • Sites Internet • Publicité • Blog • Petites annonces • Sondage • Article de journal • Infographie	• Parler de sa famille • Parler de ses loisirs, ses intérêts et ses goûts • Évaluer puis sélectionner un candidat à la colocation	• *Pour / Parce que* • Les verbes comme *prendre* au présent • Les adjectifs démonstratifs • Les articles contractés (2) : avec la préposition *de* • Nuancer ses propos : *moi aussi, moi non plus, pas moi, moi si* • Le verbe *écrire* au présent • Le verbe *venir* au présent • La provenance, l'origine • Les prépositions + les pronoms toniques

TABLEAU DES CONTENUS

UNITÉ	TYPOLOGIE TEXTUELLE	COMMUNICATION	GRAMMAIRE
5 COMME D'HABITUDE	• Témoignages • Test de personnalité • Affiches • Article de presse • Emploi du temps • Blogs • Publicité	• Parler de nos habitudes et de nos préférences • Informer sur l'heure, le moment, la fréquence • Répondre à un test de personnalité • Découvrir la BD francophone • Réaliser un questionnaire	• Les verbes pronominaux au présent • L'interrogation (4) : *combien, quand, à quel moment, à quelle heure...* • Les adverbes de fréquence • Le verbe *faire* au présent • Les verbes comme *sortir* au présent • Le passé composé (1) : avec *avoir* • La négation (2) : au passé composé • La négation (3) : *ne ... rien / ne ... jamais / ne ... pas encore*
6 TOUS ENSEMBLE	• Site Internet • Questionnaire • Fiche d'entretien • Carte de remerciements • Offre d'emploi • Frise chronologique • Extrait d'une biographie • Messagerie instantanée • Mail	• Découvrir des compétences, des savoirs et des savoir-faire • Faire son bilan de compétences • Parler de faits passés • Parler de sa personnalité	• Les marqueurs temporels du passé (1) : *la semaine dernière, le mois dernier...* • Les pronoms relatifs (1) : *qui / que* • Les marqueurs temporels du passé (2) : *pendant, dans les années...* • Le passé composé (2) : avec *être*, les 15 verbes • Le passé composé (3) : avec *être*, les verbes pronominaux • Les marqueurs temporels du passé (3) : *depuis, il y a...* • Les verbes *savoir et connaître* au présent
7 LA VIE EN ROSE	• Carte de France • Illustrations • Sites Internet • Publicité • Scénario d'une scène de film • Quiz • Extrait d'article • Article de magazine	• Parler du temps qu'il fait • S'informer sur un produit • Conseiller sur la façon de s'habiller • Acheter et vendre un produit	• Les verbes *vouloir et pouvoir* au présent • L'accord des adjectifs de couleur • L'interrogation (5) : les 3 registres • *J'aimerais... / Je voudrais...* • Le pronom *on* (2) : à valeur générale • Les pronoms relatifs (2) : *où* • L'impératif
8 BEC SUCRÉ, BEC SALÉ	• Menu • Bon de commande • Recette • Interview • Infographie • Article de magazine • Messagerie instantanée • Carte de France • Mail	• Donner et demander des informations sur des plats et des aliments • Commander et prendre la commande au restaurant • Exprimer la quantité • Situer une action dans le futur • Donner des conseils	• Les articles partitifs • Les pronoms COD • L'obligation personnelle : *devoir* + impératif • Le verbe *devoir* au présent • Les adverbes de quantité • L'obligation impersonnelle : *il faut* + infinitif • Le futur proche : *aller* + infinitif

Qui êtes-vous ?

Nom : ....

Prénom : ....

Adresse : ....

Mail : ....

Pourquoi apprenez-vous le français ?

☐ pour lire

☐ pour voyager

☐ pour travailler

☐ autre : ....
....

Que représente la France pour vous ?

1. Pour vous la langue française, c'est :

☐ une chanson
....

☐ un livre
....

☐ un film
....

2. Un mot, une expression en langue française que vous connaissez : ....
....

3. Pour vous, un paysage français, c'est :

☐ la ville

☐ la montagne

☐ la plage

4. Citez quatre grandes villes où on parle français. ....
....

Pour vous, un petit déjeuner français, c'est :

des pancakes

des croissants

un œuf et des saucisses

des tartines

Pour vous, les films français sont :

ennuyeux

tristes

drôles

effrayants

Pour vous, la gastronomie française, c'est :

le fromage

un hamburger

des escargots

des sushi

Pour vous, la France, c'est :

la pétanque

le rugby

le hockey

le football

Pour vous, l'art français, c'est :

la sculpture

la photographie

la peinture

l'architecture

Mon portrait chinois

Émilie

Si j'étais une couleur, je serais :

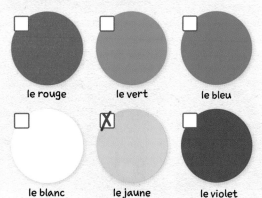

☐ le rouge ☐ le vert ☐ le bleu

☐ le blanc ☒ le jaune ☐ le violet

Si j'étais un instrument de musique, je serais :

☐  un saxophone
☐  une guitare
☐  un piano
☒  un violon
☐  un accordéon

Si j'étais un sport, je serais :

☐  le football
☐  le basket
☐ 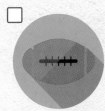 le rugby
☒  le ping-pong
☐  le tennis

Si j'étais un artiste, je serais :
Molière

Si j'étais un monument, je serais :
Big Ben

Si j'étais un personnage, je serais :
Tintin

Si j'étais une ville, je serais :
Bruxelles

Si j'étais un mot français, je serais :
amour

Moi : ....

Si j'étais une couleur, je serais :

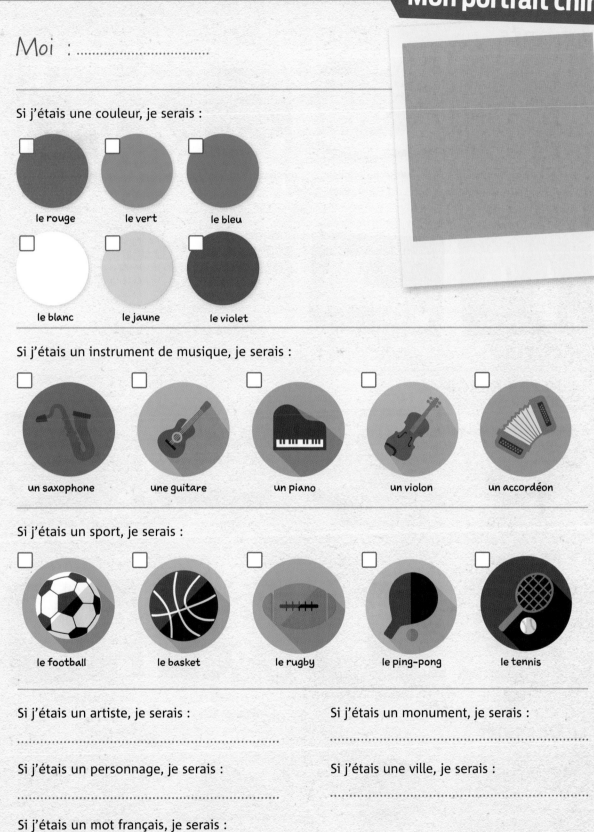

☐ le rouge   ☐ le vert   ☐ le bleu

☐ le blanc   ☐ le jaune   ☐ le violet

Si j'étais un instrument de musique, je serais :

☐ un saxophone   ☐ une guitare   ☐ un piano   ☐ un violon   ☐ un accordéon

Si j'étais un sport, je serais :

☐ le football   ☐ le basket   ☐ le rugby   ☐ le ping-pong   ☐ le tennis

Si j'étais un artiste, je serais :

....

Si j'étais un personnage, je serais :

....

Si j'étais un mot français, je serais :

....

Si j'étais un monument, je serais :

....

Si j'étais une ville, je serais :

....

La gastronomie

Voici **le menu** d'un restaurant français.
Choisissez votre menu préféré.

L'ENTRÉE

une assiette de charcuterie

une quiche lorraine

un plateau de fruits de mer

un plat d'huîtres

LA BOISSON

un verre de vin

un jus d'orange

une bière

un verre d'eau

LE PLAT PRINCIPAL

une choucroute

des moules-frites

un couscous

un magret de canard

LE FROMAGE

une tome de Savoie

un camembert

un roquefort

un fromage de chèvre

LE DESSERT

une crème brûlée

un fondant au chocolat

des profiteroles au chocolat

une île flottante

Le palais Stanislas, Nancy

La Porte Cailhau,
Bordeaux

NORD-PAS
DE CALAIS

HAUTE-
NORMANDIE   PICARDIE

BASSE-
NORMANDIE   ÎLE-DE-
                  FRANCE   LORRA

BRETAGNE   CHAMPAGNE-   ALSACE
                                ARDENNE

PAYS DE
LA LOIRE   CENTRE

                              BOURGOGNE   FRANCHE-
                                             COMTÉ

POITOU-
CHARENTES

              LIMOUSIN
                                             RHÔNE-
                              AUVERGNE   ALPES

AQUITAINE

                  MIDI-PYRÉNÉES   LANGUEDOC-   OVENCE-ALPES-
                                   ROUSSILLON   CÔTE D'AZUR

CORSE

Le Gros-Horloge, Rouen

Les Arènes, Arles

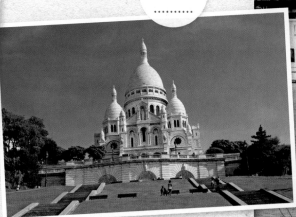

Le Sacré-Cœur, Paris

1. Pouvez-vous situer les 5 villes représentées sur la carte de France ?

2. Cherchez 3 photos de 3 autres villes.

SITES UTILES :

- www.emdl.fr/fle
- www.francophonie.org
- www.france24.com/fr/
- ...

FILMS À VOIR :

- L'Auberge espagnole
- Sur le chemin de l'école
- Léon
- L'Esquive
- La Cité des enfants perdus
- La Haine
- Le Cinquième Élément

LIVRES À LIRE :

- L'homme rompu – Tahar Ben Jelloun
- Suite française – Irène Némirovsky
- Stupeur et tremblements – Amélie Nothomb
- ...
- ...

BD À LIRE :

- Persepolis – Marjane Satrapi
- Le Chat du rabbin – Joann Sfar
- Corto Maltese – Hugo Pratt
- La trilogie Nikopol – Enki Bilal

Téléchargez gratuitement ce dossier sur espacevirtuel.emdl.fr
Disponible en plusieurs langues

1

ENCHANTÉ !

DÉCOUVERTE	OBSERVATION ET ENTRAÎNEMENT	REGARDS CULTURELS	TÂCHES FINALES
pages 18-21	**pages 22-29**	**pages 30-31**	**page 32**

DÉCOUVERTE

pages 18-21

Premiers regards
- Reconnaître des mots en français
- Comprendre des mots transparents

Premiers textes
- Saluer et se présenter en français
- Découvrir l'alphabet
- Apprendre à épeler
- Compter jusqu'à 20
- Se sensibiliser aux stratégies de lecture

OBSERVATION ET ENTRAÎNEMENT

pages 22-29

Grammaire
- Les pronoms personnels sujets
- Les verbes en -er au présent
- Le verbe s'appeler au présent
- Les articles définis
- Le genre et le nombre des noms
- Les pronoms toniques

Lexique
- L'alphabet
- Les nombres jusqu'à 20
- Les salutations
- Les phrases utiles pour la classe
- Le vocabulaire de la ville

Phonétique
- Le rythme et la syllabe accentuée
- La liaison
- Le singulier et le pluriel des articles définis
- La prononciation des formes en -er

REGARDS CULTURELS

pages 30-31

Les documents
- Les salutations en France
- *Tu* ou *vous* ?

La vidéo
- La France en images

À visionner sur :
espacevirtuel.emdl.fr

TÂCHES FINALES

page 32

Tâche 1
- Présenter la France que nous aimons

Tâche 2
- Comparer les salutations en France et dans un autre pays

 + DE RESSOURCES SUR espacevirtuel.emdl.fr

— Des activités autocorrectives (grammaire/lexique/culture/CE/CO)
— Un nuage de mots sur les mots français transparents

" **Ajoutez deux lettres
à Paris : c'est le
Paradis** "

Jules Renard, écrivain français

1. LA FRANCE EN IMAGES

A. Observez les photos et associez-les aux mots suivants.

la pharmacie   la baguette   le fromage

les toilettes   le cinéma   le bistrot   le taxi

l'office de tourisme   le restaurant   le métro

CD 1
PISTE 1

B. Écoutez les situations suivantes. À quelles photos correspondent-elles ?

SITUATION	PHOTO
1	
2	
3	
4	
5	

C. Connaissez-vous d'autres mots français ?

Et vous ?
Quelle image représente le plus la France pour vous ?

2. BONJOUR !

A. À deux, lisez les présentations puis, présentez-vous à un camarade.

1. • Bonjour, je m'appelle Mike, et toi ?
   ○ Salut, je m'appelle Latifa.

2. • Salut ! Moi, c'est Silvia, et toi ?
   ○ Salut ! Moi, c'est John.

B. Maintenant, présentez-vous aux autres.

• Bonjour, je m'appelle Mike et elle s'appelle Latifa. Et vous ?
○ Bonjour, je m'appelle Silvia et il s'appelle John.

3. DE AGATHE À ZOÉ

CD 1 PISTE 2

A. Voici l'alphabet français. Écoutez et lisez les prénoms du tableau.

A [a] comme **A**gathe	**H** [aʃ] comme **H**élène	**O** [o] comme **O**céane	**V** [ve] comme **V**alérie
B [be] comme **B**aptiste	**I** [i] comme **I**nès	**P** [pe] comme **P**atrick	**W** [dubləve] comme **W**illy
C [se] comme **C**éline	**J** [ʒi] comme **J**ade	**Q** [ky] comme **Q**uentin	**X** [iks] comme **X**avier
D [de] comme **D**avid	**K** [ka] comme **K**arine	**R** [ɛʀ] comme **R**aphaël	**Y** [igrɛk] comme **Y**asmina
E [ə] comme **E**mery	**L** [ɛl] comme **L**ucie	**S** [ɛs] comme **S**ophie	**Z** [zɛd] comme **Z**oé
F [ɛf] comme **F**rançois	**M** [ɛm] comme **M**axime	**T** [te] comme **T**hierry	
G [ʒe] comme **G**abriel	**N** [ɛn] comme **N**icolas	**U** [y] comme **U**lric	

CD 1 PISTE 3

B. Écoutez quatre prénoms du tableau ci-dessus et complétez.

1. .... A ....   **2.** .... O ....   **3.** .... N ....   **4.** .... L ....

C. Maintenant, complétez cette liste avec des mots que vous connaissez ou avec des mots des pages précédentes. Ensuite, épelez deux mots de votre liste à un camarade.

• B comme *baguette*
• C comme ....
• F comme ....
• O comme ....
• M comme ....
• R comme ....
• T comme ....
• ....

4. JOUR DE CHANCE

A. Observez ce document. De quel type de jeu s'agit-il ?

un jeu de chance	un jeu de calcul

un jeu de logique

CD 1 PISTE 4

B. Écoutez les nombres de 1 à 20 et repérez-les sur le jeu Baraka.

CD 1 PISTE 5

C. Maintenant, écoutez la conversation. Quels sont les deux numéros gagnants ? Quelle est la somme gagnée ?

 Et vous ?
Avez-vous un numéro fétiche ?

GAGNEZ DE 5 À 10 000 €
Grattez 5 cases de votre choix et gagnez de 5 à 10 000 euros !

1€

Si vous avez 2 étoiles ★, 2 cœurs ♥ ou 2 dollars $, vous gagnez les gains associés au symbole.

BARAKA

1 un	2 deux	3 trois	4 ♥ quatre	5 cinq
6 six	7 sept	8 huit	9 neuf	10 dix
11 onze	12 douze	13 treize	14 quatorze	15 quinze
16 seize	17 dix-sept	18 dix-huit	19 dix-neuf	20 vingt

GAINS

2 ★ = 10€
2 ♥ = 100€
2 $ = 1 000€

5. SÉJOUR À L'HÔTEL

 CD 1 PISTE 6

A. Des clients se présentent à la réception de l'hôtel Royal.
Écoutez les dialogues et complétez leurs noms.

1. Madame ....

2. Monsieur et madame ....

3. Monsieur ....

4. Mademoiselle ....

 CD 1 PISTE 7

B. D'autres clients de l'hôtel Royal arrivent maintenant à la réception.
Écoutez et notez le numéro de chambre de chaque client.

1. M. Lambert : 12

2. M. Mobouss : ....

3. M. Boulet : ....

4. Mlle Serrano : ....

5. M. et Mme Jaffré : ....

6. Mme Lopez : ....

7. Mme Evrard : ....

8. Mme Morin : ....

6. À LA DÉCOUVERTE D'UNE VILLE

A. Observez ce document. De quoi s'agit-il ?

Voyage à Nantes

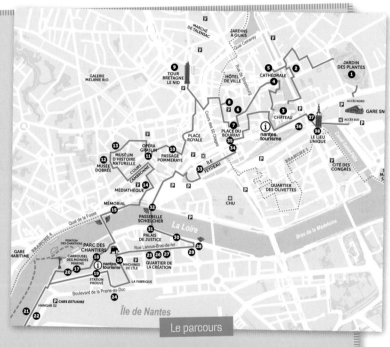

Connaissez-vous une autre destination qui, dans l'espace d'un kilomètre, réunit un Grand Éléphant (**16**) de 12 mètres de haut pour une promenade en bord de Loire, un château du XVe siècle (**3**) et un musée d'Histoire naturelle (**13**) ?

Dès votre arrivée à la gare de Nantes, suivez la ligne verte marquée au sol, elle vous mènera au cœur de la ville et vous permettra de ne rien manquer du parcours « Voyage à Nantes » : toutes les étapes culturelles, les principaux monuments et les sites incontournables de la ville.

Une petite faim après une bonne journée de marche ? Le centre-ville regorge de salons de thé et de cafés où vous pourrez déguster le fameux gâteau nantais.

Le parcours

L'éléphant de l'Île

Le château des ducs de Bretagne

La fameuse ligne verte !

B. Entourez les mots que vous comprenez. Comparez-les avec ceux d'un camarade.

C. Qu'est-ce qui vous a aidé à mieux comprendre le texte ?

- ☐ Le type de texte
- ☐ Les images
- ☐ Le thème
- ☐ Le titre
- ☐ Les mots transparents
- ☐ ....

7. ÉTUDIER EN FRANCE

A. Lisez l'interview de ces trois personnes qui étudient le français. Pour quelles raisons apprennent-elles cette langue ?

la culture	les études	le travail	la famille	les voyages

Prénom : Ulf
Âge : 40 ans
Ville : Strasbourg

Qui êtes-vous ?
Je m'appelle Ulf, j'ai 40 ans et je travaille dans le secteur médical.

Pourquoi étudiez-vous le français ?
Parce que je travaille beaucoup avec des professionnels français à l'hôpital.

Citez une chose que vous aimez à Strasbourg.
L'architecture !

Prénom : Pedro
Âge : 29 ans
Ville : Dijon

Qui êtes-vous ?
Je m'appelle Pedro. Je suis cuisinier. Je parle espagnol, anglais et un peu français.

Pourquoi étudiez-vous le français ?
Pour améliorer mon niveau et ouvrir mon restaurant à Dijon.

Citez une chose que vous aimez à Dijon.
Le centre historique... mais j'aime aussi la moutarde ! (rires)

Prénom : Roberta et Fabio
Âge : 50 et 58 ans
Ville : Bordeaux

Qui êtes-vous ?
Moi, c'est Roberta et voilà Fabio. Nous sommes italiens.

Que faites-vous à Bordeaux ?
Notre fille habite ici.

Pourquoi étudiez-vous le français ?
Parce que nous pensons nous installer à Bordeaux l'année prochaine ; nous aimons beaucoup cette ville.

Citez une chose que vous aimez à Bordeaux.
Le vin !

B. Complétez la conjugaison du verbe *aimer* à l'aide des interviews.

**LES PRONOMS PERSONNELS SUJETS
ET LES VERBES EN -ER COMME AIMER**

je / j' *	aim-….
tu	aim-**es**
il / elle / on	aim-**e**
nous	aim-….
vous	aim-….
ils / elles	aim-**ent**

* *Je* devient *j'* devant une voyelle.
Ex. : *J'aime la moutarde.*

En français, les **pronoms personnels sujets** sont obligatoires devant le verbe.

C. À votre tour, présentez-vous. Pour cela, remplissez cette fiche.

Nom : ….	J'étudie le français…
Âge : ….	☐ pour les voyages.
Profession : ….	☐ pour le travail.
☺ J'aime : ….	☐ pour les études.
☹ Je n'aime pas : ….	☐ pour la culture.
	☐ pour la famille.

LE VERBE S'APPELER AU PRÉSENT

je m'appell-**e**	nous nous appel-**ons**
tu t'appell-**es**	vous vous appel-**ez**
il / elle / on s'appell-**e**	ils / elles s'appell-**ent**

8. BONJOUR ! ÇA VA ?

A. Observez les salutations.

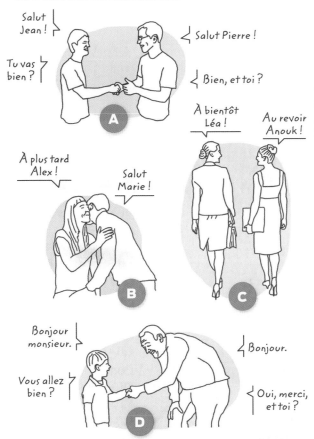

B. Retrouvez les salutations pour dire *bonjour* et pour dire *au revoir*.

 C. Complétez les dialogues suivants avec des expressions de salutation. Puis, écoutez pour vérifier vos réponses.

CD 1
PISTE 8

Dialogue 1
– …., je m'appelle Léa Bertho, directrice de Donane.
– Moi, c'est Anouk Ducellier, directrice de Lactol.
– Enchantée ! Vous …. ?
– Ça va bien, …. .

Dialogue 2
– Ça va, Paul ?
– Oui, monsieur ? Et …. ?
– Ça va très bien, merci. Passe le bonjour à ton père, d'accord ?
– D'accord, …. monsieur.
– Au revoir.

D. À quelle illustration correspond chaque dialogue ?

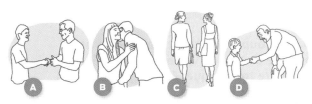

LES PRONOMS PERSONNELS SUJETS
EX. 1. Complétez les phrases avec le pronom personnel sujet qui convient.

| Je | Tu | Il / Elle | Nous | Vous | Ils / Elles |

1. <u>Il / Elle</u> occupe la chambre 3.
2. …. aiment la ville de Bordeaux.
3. …. étudions la langue française.
4. …. cherche un travail dans le secteur médical.
5. …. parles bien français.
6. …. aimez les croissants ?

EX. 2. Complétez les phrases avec le pronom personnel sujet ou la terminaison qui convient.

1. Ils visit…. Dijon.
2. Tu écout…. de la musique classique.
3. Je m'appell…. Fabio.
4. …. étudiez le français ?
5. Elle travaill…. à Paris.
6. …. aimons la ville de Strasbourg.

LES VERBES EN –*ER* AU PRÉSENT
EX. 3. Complétez le mail de Karim avec les verbes *parler, proposer, étudier, aimer* et *penser* conjugués au présent.

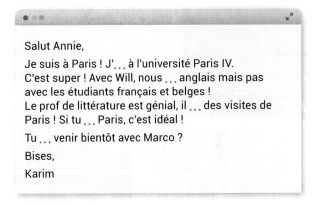

Salut Annie,

Je suis à Paris ! J'… à l'université Paris IV. C'est super ! Avec Will, nous … anglais mais pas avec les étudiants français et belges ! Le prof de littérature est génial, il … des visites de Paris ! Si tu … Paris, c'est idéal !

Tu … venir bientôt avec Marco ?

Bises,

Karim

EX. 4. Conjuguez les verbes de la colonne de gauche puis associez les éléments pour former des phrases.

1. Vous (aimer) <u>aimez</u> les langues   dans la restauration.
2. Nous (parler) …. 2 langues :   un film américain.
3. Ils (visiter) ….   la géographie.
4. Je (regarder) ….   la tour Eiffel.
5. Tu (étudier) ….   le français et l'arabe.
6. Elle (travailler) ….   et la littérature.

LE VERBE *S'APPELER* AU PRÉSENT
EX. 5. Complétez les phrases en conjuguant le verbe *s'appeler* au présent.

1. Bonjour monsieur, comment …. ?
2. Bonjour monsieur le directeur, …. Marc Martin.
3. Salut, comment …. ?
4. Salut, …. Sarah, et toi ?

+ d'exercices : pages 165 - 168

9. UNE VISITE TOURISTIQUE

A. Quelle ville est présentée sur cette brochure touristique ? Pouvez-vous la situer sur la carte de France p. 228 ?

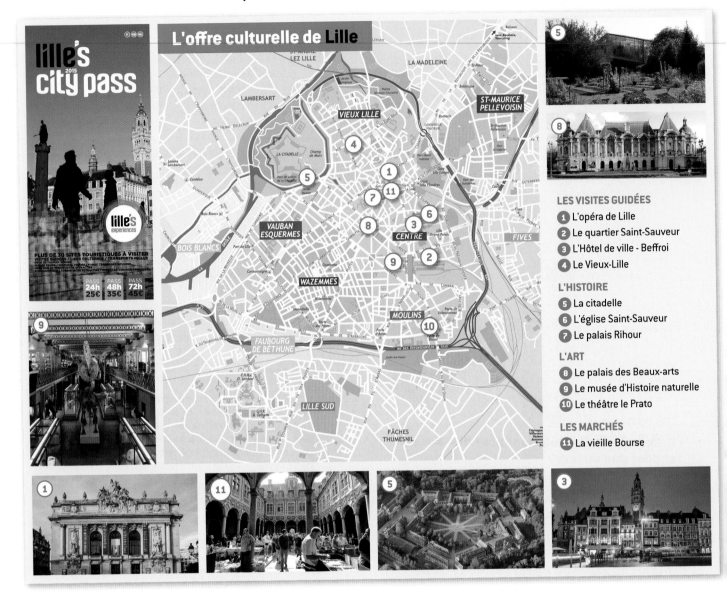

LES VISITES GUIDÉES

1 L'opéra de Lille
2 Le quartier Saint-Sauveur
3 L'Hôtel de ville - Beffroi
4 Le Vieux-Lille

L'HISTOIRE

5 La citadelle
6 L'église Saint-Sauveur
7 Le palais Rihour

L'ART

8 Le palais des Beaux-arts
9 Le musée d'Histoire naturelle
10 Le théâtre le Prato

LES MARCHÉS

11 La vieille Bourse

B. Observez le document et répondez aux questions suivantes.

1. Dans quel quartier se trouve le Beffroi ?
2. Quelle photo représente le marché aux livres ?
3. Dans quels quartiers peut-on faire des visites guidées ?

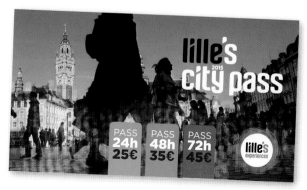

C. À deux, complétez le tableau suivant.

LES ARTICLES DÉFINIS

	MASCULIN	FÉMININ
SINGULIER	.... quartier .... opéra*	.... citadelle .... église*
PLURIEL	.... marchés	.... visites guidées

*Le ou *la* devient .... devant un nom commençant par une voyelle ou un **h** muet.
Ex. : .... *église* / .... *hôtel.*

D. En groupes, cherchez des photos et un plan de la ville de votre choix et créez votre brochure touristique. Ensuite, affichez vos productions en classe.

10. LES PHRASES UTILES POUR LA CLASSE

 CD 1 PISTE 9

A. Observez le document et écoutez les phrases utiles pour la classe.

GUIDE DE SURVIE POUR LA CLASSE DE FRANÇAIS

 **1** Je ne comprends pas.

 **2** Comment ça s'écrit ?

 **3** Vous pouvez parler plus lentement, s'il vous plaît ?

 **4** Comment ça se prononce ?

 **5** Qu'est-ce que ça veut dire ?

 **6** Vous pouvez répéter, s'il vous plaît ?

B. Qui parle à qui ? Classez les phrases dans le tableau. Plusieurs choix sont possibles.

A. Observez le document.
B. Lisez le texte.
C. Tu peux répéter, s'il te plaît ?
D. Comment ça se prononce ?
E. Travaillez en groupe.
F. Vous pouvez parler plus lentement, s'il vous plaît ?

1. Le professeur parle aux élèves.	A, ...
2. Les élèves parlent au professeur.	
3. Les élèves parlent aux élèves.	

LES ARTICLES DÉFINIS

EX. 1. Voici les dix recommandations de l'office de tourisme de Lille. Complétez cette liste avec les articles définis qui conviennent.

L'office de tourisme de Lille vous propose :

1. La cathédrale Notre-Dame
2. .... place de la vieille Bourse
3. .... musée des Beaux-arts
4. .... opéra
5. .... jardin des plantes
6. .... hôtel de ville
7. .... théâtre le Prato
8. .... palais Rihour
9. .... Porte de Paris
10. .... citadelle

EX. 2. À votre tour, proposez une liste de recommandations pour visiter votre ville.

EX. 3. Classez les mots suivants dans la colonne qui convient.

ville · voyages · concerts · plan · métro · restaurant · école · carte · langue · étudiant · salutations · horaires · culture · hôtel

LE	LA	L'	LES

EX. 4. Complétez cet article de journal avec les articles définis qui conviennent.

TOURISME

Lancement du site Lille tourisme

Le nouveau site Internet de ... office de tourisme de Lille est en ligne !
... culture, ... monuments, ... spectacles, ... gastronomie : vous y trouverez toutes ... informations utiles pour visiter ... ville ! ... horaires des transports et ... plan de la ville sont aussi disponibles.

+ d'exercices : pages 165 - 168

11. MON AVIS SUR LA VILLE

A. Observez le document. Qu'est-ce que c'est ?

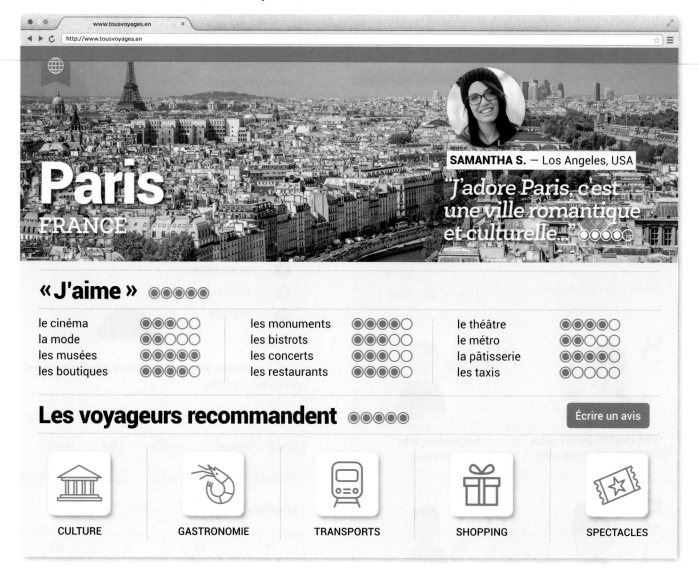

B. Samantha donne son opinion sur Paris sur le site tousvoyages.en. Classez les éléments de la liste (« J'aime ») en fonction de leur catégorie (« Les voyageurs recommandent »).

• Le cinéma, c'est la catégorie culture.

C. Relisez le document et complétez le tableau suivant.

LE GENRE ET LE NOMBRE DES NOMS

MASCULIN SINGULIER	*le cinéma, le ....*
FÉMININ SINGULIER	*la mode, la ....*
PLURIEL	*les musées, les ....*

En français, tous les noms ont un genre, masculin ou féminin (*m.* ou *f.* dans le dictionnaire). En général, les noms qui se terminent par **-e** ou **-ie** sont féminins.
Ex. : *J'aime la culture, la gastronomie.*

Pour former le pluriel d'un nom, on ajoute la lettre ....

D. Maintenant, qualifiez votre ville et notez de 1 (◉) à 5 (◉◉◉◉◉) les services suivants, comme dans l'exemple.

Ma ville :	
l'offre culturelle (musées, monuments)	○○○○○
la gastronomie	○○○○○
la vie nocturne	○○○○○
les boutiques	○○○○○
les moyens de transports	○○○○○

12. OLYMPIQUE DE MARSEILLE-PARIS SAINT-GERMAIN (OM-PSG)

A. Lisez cette conversation et dites quel sport Camille et Erwan regardent.

> Salut, Erwan !

> Salut, ça va ?

> Oui, très bien. Et *toi* ?

> Ça va, je regarde le match de foot.

> *Moi* aussi ! Vive le PSG !

> OM 2 - PSG 1 !
> Tu es 😟 ?

> Non, le match continue !
> Paris va gagner !!!!

> BUUUUUUTTTTT !!!!!! 3-1 !

> NOOOONNNN !!!!

> Eh oui ! Vive l'OM !!! 👏👏👏

B. Relisez l'échange entre Camille et Erwan et dites si les phrases suivantes sont vraies ou fausses.

	VRAI	FAUX
1. Ils regardent un match de rugby.	☐	☐
2. Erwan est pour le PSG.	☐	☐
3. Camille est pour l'OM.	☐	☐
4. L'OM a gagné le match.	☐	☐

C. Maintenant, complétez le tableau à l'aide des mots surlignés.

LES PRONOMS TONIQUES

PRONOMS SUJETS	PRONOMS TONIQUES
je / j'	....
tu	....
il	*lui*
elle	*elle*
nous	*nous*
vous	*vous*
ils	*eux*
elles	*elles*

Et vous ?
Aimez-vous regarder le sport à la télévision ?

LE GENRE ET LE NOMBRE DES NOMS

EX. 1. Classez les mots suivants dans la colonne qui convient et ajoutez l'article (*le, la, l'*), comme dans l'exemple.

mode   baguette   boutique   art   métro

boulangerie   pharmacie   théâtre   littérature

festival   hôtel   pâtisserie   concert   taxi

MASCULIN	FÉMININ
	la mode

EX. 2. Écrivez les mots suivants au pluriel.

1. le taxi : *les taxis*
2. la boulangerie : ....
3. la pharmacie : ....
4. le bar : ....
5. l'art : ....
6. la boutique : ....
7. le bistrot : ....
8. le croissant : ....
9. l'hôtel : ....
10. le monument : ....

EX. 3. Complétez les phrases en fonction de vos préférences.

1. J'adore les .....
2. J'adore le .....
3. J'aime les .....
4. J'aime la .....
5. Je n'aime pas le .....
6. Je déteste les .....

LES PRONOMS TONIQUES

EX. 4. Complétez les dialogues avec les pronoms toniques qui conviennent.

1. ● Vous aimez le sport ?
   ○ Oui, j'aime le football. Et ...., vous aimez quel sport ?
2. ● Et ...., il habite à Paris ?
   ○ Oui.
3. ● Salut Nicolas.
   ○ Salut Marc.
   ● Ça va ?
   ○ Oui, merci. Et .... ?

LES PRONOMS PERSONNELS SUJETS ET LES PRONOMS TONIQUES

CD 1
PISTE 10

EX. 5. Complétez les phrases avec les pronoms qui conviennent. Ensuite, écoutez pour vérifier.

1. Et ...., ... aimes le shopping ?
2. Bonjour monsieur, ... allez bien ?
3. .... parlons français. Et ...., ... parlez français ?
4. ● Madame, ... habitez à Marseille ?
   ○ Oui, ... aussi ?
5. .... adorent le football !

+ d'exercices : pages 165 - 168

L'ALPHABET

1. À deux, remettez les lettres dans l'ordre pour former des mots vus dans cette unité.

1. E É M U S : le M...
2. M A P H A R C I E : la P...
3. Y A G E S V O : les V...
4. L L E V I : la V...
5. V S I I T E : la V...

2. Complétez l'abécédaire de l'unité.

A comme *aimer*
B comme ....
C comme ....
D comme ....
E comme ....
F comme ....
G comme ....
H comme ....
I comme *images*
J comme ....
K comme *Karim*
L comme ....
M comme ....
N comme *nombres*
O comme ....
P comme ....
Q comme *quartier*
R comme *regarder*
S comme ....
T comme ....
U comme *Ulf*
V comme ....
W comme *Willy*
X comme *Xavier*
Y comme *Yasmina*
Z comme *zéro*

LES NOMBRES JUSQU'À 20

3. Continuez les séries avec trois nombres.

1. deux, quatre, six, ..., ..., ...
2. vingt, dix-sept, quatorze, ..., ..., ...
3. zéro, quatre, huit, ..., ..., ...

CD 1
PISTE 11

4. Écoutez et complétez les numéros de téléphone.

1. ..... 10 ..... 20 13
2. 01 ..... 17 04 .....
3. ..... 14 12 18
4. 06 ..... 16 12 .....

LES SALUTATIONS

5. A. Retrouvez cinq expressions de salutations dans la grille.

Ç	A	V	A	Y	D	R	U
M	À	R	Ô	I	I	Ç	S
B	O	N	J	O	U	R	A
Z	A	X	M	L	Q	I	L
S	E	G	U	L	N	W	U
À	B	I	E	N	T	Ô	T
R	T	M	E	R	C	I	Ô
A	U	R	E	V	O	I	R

5. B. Maintenant, retrouvez le mot caché dans la grille.

• Le mot caché est m....

LES PHRASES UTILES POUR LA CLASSE

6. Retrouvez la question qui correspond à la situation.

SITUATIONS
A. Je ne comprends pas.
B. Je ne sais pas écrire le mot.
C. Je ne sais pas prononcer le mot.

QUESTIONS
1. Vous pouvez épeler, s'il vous plaît ?
2. Comment ça se prononce ?
3. Vous pouvez expliquer, s'il vous plaît ?

LE VOCABULAIRE DE LA VILLE

7. Trouvez...

1. Deux lieux de la ville qui commencent par la lettre M.
2. Deux lieux de la ville où on peut manger.
3. Deux moyens de transport.

8. Barrez l'intrus et choisissez la catégorie qui convient.

1. l'art / le handball / le rugby / le football : *sport*
2. le taxi / le musée / le métro / le bus : ....
3. le bistrot / la boulangerie / la pâtisserie / l'opéra : ....
4. le musée / le monument / le fromage / le théâtre : ....
5. le restaurant / la danse / le festival / le concert : ....

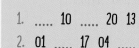

culture | ~~sport~~ | transports | gastronomie | spectacles

A. PROSODIE

LE RYTHME ET LA SYLLABE ACCENTUÉE

 1. Écoutez ces énoncés. Vous entendez combien de syllabes ? Complétez le tableau.

CD 1 PISTE 12

la France	le cinéma	l'office de tourisme	à plus tard
l'art	ça va	ça va bien	vous allez bien ?	bonne nuit

1 SYLLABE ♪	2 SYLLABES ♪♩	3 SYLLABES ♪♪♩	4 SYLLABES ♪♪♪♩	5 SYLLABES ♪♪♪♪
	la France		le cinéma	

À L'ÉCRIT ✐	À L'ORAL 👂
Ça va = 2 mots **Ça va bien** = 3 mots	/sa-va/ : 1 groupe de mots de 2 syllabes. /sa-va-bjɛ̃/ : 1 groupe de mots de 3 syllabes.

À l'oral, on forme des **groupes de mots**.
La syllabe accentuée est la **dernière syllabe du groupe de mots**.
Ex. : *Ça va. Ça va bien.*

 2. Écoutez et prononcez ces groupes de mots. Placez l'accent sur la dernière syllabe.

CD 1 PISTE 13

la France / les Français	ça va / ça va bien	dix / dix-sept
je parle / nous parlons	la tour / la tour Eiffel	

 3. Écoutez et prononcez ces énoncés. Placez l'accent sur la dernière syllabe.

CD 1 PISTE 14

1. Salut (2) / Ça va ? (2)
2. À bientôt (3) / À plus tard (3)
3. Bonjour (2) / Enchanté (3) / Vous allez bien (4) ?
4. J'aime la France (3) / J'aime le français (4) / J'aime le cinéma (5)

LA LIAISON

 4. Soulignez les noms et les verbes qui commencent par une voyelle, et écoutez.

CD 1 PISTE 15

les boutiques	les élèves	nous visitons	nous étudions
vous aimez	vous parlez	ils regardent	ils adorent

Au pluriel, devant un verbe ou un nom qui commence par une voyelle ou un **h** muet, on ajoute la consonne de liaison (z) :
Entre l'article et le nom → Ex. : *Les élèves* [lezelɛv]
Entre le pronom et le verbe → Ex. : *Nous étudions* [nuzetydjɔ̃]

 5. Écoutez et prononcez ces phrases.

CD 1 PISTE 16

1. Ils parlent français. Ils‿aiment le français.
2. Nous‿aimons les voyages. Nous visitons la France.
3. Les‿étudiants aiment les langues.
4. Vous visitez Paris ? Vous‿aimez la ville ?

B. PHONÉTIQUE

 6. Écoutez ces énoncés. Ils sont différents (≠) ou identiques (=) ?

CD 1 PISTE 17

	1	2	3	4	5
≠	X				
=		X			

LE SINGULIER ET LE PLURIEL

Pour distinguer le singulier et le pluriel, il faut bien écouter l'article défini (**le** [lœ] ou **les** [lE]). Le **-s** à la fin des mots au pluriel ne se prononce pas.

 7. Écoutez à présent les mots prononcés au singulier et au pluriel. Dans quel ordre sont-ils prononcés ?

CD 1 PISTE 18

	[lœ] SINGULIER	[lE] PLURIEL	SINGULIER	PLURIEL
1	le Français	les Français	1	2
2	le café	les cafés		
3	le restaurant	les restaurants		
4	le concert	les concerts		

8. Prononcez ces mots.

1. le café / les cafés
2. les taxis / le taxi
3. le musée / les musées
4. les métros / le métro

C. PHONIE-GRAPHIE

LA PRONONCIATION DES FORMES EN -ER

 9. Écoutez la conjugaison d'*aimer* et de *parler* et barrez les lettres finales qui ne se prononcent pas. Puis, cochez l'option correcte dans l'encadré.

CD 1 PISTE 19

Aimer	J'aime, tu aimes, il/elle aime, ils/elles aiment.
Parler	Je parle, tu parles, il/elle parle, ils/elles parlent.

Les trois formes du singulier (*je, tu, il/elle*) et la 3ᵉ personne du pluriel (*ils/elles*) ont une prononciation :
☐ identique
☐ différente

LES SALUTATIONS EN FRANCE

TU OU VOUS ?

QUAND J'ARRIVE

 BONJOUR ! SALUT ! BONSOIR !

Vous allez bien ? | Tu vas bien ? | Ça va ?

SALUER... OUI, MAIS COMMENT ?

QUAND JE PARS

 BONSOIR ! SALUT !

AU REVOIR !

À BIENTÔT !

À PLUS TARD !

BONNE NUIT !

LES GESTES

se faire la bise | se serrer la main

SITUATION INFORMELLE | **SITUATION FORMELLE**

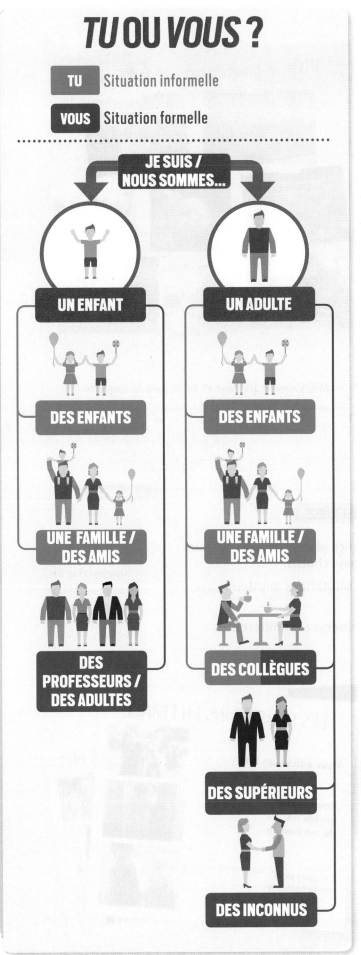

TU OU VOUS ?

TU Situation informelle

VOUS Situation formelle

JE SUIS / NOUS SOMMES...

UN ENFANT / **UN ADULTE**

DES ENFANTS | DES ENFANTS

UNE FAMILLE / DES AMIS | UNE FAMILLE / DES AMIS

DES PROFESSEURS / DES ADULTES | DES COLLÈGUES

DES SUPÉRIEURS

DES INCONNUS

13. LES SALUTATIONS

A. Répondez au quiz.

1. POUR DIRE « AU REVOIR » À UN AMI :
☐ Bonsoir, tu vas bien ?
☐ Salut Manu, à bientôt !

2. QUEL EST LE BON GESTE AVEC UNE PERSONNE DE LA FAMILLE ?
☐ Se faire la bise.
☐ Se serrer la main.

3. QUEL EST LE BON GESTE AVEC UN INCONNU ?
☐ Se faire la bise.
☐ Se serrer la main.

14. *TU* OU *VOUS* ?

A. Choisissez l'option ou les options correctes pour les différentes situations.

	TU	VOUS
1. Un adulte parle à son supérieur.	☐	☒
2. Un enfant parle à un enfant.	☐	☐
3. Un enfant parle à un adulte.	☐	☐
4. Un adulte parle à son collègue.	☐	☐
5. Un inconnu parle à un inconnu.	☐	☐
6. Un adulte parle à un adulte.	☐	☐
7. Un enfant parle à un professeur.	☐	☐
8. Un étudiant parle à un étudiant.	☐	☐
9. Un adulte parle à un enfant.	☐	☐

B. Et dans votre langue, *tu* et *vous* existent aussi ? Ils s'utilisent comme en français ?

+ DE RESSOURCES SUR espacevirtuel.emdl.fr
La France en images
Une présentation de la France

TÂCHES FINALES

TÂCHE 1 · VOTRE FRANCE

1. En groupes, choisissez une catégorie pour représenter la France (culture, gastronomie, sport...). Sélectionnez des images et faites un collage.

2. Pensez à un petit slogan pour votre document.

3. Maintenant, présentez votre document à la classe. À votre avis, quelles sont les deux meilleures présentations ?

CONSEILS

- Réutilisez les mots étudiés dans l'unité pour créer votre slogan.
- Pensez à parler des choses que vous connaissez de la France.
- Proposez une présentation originale !

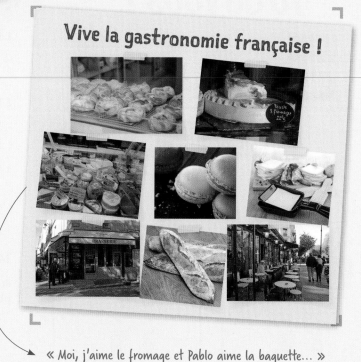

Vive la gastronomie française !

« Moi, j'aime le fromage et Pablo aime la baguette... »

TÂCHE 2 · NOUS SALUONS, VOUS SALUEZ...

1. Vous allez comparer les salutations en France et dans le pays de votre choix. Formez des groupes en fonction des pays choisis.

2. Créez deux documents pour présenter les salutations des deux pays. Illustrez-les avec des dessins ou des photos.

3. Affichez vos documents dans la classe et observez les différences culturelles.

CONSEILS

- Pensez aux situations formelles et informelles des pages 30 et 31.
- Choisissez les photos les plus représentatives.
- Soignez votre document !

LES SALUTATIONS EN FRANCE

Pour saluer un ami

Pour saluer quelqu'un de ma famille

En contexte professionnel

E PAYS

2
VOYAGE AUTOUR DU MONDE

DÉCOUVERTE

pages 34-37

Premiers regards
- Demander et donner des renseignements personnels
- Découvrir le lexique de l'identité

Premiers textes
- Renseigner sur l'identité, la nationalité et la profession
- Découvrir des personnalités francophones
- Découvrir le lexique des professions et des nationalités

OBSERVATION ET ENTRAÎNEMENT

pages 38-45

Grammaire
- L'interrogation (1) : *quel, quelle, quels, quelles*
- Les adjectifs possessifs
- La négation (1) : *ne... pas*
- Le verbe *être* au présent
- Les prépositions et les noms de pays et de villes
- L'interrogation (2) : *où*
- Les articles indéfinis
- Le féminin des adjectifs de nationalité
- Le verbe *avoir* au présent

Lexique
- L'état civil
- Les professions
- Les adjectifs de nationalité
- Les nombres de 20 à 100
- Les pays et les villes

Phonétique
- Le masculin et le féminin des adjectifs de nationalité à l'oral et à l'écrit
- La phrase et l'intonation déclarative

REGARDS CULTURELS

pages 46-47

Les documents
- À la découverte de personnalités francophones célèbres

La vidéo
- Les Français à l'étranger

ALLER VOIR AILLEURS SI J'Y SUIS

0:13

À visionner sur :
espacevirtuel.emdl.fr

TÂCHES FINALES

page 48

Tâche 1
- Créer un questionnaire et apprendre à mieux se connaître

Tâche 2
- Créer une carte de nos amis dans le monde

+ DE RESSOURCES SUR
espacevirtuel.emdl.fr

— Des activités autocorrectives (grammaire/lexique/culture/CE/CO)
— Un nuage de mots sur les professions et les nationalités

VOYAGER

LES FRANÇAIS DANS LE MONDE

Entre 1,5 et 2 millions de Français vivent à l'étranger.
Quand les Français changent de pays, ils préfèrent la Suisse,
les États-Unis, le Royaume-Uni, la Belgique et l'Allemagne.
En général, ils quittent la France pour des raisons professionnelles.
Voici quatre Français installés dans un autre pays.

1

Nom : Youssef

Prénom : Al Jaouni

Âge : 40 ans

État civil : marié

Profession : analyste financier

Pays de résidence :

Émirats Arabes Unis

Ville : Dubaï

Le + de sa ville : le climat

3

Nom : Heudre

Prénom : Julie

Âge : 22 ans

Profession : étudiante

État civil : célibataire

Pays de résidence : Canada

Ville : Montréal

Le + de sa ville :
la vie nocturne

> " Rien ne développe l'intelligence comme les voyages „

Émile Zola, écrivain français

Nom : Bompart

Prénom : Eugène

Âge : 80 ans

État civil : veuf

Profession : retraité

Pays de résidence : Maroc

Ville : Agadir

Le + de sa ville : la cuisine

2

MAROC
30 AVR 2013
ARRIVÉE

Nom : Perrier

Prénom : Pauline

Âge : 34 ans

État civil : divorcée

Profession :
professeure de français

Pays de résidence : Chili

Ville : Santiago du Chili

Le + de sa ville :
les paysages

4

★ CHILI ★
23 FEB 2011
IMIGRACION

1. LES FRANÇAIS DANS LE MONDE

A. Voici quatre Français qui habitent à l'étranger. Lisez leurs profils et retrouvez qui...

- ne travaille pas.
- aime le soleil.
- travaille dans l'éducation.

B. Sur le même modèle que les personnages du reportage, complétez votre profil.

Nom : ....

Prénom : ....

Âge : ....

État civil : ....

Profession : ....

Pays de résidence : ....

Ville : ....

Le + de votre ville : ....

CD 1
PISTE 20

C. Anke est allemande, elle vit en France. Écoutez-la et complétez sa présentation.

- Elle s'appelle Anke Fisher.
- Elle a .... ans.
- Elle est .....
- Elle habite à .....
- Elle est .... en art.
- Elle aime la .... et les musées.

 Et vous ?
Aimez-vous ou aimeriez-vous vivre à l'étranger ?

2. QUI EST-CE ?

A. Retrouvez les photos des personnalités francophones à l'aide des informations suivantes.

1

Ils sont français, musiciens et célèbres dans le monde entier pour leur musique électronique.

Info+ : 5 **Grammy** pour *Random Acces Memories*

2

C'est un acteur français, il habite à Paris et il travaille en France et aux États-Unis.

Info+ : **Oscar** pour le film *The Artist*

3

C'est un écrivain marocain, il écrit en français. Il habite au Maroc, à Tanger.

Info+ : **Prix Goncourt** 1987

4

C'est une chanteuse camerounaise. Elle étudie à Paris et elle chante en anglais.

Info+ : duo avec le chanteur allemand Patrice

A

B

| D | A | F | T |

| P | U | N | K |

C

D

| J | E | A | N |

| D | U | J | A | R | D | I | N |

| I | R | M | A |

| T | A | H | A | R |

| B | E | N |

| J | E | L | L | O | U | N |

B. À présent, devinez qui est la personnalité mystère.

• Moi, je pense que c'est...

C'est un sportif français. Il habite aux États-Unis, à San Antonio.

Info+ : il joue au basket à la NBA

| T | | | Y |

| P | | K | | R |

C. Sur ce modèle, formez deux équipes et proposez vos devinettes comme dans l'exemple.

• Il est français, il est DJ. Il adore Ibiza et la musique électronique ! C'est...
○ David Guetta ?
• Oui !

 Et vous ?
Quelles sont vos personnalités préférées ?

3. UN MÉTIER, UNE PASSION

A. Lisez les présentations de ces professionnels. Quel métier vous intéresse le plus ?

Moi, c'est Stephan, j'ai 34 ans, je suis allemand. J'habite à Cologne et je suis **vendeur**. **1**

Je suis **guide touristique**. Je m'appelle Aleksandra. J'ai 25 ans. J'habite à Moscou. **2**

Bonjour, je m'appelle Ranbir, j'ai 49 ans. Je suis indien, j'habite à Bombay et je suis **chef cuisinier**. **3**

Bonjour, je m'appelle Irene, j'ai 27 ans, je suis espagnole et je suis **vétérinaire**. J'habite à Séville, en Espagne. **4**

Je m'appelle Kate, j'ai 30 ans et je suis anglaise. Je suis **journaliste** et j'habite à Liverpool, en Angleterre. **5**

B. Lisez ces témoignages. De qui s'agit-il ? Quel est leur métier ?

Je dirige la cuisine dans un restaurant gastronomique indien.
prénom : ...
métier : ...

Je vends des ordinateurs dans un magasin.
prénom : ...
métier : ...

Je rédige des articles pour un journal sportif.
prénom : ...
métier : ...

Je m'occupe des animaux malades.
prénom : ...
métier : ...

J'organise des visites guidées pour les touristes.
prénom : ...
métier : ...

C. Quelles sont leurs passions ? Regardez les photos et associez-les aux professionnels ci-dessus.

les animaux

les nouvelles technologies

le sport

la photo

la pâtisserie

4. LES MÉTIERS PRÉFÉRÉS DES FRANÇAIS

A. Observez le podium. Avez-vous les mêmes préférences que les Français ?
À votre avis, quelle est la qualité commune à ces trois métiers ? Vérifiez vos hypothèses en lisant l'article.

la créativité   l'exigence   l'organisation

QUELS SONT LES MÉTIERS PRÉFÉRÉS DES FRANÇAIS ?

Les Français aiment les métiers créatifs et le podium confirme cette tendance. Voici trois professionnels qui représentent ces métiers.

2	1	3
ARCHITECTE	PHOTOGRAPHE	CHEF CUISINIER

MICHEL LEBRUN (PHOTOGRAPHE, ALBI)
Quelles sont **vos** préférences en photographie ?
J'aime tout photographier mais ma spécialité, c'est la musique.
Il y a un photographe que vous aimez en particulier ?
J'aime beaucoup Robert Doisneau.
Quels sont **vos** conseils pour être un bon photographe ?
Mes conseils ? Aimer l'art et être créatif !

ERWANN HUBERT (ARCHITECTE, QUIMPER)
Quelle est **votre** définition du métier ?
Pour moi, l'architecture, c'est une forme d'art... utile.
Quel est **votre** architecte préféré ?
J'adore Jean Nouvel.
Quels autres métiers vous intéressent ?
Les métiers de photographe et de dessinateur.

ANTOINE TROTTIN (CHEF CUISINIER, LILLE)
Quel est **votre** style de cuisine ?
Ma cuisine est moderne et créative.
Et **votre** plat préféré ?
Le hachis parmentier !
Quelles sont les qualités pour travailler dans la restauration ?
Dans mon métier, il faut être passionné et organisé.

FICHE SIGNALÉTIQUE

ANTOINE TROTTIN

SON MÉTIER :
chef cuisinier

SA NATIONALITÉ :
canadienne

SES PASSIONS :
la musique, l'art et le cinéma

2 MÉTIERS QUI L'INTÉRESSENT :
photographe et médecin

B. À présent, observez les questions des interviews et complétez le tableau.

QUEL, QUELS, QUELLE, QUELLES

	MASCULIN	FÉMININ
SINGULIER	.... est votre style ?	.... est votre définition du métier ?
PLURIEL	.... sont vos conseils ?	.... sont vos préférences ?

C. Complétez le tableau des adjectifs possessifs à l'aide des formes surlignées dans l'article.

LES ADJECTIFS POSSESSIFS

		SINGULIER		PLURIEL
		MASCULIN	**FÉMININ**	**MASCULIN ET FÉMININ**
UN POSSESSEUR	moi toi lui / elle vous (politesse)	.... **ton**] métier	.... **ta**] cuisine **sa**	**mes** **tes**] conseils / ....] passions ....
PLUSIEURS POSSESSEURS	nous vous eux / elles	**notre** ....] métier **leur**		**nos** ....] conseils **leurs**

⚠ Quand un nom féminin commence par une voyelle ou un **h** muet, on utilise : **mon / ton / son**.
Ex. : ***Mon** amie Juliette est photographe.*

D. À votre tour, complétez votre propre fiche. Regroupez les fiches de la classe et retrouvez le classement des métiers préférés de la classe.

Mon métier : ....   *Ma nationalité : ....*

5. UN NOUVEAU MÉTIER

CD 1
PISTE 21

A. Écoutez cette annonce. À qui s'adresse-t-elle ? À des professionnels ou à des étudiants ?

VOUS DÉSIREZ CHANGER DE MÉTIER ?

VOUS NE SAVEZ PAS QUEL MÉTIER EST FAIT POUR VOUS ? VOUS N'ÊTES PAS SEUL !

FAITES NOTRE TEST D'ORIENTATION
Découvrez votre secteur d'activité et trouvez votre nouveau métier.

MON EMPLOI, *le spécialiste de l'emploi*

B. Observez les formes surlignées puis, à deux, complétez la règle.

LA NÉGATION

La négation se compose de deux éléments :
.... + verbe conjugué + ...
Ex. : *Vous **ne** savez **pas** quel métier choisir.*

Ne devient .... devant une voyelle ou un ***h*** muet.
Ex. : *Vous **n'**êtes **pas** seul !*

C. Voici le test d'orientation de Mon Emploi. À deux, interrogez-vous et notez les réponses de votre camarade.

- Tu es créatif ?
- Non, je ne suis pas créatif.
- Et tu es communicatif ?
- Oui !

TEST

1. INFORMATIONS PERSONNELLES :
Nom : .... Prénom : .... Âge : .... Mail : ....
Vous êtes : ☐ créatif ☐ communicatif ☐ logique
2. PRÉFÉRENCES :
☐ les chiffres ☐ l'art ☐ le commerce

LE VERBE *ÊTRE* AU PRÉSENT

je **suis**	nous **sommes**
tu **es**	vous **êtes**
il / elle / on **est**	ils / elles **sont**

D. Observez les métiers suivants. À partir des réponses de votre camarade, dites quels métiers lui conviennent le plus.

- Les métiers de l'art
- Les métiers de la science
- Les métiers de la communication

QUEL, QUELS, QUELLE, QUELLES
EX. 1. Complétez les questions avec l'interrogatif qui convient puis interrogez un de vos camarades.

1. .... est votre livre préféré ?
2. .... est votre ville préférée ?
3. .... sont vos métiers préférés ?
4. .... sont vos passions ?
5. .... sont vos langues préférées ?

- Quel est ton livre préféré ?
- « La métamorphose », de Kafka.

EX. 2. Classez les mots dans la colonne qui convient. Ensuite, à partir de ces mots, écrivez des questions puis posez-les à un camarade.

langues   profession   âge   nationalité
qualités   style de musique   métier   passions

QUEL	QUELLE	QUELS	QUELLES
			langues

- Quelles langues tu parles ?
- Je parle espagnol et japonais.

LES ADJECTIFS POSSESSIFS
EX. 3. Complétez avec le possessif qui convient puis terminez les phrases avec les mots suivants, comme dans l'exemple.

la musique   les langues   les nouvelles technologies
la musique classique   le cinéma   le sport

1. La fille de Florence apprend le chinois et l'allemand.
→ Sa fille aime **les langues**.
2. Lucie préfère regarder des films et écouter des chansons.
→ .... activités préférées sont .... et .... .
3. La grand-mère de Paul est fan de Schubert et de Mozart.
→ .... grand-mère aime .... .
4. Pierre est journaliste sportif.
→ .... passion, c'est .... .
5. Le fils de Stéphane est informaticien.
→ .... fils aime .... .

LA NÉGATION
EX. 4. Répondez à ces questions sur les métiers, comme dans l'exemple. Aidez-vous de l'activité 3 p. 37.

1. Les journalistes travaillent avec des animaux ? → Non, les journalistes ne travaillent pas avec des animaux, ils rédigent des articles.
2. Les chefs cuisiniers s'occupent des touristes ?
3. Les guides touristiques travaillent dans un magasin ?
4. Les vétérinaires dirigent la cuisine d'un restaurant ?
5. Les vendeurs travaillent dans un hôpital ?

+ d'exercices : pages 169 - 172

6. QUAND LES FRANÇAIS VOYAGENT

A. Observez le document. Quel est son thème ?

les Français à l'étranger   les Français en vacances   les Français et le tour du monde

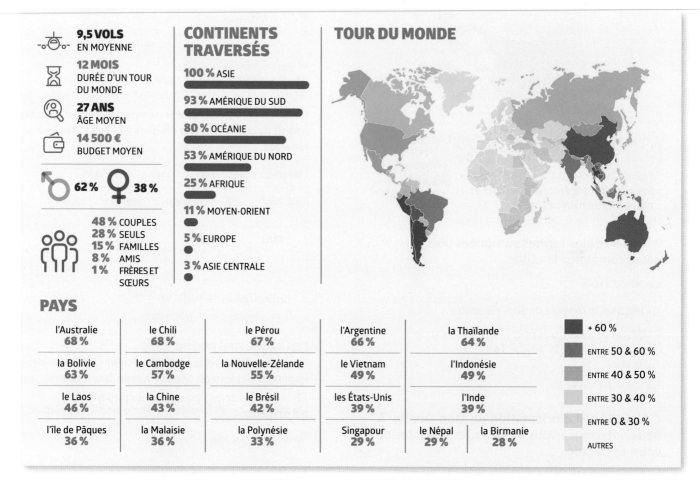

9,5 VOLS EN MOYENNE

12 MOIS DURÉE D'UN TOUR DU MONDE

27 ANS ÂGE MOYEN

14 500 € BUDGET MOYEN

62 % / **38 %**

- **48 %** COUPLES
- **28 %** SEULS
- **15 %** FAMILLES
- **8 %** AMIS
- **1 %** FRÈRES ET SŒURS

CONTINENTS TRAVERSÉS

- **100 %** ASIE
- **93 %** AMÉRIQUE DU SUD
- **80 %** OCÉANIE
- **53 %** AMÉRIQUE DU NORD
- **25 %** AFRIQUE
- **11 %** MOYEN-ORIENT
- **5 %** EUROPE
- **3 %** ASIE CENTRALE

TOUR DU MONDE

PAYS

l'Australie 68 %	le Chili 68 %	le Pérou 67 %	l'Argentine 66 %	la Thaïlande 64 %
la Bolivie 63 %	le Cambodge 57 %	la Nouvelle-Zélande 55 %	le Vietnam 49 %	l'Indonésie 49 %
le Laos 46 %	la Chine 43 %	le Brésil 42 %	les États-Unis 39 %	l'Inde 39 %
l'île de Pâques 36 %	la Malaisie 36 %	la Polynésie 33 %	Singapour 29 %	le Népal 29 % / la Birmanie 28 %

- **+ 60 %**
- ENTRE 50 & 60 %
- ENTRE 40 & 50 %
- ENTRE 30 & 40 %
- ENTRE 0 & 30 %
- AUTRES

B. À deux, recherchez dans le document les chiffres qui correspondent aux informations suivantes.

1. .... % des globetrotteurs sont des femmes.
2. .... % des globetrotteurs voyagent en famille.
3. .... % des globetrotteurs traversent l'Asie.
4. .... % des globetrotteurs traversent l'Amérique du sud.
5. .... % des globetrotteurs traversent l'Amérique du nord.
6. .... % des globetrotteurs visitent les États-Unis.

C. À deux, observez maintenant les nombres de 20 à 100 et complétez le tableau.

LES NOMBRES DE 20 À 100

21 : vingt **et** un → 20 + 1	**60** : soixante
27 : vingt-sept → 20 + 7	**69** : ....-neuf → 60 + 9
30 : trente	**70** : soixante-.... → 60 + 10
31 : trente .... un → 30 + 1	**71** : soixante et .... → 60 + 11
40 : quarante	**80** : quatre-ving**ts** → (4 x 20)
42 : quarante-deux → 40 + 2	**81** : quatre-vingt-un
50 : cinquante	**90** : quatre-vingt-dix → (4 x 20) + 10
53 : cinquante-.... → 50 + 3	**93** : .... → 4 x 20 + 13
	100 : cent

D. Complétez le document suivant puis formez des groupes. Mettez vos préférences en commun et faites un graphique de votre tour du monde idéal. Ensuite, présentez vos statistiques à la classe.

MON TOUR DU MONDE IDÉAL

Mes pays indispensables sont : l'Argentine, ...

Mes continents préférés sont : l'Amérique du sud, ...

Je préfère voyager : ☐ seul ☒ en couple ☐ en famille ☐ avec des amis

- 50 % du groupe pense visiter le Chili et le Laos.

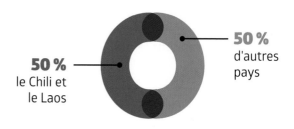

50 % le Chili et le Laos

50 % d'autres pays

2

7. LES MERVEILLES DU MONDE

A. Savez-vous dans quel pays se trouvent ces monuments ? Complétez les phrases, comme dans l'exemple.

- La tour Eiffel est à Paris, en France.

1. La Maison Rose est à Buenos Aires, **en** .... .
2. La place Jemaa el-Fna est à Marrakech, **au** .... .
3. Le Taj Mahal est à Agra, **en** .... .
4. La statue de la Liberté est à New York, **aux** .... .
5. Le Colisée est à Rome, **en** .... .
6. L'Acropole est à Athènes, **en** .... .
7. L'Alhambra est à Grenade, **en** .... .
8. La Cité Interdite est à Pékin, **en** .... .

B. Observez de nouveau les phrases puis complétez la règle suivante.

LES PRÉPOSITIONS ET LES NOMS DE PAYS ET DE VILLES

Pour **les noms de pays**, on utilise :
- La préposition .... + pays qui se termine en **-e** ou qui commence par une voyelle
Ex. : *Il voyage .... France. Je suis **en** Angola.*

- La préposition .... + pays qui commence par une consonne ou qui se termine par une autre voyelle que **-e**
Ex. : *J'habite .... Maroc. J'habite **au** Canada.*

- La préposition .... + pays au pluriel
Ex. : *Je suis .... États-Unis.*

Pour **les noms de villes**, on utilise :
- La préposition **à** + ville
Ex. : *Je suis .... Paris.*

C. À deux, imaginez des questions sur des villes, des capitales ou des pays. Ensuite, posez vos questions à un autre binôme.

- Où se trouve Istanbul ?
- En Turquie.

OÙ

On utilise le mot interrogatif **où** pour poser une question sur un lieu.
Ex. : - **Où** tu habites ?
- À Casablanca.

LES NOMBRES DE 20 À 100

CD 1
PISTE 22

EX. 1. Calculez et écrivez les chiffres en toutes lettres, comme dans l'exemple. Puis, écoutez pour vérifier.

1. $(10 + 2) \times 2 = $ *vingt-quatre*
2. $3 \times 3 = $ ....
3. $60 + 10 = $ ....
4. $(20 \times 4) + 12 = $ ....
5. $(30 \times 2) + 14 = $ ....
6. $9 \times 3 = $ ....
7. $5 \times 7 = $ ....
8. $(3 \times 9) + 3 = $ ....
9. $(20 \times 4) + 8 = $ ....
10. $(20 \times 2) + 3 = $ ....

EX. 2. Complétez ce sudoku avec les nombres des dizaines écrits en toutes lettres, comme dans l'exemple.

20	80	60	10	90			40	70
30			20		10	50	60	
50	40	10			80	90	20	
10	90		60			80		
60	30		80	*dix*		50	70	90
80	50		30	70	90	40		
70		50				60		40
		30		40	60	70	20	
	60	80	20	30	70	90	10	

LES PRÉPOSITIONS ET LES NOMS DE VILLES ET DE PAYS

EX. 3. Complétez ces phrases avec les prépositions qui conviennent.

1. Bastien est .... Maroc, ... Agadir.
2. Cet été, je voyage .... France.
3. Léa voyage .... Canada, ... Montréal !
4. Marc étudie .... États-Unis, ... Boston.
5. Nous sommes .... Angleterre, ... Oxford.
6. Samia et Christine sont en vacances .... Allemagne, ... Berlin.
7. J'étudie .... Côte d'Ivoire, ... Abidjan.
8. Tom fait un séjour linguistique .... Pays-Bas, ... Amsterdam.
9. Étienne habite .... Argentine.
10. Sandra est en voyage .... Philippines, ... Manille.
11. Elle travaille .... Nouvelle-Zélande.

OÙ

EX. 4. Imaginez les questions aux réponses suivantes, utilisez *où* et aidez-vous de l'activité 7. Ensuite, écrivez deux autres réponses et leurs questions.

À Paris. → *Où se trouve la tour Eiffel ?*
En Grèce. →
Au Maroc. →
Aux États-Unis. →
En .... →
Au .... →

+ d'exercices : pages 169 - 172

8. UN MONDE GLOBAL

A. Observez ce document. Avez-vous des points communs avec Hugo et Amélie ?

- J'aime la cuisine italienne comme Hugo.

Hugo est belge 🇧🇪

1. Il aime la cuisine italienne.
2. Il a **une** voiture japonaise.
3. Il a **un** téléphone chinois.
4. Sa petite-amie est américaine.

Amélie est suisse ➕

1. Son café est colombien.
2. Elle a **des** amis anglais et américains.
3. Son sac est marocain.
4. Elle aime la littérature suédoise.

B. Observez les formes surlignées et complétez le tableau.

LES ARTICLES INDÉFINIS

On utilise les **articles indéfinis** pour évoquer une personne, un objet ou une idée qu'on ne connaît pas ou dont on parle pour la première fois.

	MASCULIN	FÉMININ
SINGULIER	.... téléphone	.... voiture
PLURIEL	.... amis / amies	

C. Observez à nouveau le document puis, à deux, complétez le tableau.

LE FÉMININ DES ADJECTIFS DE NATIONALITÉ

MASCULIN + E = FÉMININ

Il est ..... → Elle est japonais**e**.
Il est chinois. → Elle est .....
Il est ..... → Elle est américain**e**.

MASCULIN EN -*IEN* → FÉMININ EN -*IENNE*

Il est colomb**ien**. → Elle est .....
Il est ..... → Elle est ital**ienne**.

MASCULIN = FÉMININ

Il est ...... → Elle est belge.

9. QUESTION DE NATIONALITÉ

A. Observez ces photos. Quelle est l'origine des boissons suivantes ?

- Le lassi, c'est une boisson indienne.

italien	marocain	argentin

~~indien~~	sénégalais

le lassi   le bissap   l'expresso

le thé à la menthe   le maté

B. À deux, dites de quelle(s) nationalité(s) est/sont...

vos amis	vos vêtements	votre téléphone

vos écrivains préférés	votre film préféré

votre cuisine préférée

10. UN PATRON INTERNATIONAL

A. Lisez cet article. Connaissez-vous cette personne ? Et ces deux entreprises ?

SOCIÉTÉ

Qui est Carlos Ghosn ?

◆ Carlos Ghosn est un grand PDG (Président Directeur Général) français. C'est le directeur des entreprises Renault (entreprise française) et Nissan Motor (entreprise japonaise). Il est très connu au Japon, il y a même un manga qui raconte sa vie !

◆ Il a 3 nationalités : française, libanaise et brésilienne. Il parle français, anglais, portugais, espagnol et aussi arabe !
Il est divorcé et il a 3 enfants. Aujourd'hui, il partage son temps entre la France et le Japon.

B. Dans la vie de Carlos Ghosn, dites ce que vous trouvez...

surprenant : ....

intéressant : ....

admirable : ....

C. À deux, choisissez une personnalité et complétez la fiche suivante.

Nom :	Âge : ....
Nationalité :	Métier : ....
État civil :	Pays de résidence : ....

LE VERBE *AVOIR* AU PRÉSENT

j'**ai**	nous **avons**
tu **as**	vous **avez**
il / elle / on **a**	ils / elles **ont**

D. À présent, rédigez une petite présentation de cette personnalité en vous aidant de l'article sur Carlos Ghosn.

LE GENRE DES NATIONALITÉS

EX. 1. Complétez ces mots croisés avec les nationalités qui conviennent.

VERTICAL
1. Céline Dion est une chanteuse .... .
2. Roger Federer est un joueur de tennis .... .
3. Le Louvre est un musée .... .

HORIZONTAL
4. New York est une grande ville .... .
5. Milan est une ville .... .
6. Haruki Murakami est un auteur .... .

EX. 2. Associez une étiquette à chaque drapeau, puis formez le masculin de la nationalité.

japonaise	congolaise	italienne	espagnole
suédoise	indienne	belge	marocaine

....
→ ....

....
→ ....

japonaise
→ *japonais*

....
→ ....

....
→ ....

....
→ ....

....
→ ....

....
→ ....

EX. 3. Voici une liste de pays. Placez l'article qui convient et complétez avec la nationalité.

	MASCULIN	FÉMININ
1. la Colombie	*colombien*	*colombienne*
2. .... Espagne		
3. .... Belgique		
4. .... Maroc		
5. .... Chine		
6. .... Suède		
7. .... Canada		

+ d'exercices : pages 169 - 172

L'ÉTAT CIVIL

1. Associez les différentes descriptions aux dessins suivants.

1. Ils sont mariés.

2. Il est célibataire.

3. Elle est célibataire.

4. Ils sont divorcés.

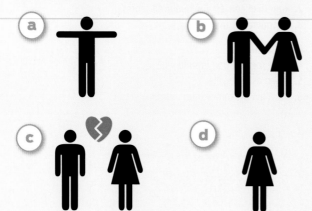

LES PROFESSIONS

2. Retrouvez dix noms de professions dans ces mots-mêlés.

P	V	É	T	É	R	I	N	A	I	R	E
S	J	O	U	R	N	A	L	I	S	T	E
É	X	G	G	F	I	Ô	P	R	V	Q	M
R	Ç	C	U	I	S	I	N	I	E	R	É
T	O	U	R	S	O	À	R	Q	N	N	D
Y	É	C	R	I	V	A	I	N	D	L	E
A	R	C	H	I	T	E	C	T	E	À	C
C	À	P	T	X	K	I	Y	H	U	T	I
T	W	E	R	T	I	Ô	P	L	R	X	N
E	Z	P	R	O	F	E	S	S	E	U	R
U	P	H	O	T	O	G	R	A	P	H	E
R	Y	R	Z	X	Ô	N	B	G	R	T	Y

LES NOMBRES DE 20 À 100

3. Voici un carton de loto. Choisissez quatre nombres et écrivez-les en toutes lettres.

1. ....   **2.** ....   **3.** ....   **4.** ....

CD 1
PISTE 23

4. Maintenant, sur ce modèle, créez un nouveau carton avec quinze nombres de votre choix entre 70 et 100. Ensuite, écoutez l'enregistrement et cochez les nombres que vous entendez. Si vous cochez une ligne entière, vous gagnez !

LES ADJECTIFS DE NATIONALITÉ

5. Trouvez l'origine de ces danses et de ces sports, comme dans l'exemple. Faites des recherches si nécessaire.

Le tango : c'est une danse argentine.

1. Le flamenco : ....

2. Le football : ....

3. Le handball : ....

4. La pétanque : ....

5. Le judo : ....

6. Le karaté : ....

7. Le swing : ....

8. La samba : ....

6. Associez un élément de chaque colonne pour former des phrases, comme dans l'exemple.

La plupart des...

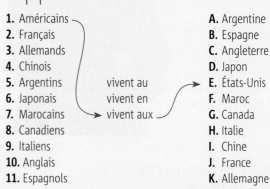

1. Américains		**A.** Argentine
2. Français		**B.** Espagne
3. Allemands		**C.** Angleterre
4. Chinois		**D.** Japon
5. Argentins	vivent au	**E.** États-Unis
6. Japonais	vivent en	**F.** Maroc
7. Marocains	vivent aux	**G.** Canada
8. Canadiens		**H.** Italie
9. Italiens		**I.** Chine
10. Anglais		**J.** France
11. Espagnols		**K.** Allemagne

LES PAYS ET LES VILLES

7. Répondez au quiz sur ces pays et ces capitales. Faites des recherches si nécessaire.

1. Où se trouve la place Rouge ? *En Russie.*

2. Dans quel pays se situe Stonehenge ?

3. Où se trouve le Taj Mahal ?

4. Où se trouve Madrid ?

5. Où se trouve Rabat ?

6. Kyoto et Osaka sont des villes qui se trouvent...

7. Où se trouve le Manneken Pis ?

8. Où se trouve Stockholm ?

8. Écrivez l'article devant chaque pays puis éliminez l'intrus.

1. *Le* Maroc / ~~La France~~ / *Le* Sénégal / *Le* Nigéria

2. .... Russie / .... Australie / .... Japon / .... Inde

3. .... Argentine / .... Italie / .... Grèce / .... Maroc

4. .... États-Unis / .... Philippines / .... Pays-Bas / .... Chili

5. .... Canada / .... Allemagne / .... Angola / .... Maroc

6. .... Espagne / .... Chine / .... Angleterre / .... Congo

A. PHONÉTIQUE

DIFFÉRENCIER LE FÉMININ ET LE MASCULIN DES ADJECTIFS

CD 1
PISTE 24

1. Écoutez ces adjectifs au féminin et au masculin. La prononciation est-elle différente ou identique ?

	FÉMININ = MASCULIN	FÉMININ ≠ MASCULIN
1		
2		
3		
4		
5		
6		

LES ADJECTIFS À L'ORAL

On entend une consonne finale au féminin : [fʁɑ̃sɛz] / [almɑ̃d]. Cette consonne disparaît en général au masculin : [fʁɑ̃se] / [almɑ̃]. Si le féminin se termine par la consonne [n], le masculin se termine par la voyelle nasale [ɛ̃] : [italjɛ̃] / [italjɛn].
Certains adjectifs ont une prononciation identique au masculin et au féminin : *espagnol = espagnole, suisse = suisse*.

CD 1
PISTE 25

2. Écoutez. Entendez-vous l'adjectif au masculin ou au féminin ?

	MASCULIN	FÉMININ
1		
2		
3		
4		
5		

CD 1
PISTE 26

3. Écoutez et prononcez ces énoncés.

1. Elle est chinoise. / Il est chinois.
2. Elle est française. / Il est français.
3. Elle est italienne. / Il est italien.
4. Elle est allemande. / Il est allemand.
5. Elle est marocaine. / Il est marocain.

B. PHONIE-GRAPHIE

LE FÉMININ ET LE MASCULIN DES ADJECTIFS

CD 1
PISTE 27

4. Écoutez et lisez ces phrases. Rayez les « e » et les consonnes qui ne se prononcent pas en fin de mot. Puis cochez l'option correcte dans le tableau.

1. Maria est portugaise.
2. Ulrika est allemande.
3. Akamaru est japonais.
4. Saga est suédoise.
5. Abas est congolais.
6. Peter est allemand.

LES ADJECTIFS À L'ÉCRIT

Le *-e* final des adjectifs au féminin :
☐ se prononce ☐ ne se prononce pas

En général, la dernière consonne au masculin :
☐ se prononce ☐ ne se prononce pas

CD 1
PISTE 28

5. Écoutez, observez à présent ces adjectifs et complétez le tableau.

1. Lorenzo est italien.
2. Satya est indienne.
3. John est américain.
4. Meryem est marocaine.

LES ADJECTIFS EN *-IEN / -AIN*

Si le masculin se termine par *-ien*, le féminin se termine par ..... .
Si le masculin se termine par *-ain*, le féminin se termine par ..... .

C. PROSODIE

LA PHRASE ET L'INTONATION DÉCLARATIVE

CD 1
PISTE 29

6. Lisez ces phrases et écoutez. Séparez les groupes de mots par / comme dans l'exemple.

1. J'habite / en Espagne.
2. Je ne suis pas créatif.
3. Enchanté, Paul, 47 ans.
4. Je n'aime pas le sport mais j'adore la photo.

7. Écoutez à nouveau. L'intonation monte (↗) ou descend (↘) ?

Une phrase = 1, 2, 3... groupes de mots.

Dans une phrase déclarative, l'intonation descend (↘) sur le dernier groupe de mots.

CD 1
PISTE 30

8. Écoutez et prononcez ces phrases. Faites attention au rythme et à l'intonation.

DEUX GROUPES DE MOTS :
- Il s'**appelle Emmanuel.**
- Sa petite a**mie** est amé**ricaine.**

TROIS GROUPES DE MOTS :
- Cet ét**é,** je vo**yage** en A**frique.**
- Moi, c'est **Marc,** je suis photo**graphe** et j'ai trente-trois **ans.**

QUATRE GROUPES DE MOTS :
- Je ne suis **pas** cré**atif** mais je **suis** communic**atif.**

CINQ GROUPES DE MOTS :
- Zéro **six,** soi**xante,** quatre-vingt **deux,** soixante et **onze,** quatre-vingt dix **sept...**

LE BLOG DE LOU 🥛 MES IDÉES ♡ MES HUMEURS 🎵

www.leblogdelou.en

Le blog de Lou ×

MES PERSONNALITÉS DE L'ANNÉE

Bonjour ! Comment allez-vous ?

C'est la fin de l'année, je partage aujourd'hui avec vous ma sélection des personnalités de l'année !

Cliquez sur les photos pour en savoir plus. Merci à tous pour votre visite !

Camélia Jordana

TAHITI80

Alain Mabanckou

Léa Seydoux

Eugénie Bouchard

Babette de Rozières

Omar Sy

 0   3   16

A C'est un de mes écrivains préférés ! Il est congolais et ses romans sont excellents ! Je vous recommande *Mémoire de porc-épic* (Prix Renaudot, 2006), c'est une fable africaine magnifique !

Lire la suite

B J'adore tous ses films ! Elle est géniale parce qu'elle est capable de jouer parfaitement des rôles très différents. Elle est sensible et rebelle dans *La vie d'Adèle* (Palme d'or du Festival de Cannes, 2013) et explosive dans *Mission impossible*.

Lire la suite

C C'est une chef et animatrice de télévision dynamique et souriante ! J'adore ses recettes de cuisine exotiques ! Elles sont toujours originales et créatives et je les teste à la maison.

Lire la suite

D Je suis fan de tennis et c'est LA sportive du moment. Elle est dans le classement des dix premières joueuses mondiales ! Elle est canadienne, elle est jeune et son jeu est puissant !

Lire la suite

E Dans le film *Samba*, il est incroyable. C'est un très bon acteur, c'est pour ça qu'il a gagné le César du meilleur acteur pour *Intouchables*. Il joue aussi aux États-Unis et il habite à Los Angeles.

Lire la suite

F Je connais ce groupe de Rouen depuis leur concert, cet été, au festival de musique *Les Vieilles Charrues*. Si vous adorez danser et si vous aimez la musique pop, je vous invite à écouter leurs albums.

Lire la suite

G Normalement, je n'aime pas les artistes de la téléréalité mais elle, c'est une exception. Elle est jeune, elle chante très bien et elle est créative. Son dernier album est magnifique. Je vous recommande vraiment cette chanteuse.

Lire la suite

11. MES PERSONNALITÉS PRÉFÉRÉES

A. Observez les photos des personnalités choisies par Lou. À votre avis, quelle est leur profession ?

● Je pense que Camélia est chanteuse.

B. Lisez les présentations de Lou et trouvez de qui il s'agit.

● Le A, c'est Alain Mabanckou.

C. Maintenant, dites quelles personnalités vous avez envie de connaître un peu plus. Pourquoi ?

● Omar Sy parce que j'adore le cinéma.

12. NOS PERSONNALITÉS PRÉFÉRÉES

A. En groupes, cherchez d'autres personnalités francophones pour ces secteurs d'activité. Aidez-vous d'Internet si nécessaire.

Cinéma   Gastronomie   Littérature

Musique   Sport

B. Maintenant, faites découvrir une de vos personnalités préférées. Rédigez une petite présentation, puis présentez votre personnalité à la classe.

+ DE RESSOURCES SUR
espacevirtuel.emdl.fr

AILLEURS
SI J'Y SUIS

0:13

Les Français à l'étranger
Voyages au bout du monde

TÂCHE 1 — QUI EST-IL ?/ QUI EST-ELLE ?

1. En groupes, créez un questionnaire pour mieux connaître les autres puis, mettez-le en commun avec la classe.

nom   prénom   âge   état civil   profession   nationalité

ville préférée   pays préféré   lieu de résidence   goûts

2. Ensuite, interrogez plusieurs personnes de la classe.

- Quelle est ta profession ?
- Je suis informaticien.

- Qu'est-ce que tu aimes ?
- J'aime la musique et le cinéma.
...

3. Quelle est la personne qui vous ressemble le plus ? Faites deviner le nom de cette personne à la classe.

- Elle est comme moi, elle est célibataire.
- C'est Marcela !
- Non ! Elle est vétérinaire.
- C'est Laura !
- Oui !

TÂCHE 2 — LA CARTE DU MONDE DE NOS AMIS

1. En groupes, faites la liste des pays et des villes où vous avez des amis.

2. Notez le maximum d'informations sur ces personnes.

3. Préparez une carte du monde pour localiser les amis du groupe et présentez-les par écrit. Quel groupe a le plus de pays représentés ?

Karin

Karin est allemande. Elle a 35 ans et elle habite à Francfort, en Allemagne. Elle est mariée et elle a un enfant, Andreas. Elle est vendeuse. Elle aime la littérature. Sa musique préférée, c'est le rock !

3

UNE VILLE, DES QUARTIERS

 + DE RESSOURCES SUR
espacevirtuel.emdl.fr

— Des activités autocorrectives (grammaire/lexique/culture/CE/CO)
— Des nuages de mots sur les moyens de transport et les lieux de la ville

" À mesure que les années passent, chaque quartier, chaque rue d'une ville, évoque un souvenir ,,

Patrick Modiano, écrivain français

1. LE QUARTIER *PETITE CEINTURE*

A. Observez les photos du quartier *Petite Ceinture*. À votre avis, dans quelle ville se trouve-t-il ?

Montréal   Paris   Bruxelles   Genève

B. À présent, remplissez le tableau suivant à l'aide des photos.

DANS CE QUARTIER, IL Y A...	OUI	NON
une épicerie de luxe.		
une charcuterie.		
un salon de coiffure.		
un restaurant.		
un fleuriste.		
une boulangerie.		
une librairie.		
un chocolatier.		
une boutique de souvenirs.		

C. Lisez les témoignages des habitants du quartier et retrouvez de quels commerces il s'agit.

||||||||| **L'ACTU DU QUARTIER** ||||||||||||||||||||||||||||||||||||||||||||||||||||||||||

Vos commerces préférés

Témoignages des habitants du quartier Petite Ceinture.

« [...] Elle est grande et il y a un espace lecture pour découvrir les nouveaux romans. En plus, elle organise régulièrement des rencontres avec des écrivains. C'est vraiment un lieu unique ! » → **Camille, 32 ans**

« J'y vais très souvent, pour moi et pour faire des cadeaux. Dans cette boutique, il y a le meilleur chocolat de la ville ! » → **Ahmed, 50 ans**

 Et vous ?
Quels sont les commerces de votre quartier ?

2. VIVRE BIEN EN FRANCE

A. Observez la couverture du magazine *Vivre bien* et répondez aux questions.

1. Quel est le thème du reportage ?
2. Quelles sont les trois villes du reportage ?
3. Connaissez-vous ces villes ?

D. Lisez le forum *Vivre bien* et les opinions des habitants sur leurs villes. Quelle ville vous attire le plus ? Pourquoi ?

VIVREBIEN/FORUM

Alexandre, 33 ans
Lyon est une grande ville avec une offre culturelle importante. J'habite au nord de la ville, dans le quartier de la Croix-Rousse. On trouve de tout : des bars, des restaurants, des magasins, des musées, des théâtres et des cinémas. J'adore cette ville !
SAMEDI 21 FÉVRIER 2015 À 15H15

Claire, 36 ans
Mon quartier est calme et agréable. Il n'est pas dans le centre, il n'y a pas de station de métro mais il y a plusieurs lignes de bus. C'est pratique !
SAMEDI 21 FÉVRIER 2015 À 11H11

David, 35 ans
Nantes est une ville tranquille et familiale. Il y a des rues piétonnes, des jardins et des parcs pour faire des balades à vélo. Et il y a la mer pas loin !
VENDREDI 20 FÉVRIER 2015 À 16H19

Margot, 26 ans
Toulouse est une ville culturelle avec beaucoup de monuments historiques. Elle n'est pas très grande mais elle est dynamique. La ville propose des festivals et des concerts toute l'année.
VENDREDI 20 FÉVRIER 2015 À 8H15

B. Situez ces trois villes sur la carte de France, page 228.

• Nantes est au Nord-Ouest de la France.

C. En groupes, cherchez 2 villes du Nord, 2 villes du Sud, 2 villes de l'Ouest et 2 villes de l'Est de la France.

• Moi, c'est Nantes parce que j'aime la mer.

 Et vous ?
Connaissez-vous d'autres villes françaises ?

3. DIRECTION MARSEILLE

A. Lisez l'article *Marseille en un week-end*. Quel quartier avez-vous envie de découvrir ?

Marseille
EN UN WEEK-END

Vous souhaitez passer un week-end à Marseille ? Voici nos trois propositions.

1 **VOUS AIMEZ LA PLAGE ET LE SOLEIL**

LA POINTE ROUGE est un beau quartier de Marseille, situé au Sud de la ville. Dans ce quartier, il y a un grand port de plaisance, la plage de la Pointe Rouge, des restaurants, des cafés et des clubs. C'est un quartier animé, surtout en été ; il est situé à 15 minutes du centre de Marseille.

2 **VOUS APPRÉCIEZ LA CULTURE**

LE VIEUX-PORT est le port historique de Marseille. C'est le quartier idéal pour se promener et découvrir l'église de Notre-Dame-de-la-Garde ou la Maison Diamantée (musée du Vieux-Marseille). C'est un quartier animé le jour mais un peu bruyant la nuit, avec ses nombreux bars et restaurants.

3 **VOUS ADOREZ LE SHOPPING**

LA PLACE CASTELLANE est au Sud de Marseille. Dans ce quartier chic, il y a de grandes rues avec beaucoup de commerces et de belles maisons. Près de la fontaine Cantini, on trouve des brasseries, des snacks, des terrasses ensoleillées, des antiquaires et un grand centre commercial. Tous ces endroits sont accessibles à pied.

 B. Écoutez la conversation entre Pierre, habitant de Marseille, et une amie. Comment est son quartier ? Cochez les bonnes réponses.

CD 1
PISTE 31

IL HABITE...

☐ dans le Sud de Marseille.　　☐ dans le Nord de Marseille.

☐ en face de la plage.　　☐ à côté du palais de justice.

☐ près de la plage.　　☐ près du port.

C'EST UN QUARTIER...

☐ chic.　　☐ agréable.

☐ bruyant.　　☐ tranquille.

☐ génial.　　☐ vivant.

DANS SON QUARTIER, IL Y A...

☐ un cinéma.　　☐ des bars.

☐ une laverie.　　☐ des restaurants.

☐ un marché.　　☐ une station de métro.

C. Selon vous, dans quel quartier habite Pierre ?

La Pointe Rouge　　La Place Castellane

Le Vieux-Port

D. En groupes, sélectionnez un quartier de la ville de votre choix. Rédigez une description puis, présentez ce quartier à la classe.

4. LE CENTRE-VILLE

A. Observez le centre-ville de ce jeu vidéo. À votre avis, il s'agit d'un quartier...

familial   animé   étudiant   tranquille

B. Maintenant, trouvez ce qu'il y a et ce qu'il n'y a pas dans ce centre-ville.

		VRAI	FAUX
1.	Il y a un parking.	☒	☐
2.	Il n'y a pas d'école.	☐	☐
3.	Il n'y a pas de gare.	☐	☐
4.	Il y a un bureau de tabac.	☐	☐
5.	Il n'y a pas de cinéma.	☐	☐
6.	Il y a une boulangerie.	☐	☐
7.	Il n'y a pas de pharmacie.	☐	☐
8.	Il y a un hôtel.	☐	☐
9.	Il n'y a pas de supermarché.	☐	☐
10.	Il y a un parc.	☐	☐
11.	Il n'y a pas d'hôpital.	☐	☐
12.	Il y a un musée.	☐	☐
13.	Il y a des immeubles.	☐	☐
14.	Il y a des rues piétonnes.	☐	☐

C. Observez les phrases avec *il y a / il n'y a pas* et complétez le tableau avec un ou deux exemples.

IL Y A / IL N'Y A PAS DE/D'

	PHRASE AFFIRMATIVE (+) → **PHRASE NÉGATIVE (−)**
SINGULIER	*Il y a un supermarché.* → *Il n'y a pas de supermarché.* *Il y a un hôpital.* → .... *Il y a une pharmacie.* → .... *Il y a une école.* → ....
PLURIEL	.... → *Il n'y a pas d'immeubles.** .... → *Il n'y a pas de rues piétonnes.*

Les **articles indéfinis** (*un, une, des*) deviennent *de/d'* à la forme négative.

⚠ *Devant une voyelle ou un h muet, de → d'.*

🔊 **D.** Écoutez Lilian décrire son centre-ville. Pouvez-vous dire ce qu'il y a ? Ce qu'il n'y a pas ?

CD 1 PISTE 32

5. UNE VILLE AGRÉABLE

A. Lisez l'interview d'Ulrika. Dans quelle ville habite-t-elle ? Cherchez où se situe cette ville sur la carte de France, page 228.

« C'EST IMPORTANT D'HABITER DANS UNE VILLE AGRÉABLE. »

Ulrika Nordin

Bonjour Ulrika, qu'est-ce qu'il y a dans votre ville ?

▸ Il y a tout ! C'est une ville étudiante et culturelle et, le samedi, la place du Ralliement est très animée. Mais ce n'est pas une ville bruyante.

Est-ce qu'il y a beaucoup de choses à faire à Angers ?

▸ On peut se promener au bord de la rivière, la Maine. Il y a un quartier historique, des cafés animés, des musées et des grands jardins. Et, à côté de la gare, il y a un beau château.

Et qu'est-ce qu'il y a dans votre quartier ?

▸ J'habite dans un quartier très commerçant. Dans mon quartier, il y a un petit supermarché mais il n'y a pas de boucherie. En face du supermarché, il y a une pharmacie et une boulangerie. C'est un quartier pratique et agréable.

Est-ce qu'il y a un métro à Angers ?

▸ Non, il n'y a pas de métro. Il y a un tramway, c'est très écologique !

B. Trouvez des adjectifs pour qualifier la ville.

• Agréable, …

C. À présent, observez le tableau.

EST-CE QUE ? / QU'EST-CE QUE ?

> **EST-CE QUE : Pour une question fermée**
> On utilise **est-ce que** quand on attend une réponse par *oui* ou par *non*.
> Ex. : **Est-ce que** tu aimes le cinéma ?
> Ex. : **Est-ce qu'**il y a un métro à Angers ?*
>
> **QU'EST-CE QUE : Pour une question ouverte**
> On utilise **qu'est-ce que** quand les réponses possibles sont nombreuses.
> Ex. : **Qu'est-ce que** tu fais ce week-end ?
> Ex. : **Qu'est-ce qu'**il y a dans votre quartier ?*
>
> ⚠ *Est-ce que / Qu'est-ce que → Est-ce qu' / Qu'est-ce qu' devant une voyelle.

D. Complétez cette liste. Puis, à deux, interrogez-vous pour mieux connaître la ville de l'autre.

> **Ma ville :** Elle est …. / Il y a …. / Il n'y a pas …. / On peut visiter …. / J'aime …. / Je n'aime pas ….

• Est-ce que ta ville est grande ? Non.

IL Y A / IL N'Y A PAS DE/D'

CD 1
PISTE 33

EX. 1. Écoutez la description de Villefranche-de-Conflent, petite ville des Pyrénées, et notez ce qu'il y a et ce qu'il n'y a pas.

Il y a …. .
Il n'y a pas de/d' …. .

EX. 2. Écrivez les phrases suivantes à la forme négative.

1. Il y a un jardin près du cinéma. →
2. Il y a un restaurant à côté de la place. →
3. Il y a des hôtels bon marché dans le centre. →
4. Il y a un parc près du cinéma. →
5. Il y a des magasins dans le quartier. →
6. Il y a des boutiques en face du cinéma. →
7. Il y a une pharmacie devant la boulangerie. →

EST-CE QUE ? / QU'EST-CE QUE ?

EX. 3. Complétez les questions puis associez-les aux réponses.

1. ….. il y a des aéroports à Paris ?
2. ….. il y a dans votre quartier ?
3. ….. il y a des parcs dans ta ville ?
4. ….. il y a un château dans ton village ?
5. ….. il y a dans le centre historique ?

A. Non, dans mon village, il n'y a pas de château.
B. Oui, il y a trois parcs et un grand jardin botanique.
C. Dans mon quartier, il y a une boulangerie, un cinéma et une gare.
D. Dans le centre historique, il y a des monuments et des musées.
E. Oui, plusieurs !

EX. 4. Complétez les phrases avec *est-ce que* ou *qu'est-ce que* puis répondez aux questions.

1. Est-ce qu'il y a des restaurants dans votre quartier ?
2. ………… il y a des monuments historiques dans votre ville ?
3. ………… il y a dans votre ville ?
4. ………… il y a des musées dans votre quartier ?
5. ………… il y a dans votre rue ?

+ d'exercices : pages 173 - 176

6. UN VOYAGE AU QUÉBEC

A. John partage ses photos du Québec sur Internet. Pouvez-vous l'aider à terminer son album en associant les légendes aux photos ?

A. Biodôme de Montréal. Belle surprise sous le dôme : un jardin tropical !   **B.** Devant le musée des Beaux-Arts.

C. Journée au parc de Longueuil, près de Montréal.   **D.** Avec Marie, perdus dans les rues de Montréal.

E. Déjeuner sur l'herbe, au parc du Mont-Royal.   **F.** Promenade en bateau, sur la rivière.

Afficher les photos

B. Lisez la conversation en ligne. Observez les formes surlignées et complétez le tableau.

Sophie : Alors, tu visites Montréal ? Il y a des endroits intéressants ?
J'aime · mercredi, à 21:09

John : Oui, je suis avec Marie et Sam ! Aujourd'hui, **on** va au Vieux-Montréal et demain, moi, je vais au Biodôme avec Sam et Marie va au musée des Beaux-Arts !
👍 Sophie aime ça · mercredi, à 21:13

Sophie : Génial ! Et vous visitez aussi d'autres villes du Canada ?
J'aime · mercredi, à 21:15

John : Non, **on** rentre demain :(
J'aime · mercredi, à 21:16

LE PRONOM *ON* (1)

Le pronom **on** peut avoir la valeur du pronom **nous**.
Ex. : *Avec Marie et Sam,* **nous** *allons dans le Vieux-Montréal.*
→ *Avec Marie et Sam, ...*
On reste toujours un pronom singulier.
Ex. : *Nous rentrons demain.* → *.... demain.*

C. Cherchez trois photos de vos dernières vacances et écrivez des légendes. Ensuite, présentez-les à vos camarades.

LE VERBE *ALLER* AU PRÉSENT

je **vais**	nous **allons**
tu **vas**	vous **allez**
il / elle / on **va**	ils / elles **vont**

D. En groupes, choisissez une ville pour y passer un week-end. Où allez-vous ? Que visitez-vous ? Quels quartiers vous intéressent ?

7. DES VACANCES VERTES

A. Lisez le blog de la famille Baden. Quel type de vacances passe-t-elle à Montréal ?

des vacances sportives   des vacances écologiques

des vacances détente

Famille Baden
NOS VOYAGES ÉCOLOS EN FAMILLE

CET ÉTÉ : MONTRÉAL !
Programme de la journée :
Aujourd'hui, on visite le Vieux-Montréal à pied. Ensuite, on fait une promenade en bateau sur le fleuve Saint-Laurent. On déjeune à l'hôtel puis on fait un tour de la ville en bus. Et si les enfants ne sont pas trop fatigués, on continue avec une promenade à vélo au parc du Mont-Royal.

B. Maintenant, retrouvez les moyens de transports utilisés par la famille Baden, puis complétez comme dans l'exemple.

LES PRÉPOSITIONS ET LES MOYENS DE TRANSPORT

Faire une balade :

☒ à ☐ en _pied_   ☐ à ☐ en ....

☐ à ☐ en ....   ☐ à ☐ en ....

C. À deux, exposez les moyens de transport que vous utilisez pour...

aller au travail   visiter une ville

aller chez des amis   aller au cinéma

- Tu vas au travail en métro ?
- Non, je vais au travail à pied.

D. Faites un sondage et demandez aux autres quels moyens de transport ils utilisent tous les jours. Présentez vos résultats. Votre classe est-elle écologiste ?

LES ARTICLES CONTRACTÉS (1)

Quand la préposition **à** est devant **le** ou **les,** elle se contracte.

à + le	à + les	à + la	à + l'
au	aux	à la	à l'

LE VERBE *ALLER* AU PRÉSENT
EX. 1. Complétez avec le verbe *aller* au présent.

1. Nous .... à la plage de la Fossette.
2. Je .... à l'école à vélo tous les jours.
3. Vous .... à la fête de Marie ce soir ?
4. Les enfants .... sur la côte cet été.
5. Pierre .... à Amsterdam pour les vacances.
6. Mes amis et moi, nous .... au restaurant ce soir.
7. On .... au cinéma ce week-end ?

LE VERBE *ALLER* ET LES VERBES EN *-ER*
EX. 2. Complétez ce message avec les verbes *parler*, *visiter* et *aller* conjugués au présent.

Nous sommes à Québec, la capitale de la province ! C'est une belle ville ! Aujourd'hui, nous ... découvrir les vieux quartiers. Demain, on ... dans la Haute-Ville, on ... la Citadelle. À Québec, les gens ... anglais mais ils ... aussi français.

J'aime · mercredi, à 21:09

LES PRÉPOSITIONS ET LES MOYENS DE TRANSPORT
EX. 3. Complétez avec la préposition qui convient.

1. Le TGV est un moyen rapide de voyager .... train.
2. Les pistes cyclables, c'est pratique si on se déplace .... vélo.
3. De Paris à Londres ? On peut voyager .... avion à partir de l'aéroport Charles-de-Gaulle ou .... train à partir de la gare du Nord.
4. Les enfants vont à l'école .... pied. Elle est à 200 m.
5. Demain, je vais à Belle-Île .... bateau.

LES ARTICLES CONTRACTÉS
EX. 4. Complétez avec *au, aux, à la, à l'*.

1. Nous allons .... parc du Mont-Royal.
2. Ce soir, je vais .... brasserie Espace Public.
3. Je vais .... université puis .... bibliothèque après les cours.
4. Cette année, nous allons .... Antilles en vacances.
5. Je vais .... plage de la Pointe Rouge. Elle est .... Sud de la ville.
6. .... États-Unis, il y a beaucoup de villes à visiter.

LES PRÉPOSITIONS DE LIEU
EX. 5. Où se trouve le personnage ?

- A : Il est dans le carton.

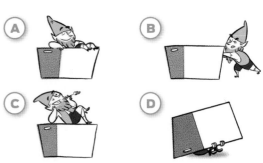

+ d'exercices : pages 173 - 176

8. L'ÉCHANGE D'APPARTEMENTS

A. Lisez cette annonce sur un site d'échanges d'appartements.
Dites dans quel type de quartier se situe cette maison.

Nous sommes un couple sans enfant et nous échangeons notre maison à Bruxelles contre un appartement à Paris. **C'est une** maison agréable et familiale. **Elle est** idéale pour 4 personnes. Notre maison est près du centre-ville, à 10 minutes à pied environ. Le quartier chic de Bruxelles (**c'est notre** quartier) est merveilleux, **il est** moderne et très vivant. Il y a des rues animées, des bars et des restaurants traditionnels. Si, comme nous, vous aimez l'art, vous allez aimer Bruxelles : **c'est la** capitale internationale de l'art nouveau et c'est une ville merveilleuse.
Nous recherchons un appartement agréable à Paris, dans un quartier animé, si possible dans le quartier de Montmartre. C'est surtout pour mon mari : **il est** peintre et il adore ce quartier bohème !

Membre depuis : le 3 mars 2015
Ville : Bruxelles, Belgique
Disponibilités : été (juillet-août)
Ville(s) recherchée(s) : Paris, France
Langue(s) parlée(s) : français, anglais

B. Relisez l'annonce et complétez le tableau.

C'EST OU IL/ELLE EST

C'EST		
Pour **identifier** ou **présenter** une chose ou une personne.		
C'EST	+ nom propre	*C'est* Julie.
	+ déterminant + nom	*C'est* .... maison agréable. *C'est* .... quartier.
	+ pronom tonique	*C'est* moi !

IL/ELLE EST		
Pour **caractériser** une personne ou une chose.		
IL/ELLE EST	+ adjectif	*Elle est* .... pour 4 personnes.
	+ nom de profession	*Il est* .... et il adore ce quartier bohème.

C. Lisez ces descriptions et retrouvez de quelle ville il s'agit.

1. **C'est une** ville européenne, dynamique et animée. **Elle est** très connue pour ses plages, son climat et son stade de football, le Camp Nou. **C'est B**....

2. **C'est une** ville très importante de la côte Est des États-Unis. **Elle est** célèbre pour ses gratte-ciel et **elle est** très cosmopolite. **C'est N**....

D. À deux, sur ces modèles, décrivez deux autres villes et faites-les deviner à la classe.

9. UN QUARTIER MERVEILLEUX

A. Observez la formation du féminin et du pluriel des adjectifs et essayez de compléter les exemples. Aidez-vous du texte 8A.

L'ACCORD DES ADJECTIFS QUALIFICATIFS

FORMATION DU FÉMININ

masculin + -e = féminin
Le quartier est ..... → La ville est vivante.
Le quartier est ..... → La rue est animée.
L'appartement est idéal. → La maison est ..... .

masculin = féminin
L'appartement est agréable. → La maison est ..... .
Le quartier est ..... → La ville est moderne.

masculin en -eux → féminin en -euse
C'est un quartier merveilleux. → C'est une ville ..... .

FORMATION DU PLURIEL

singulier + -s = pluriel
Un quartier ..... → Des quartiers modernes.
Un restaurant traditionnel. → Des restaurants ..... .
Une rue animée. → Des rues ..... .

singulier = pluriel
Un quartier ..... → Des quartiers merveilleux.

B. À présent, complétez cette description du quartier du Marais avec les adjectifs suivants.

animées   historiques   ensoleillées

chic   traditionnels   culturel   vivant

J'habite dans le beau quartier du Marais. C'est le quartier ..... de Paris, il est connu pour ses boutiques de haute-couture. C'est aussi un quartier ..... avec ses terrasses ..... , ses places ..... et ses restaurants ..... . Le Marais est un quartier ..... : il y a des musées, des galeries d'art et des monuments ..... .

+ d'exercices : pages 173 - 176

C'EST OU IL/ELLE EST

EX. 1. Complétez le dialogue avec *c'est* ou *il est*.

- Salut Jules. Qu'est-ce que tu fais ?
- Ah, salut ! Je cherche un appartement sur trocappart.en, ... un site Internet pour échanger son appartement pour les vacances.
- Et tu fais ça souvent ?
- Non, ... ma première expérience ! Regarde cet appartement, ... sympa, non ?
- Oui et en plus ..... situé à côté de la plage !
- ..... beau mais ..... petit.

EX. 2. Complétez ces phrases avec une des formes suivantes : *c'est / ce sont* ou *elle est / elles sont*.

1. J'adore les rues du centre-ville, ... très agréables.
2. ..... des rues piétonnes et commerçantes.
3. ..... un quartier vraiment tranquille.
4. Les habitants du quartier adorent cette place, ... ensoleillée toute la journée.
5. Regarde les statues de la fontaine : ..... magnifiques !
6. L'architecture de la ville est unique : ..... la capitale du modernisme.

L'ACCORD DES ADJECTIFS QUALIFICATIFS

EX. 3. Reliez les éléments des deux colonnes pour former des phrases.

1. Dans le quartier de Wazemmes, il y a des restaurants...
2. Rue Gambetta, il y a une place...
3. L'exposition présente les œuvres d'un artiste...
4. L'association vous propose des cours de danse...

A. africaine.
B. traditionnels.
C. animée.
D. contemporain.

EX. 4. Complétez les phrases suivantes comme dans l'exemple.

1. Lyon et Paris sont deux villes *françaises*.   *(français)*
2. Toulouse est une ville ..... du Sud de la France.   *(ensoleillé)*
3. Bruxelles est une ville ..... .   *(agréable)*
4. J'habite dans le quartier ..... de Strasbourg.   *(historique)*
5. Mon hôtel se trouve dans une zone ..... de Lille.   *(animé)*

EX. 5. Transformez les phrases comme dans l'exemple.

1. Le marché nocturne → La vie *nocturne*.
2. Un quartier bruyant → Une rue ..... .
3. Le climat méditerranéen → La cuisine ..... .
4. Un homme heureux → Une femme ..... .
5. Un monument moderne → Une ville ..... .
6. Un jardin tropical → Une forêt ..... .
7. Un pays merveilleux → Une ville ..... .

LES LIEUX DE LA VILLE

1. Quel est le lieu parfait pour :

1. faire du shopping ?
2. une sortie culturelle ?
3. manger ou boire un verre ?
4. se promener ?

un bar   un café   un restaurant   un parc

un théâtre   une boutique   un cinéma

un jardin   un magasin   un musée

2. Complétez la présentation du quartier Bouffay avec les mots suivants.

bars   place   église   crêperies   monuments

Le quartier Bouffay

C'est un quartier historique du centre de Nantes avec des .... comme l'.......... Sainte-Croix. Il y a une grande .... centrale avec des .... pour se retrouver entre amis et des .... pour manger des galettes bretonnes !

3. Complétez les phrases suivantes avec les noms de lieux et de commerces qui conviennent.

1. On va à la *g*.... pour prendre le train.
2. On achète des fruits et des céréales au *s*.... .
3. Il y a des cafés avec des terrasses sur la *p*.... du village.
4. On achète du pain à la *b*.... .
5. On se promène dans le *j*.... botanique.

LES PRÉPOSITIONS DE LIEU

4. Complétez les phrases avec la préposition qui convient.

dans (x2)   sur (x2)   près   sous

1. Les cafés sont nombreux .... la place.
2. Nous marchons .... le trottoir.
3. Le bateau-mouche passe .... le pont Jacques-Cartier.
4. On peut se promener à vélo .... les rues de Montréal.
5. Le restaurant *La grande muraille* est .... le quartier chinois.
6. Je vais au travail à pied, c'est .... de chez moi.

5. Complétez avec *sur, dans, près, sous*.

1. À Montréal, la rivière passe .... plusieurs ponts.
2. Au jardin botanique, on ne peut pas marcher .... l'herbe.
3. La boulangerie est .... la rue Bellemont.
4. Longueuil est une ville située .... de Montréal.

DÉCRIRE ET QUALIFIER UNE VILLE OU UN QUARTIER

6. Complétez le texte avec les mots suivants.

grande   animée   pratique   géniale   écologique

Ma ville est .... : elle a beaucoup d'habitants et il y a beaucoup de quartiers différents. C'est une ville .... parce qu'il y a tous les commerces nécessaires !

Le soir, elle est toujours .... : on trouve des restaurants et des bars pour manger et s'amuser. En plus, c'est une ville .... avec tous ses jardins, ses parcs et ses pistes cyclables.

Ma ville est .... !

7. A. Pour vous, quel est le quartier idéal pour...

1. des étudiants : un quartier .... .
2. une famille avec des enfants : un quartier .... .

calme   tranquille   familial   dynamique

animé   vivant   silencieux

7. B. À votre tour, décrivez votre quartier idéal.

Mon quartier idéal est...

LA VILLE ET LES MOYENS DE TRANSPORT

8. A. Classez les moyens de transport dans la carte mentale ci-dessous.

vélo   train   avion   métro

bateau-mouche   bateau   bus

skate   tramway

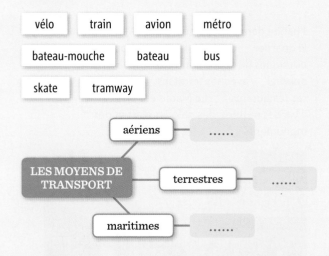

8. B. Maintenant, dites si ces moyens de transport servent à se déplacer près ou loin de chez soi.

Le train, c'est pour se déplacer près et loin.

A. PHONÉTIQUE

DISTINGUER LES SONS [E], [œ], [O]

 1. Écoutez. Dans quel ordre entendez-vous les sons ?

CD 1 PISTE 34

a.

	[E] comme d<u>é</u>	[œ] comme d<u>eux</u>
1	1	2
2		
3		
4		

b.

	[œ] comme p<u>eu</u>r	[O] comme p<u>o</u>rt
1	2	1
2		
3		
4		

 2. Écoutez. Vous entendez le son [E], [œ] ou [O] ?

CD 1 PISTE 35

	[E] comme les march<u>és</u>	[œ] comme le fl<u>eu</u>ve	[O] comme au b<u>o</u>rd
1			
2			
3			
4			
5			

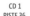 **3.** Entraînez-vous. Écoutez et prononcez ces énoncés.

CD 1 PISTE 36

[œ] / [E]

1. Le vieux marché.
2. C'est un quartier silencieux.
3. Il y a deux fleuristes dans le quartier.

[O] / [œ]

1. Au bord du fleuve.
2. L'immeuble au nord.
3. Il y a un beau château dans le vieux centre.

[E] / [o] / [œ]

1. Les beaux immeubles.
2. Le marché aux fleurs.
3. Je vais au musée des Beaux-Arts.
4. Il y a un fleuriste à côté du métro.

B. PHONIE-GRAPHIE

PRONONCER [E], [œ], [O]

 4. Écoutez et soulignez dans chaque mot les graphies qui se prononcent [E], [œ] ou [O]. Puis, regroupez les mots en fonction de leur son.

CD 1 PISTE 37

port　musée　marché　hôpital　immeuble

bateau　château

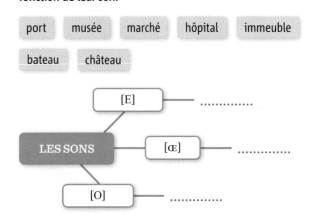

C. PROSODIE

L'INTONATION INTERROGATIVE

L'intonation affirmative et interrogative
À l'oral, on peut formuler une phrase interrogative avec la même construction qu'une phrase affirmative. Pour les distinguer, on monte ↗ (interrogation) ou on descend ↘ (affirmation) l'intonation.

 5. Écoutez les phrases suivantes. Pour chaque phrase, indiquez l'intonation et la ponctuation finale.

CD 1 PISTE 38

	↘	↗	. / ?
1. Il y a une station de métro		X	?
2. Il n'y a pas de fleuriste dans le quartier			
3. L'hôtel est près de la plage			
4. Sur la place, il y a une fontaine			
5. Il y a beaucoup de restaurants			

 6. Écoutez et jouez les dialogues à deux. Respectez le rythme et l'intonation.

CD 1 PISTE 39

1. ● Tu vas au travail à pied ?
   ○ Non, je vais au travail en métro.
2. ● Marseille, c'est au bord de la mer ?
   ○ Oui, c'est au bord de la mer.
3. ● Il y a de beaux immeubles dans ton quartier ?
   ○ Oui, j'habite dans le Vieux-Bordeaux.
4. ● On peut faire du vélo près du fleuve ?
   ○ Oui, au bord du fleuve.
5. ● Il y a un métro à Montpellier ?
   ○ Non, mais il y a un tramway.

Monuments de Paris ✕

◀ ▶ ↻ www.visiterparis.en

PARIS

ORGANISER SA VISITE

À Paris, il y a 180 musées et monuments. Beaucoup sont connus dans le monde entier. Paris offre de nombreux moyens de transport (métro, bus, RER, taxi, vélo, bateau...) pour découvrir la capitale et ses merveilles à votre rythme.

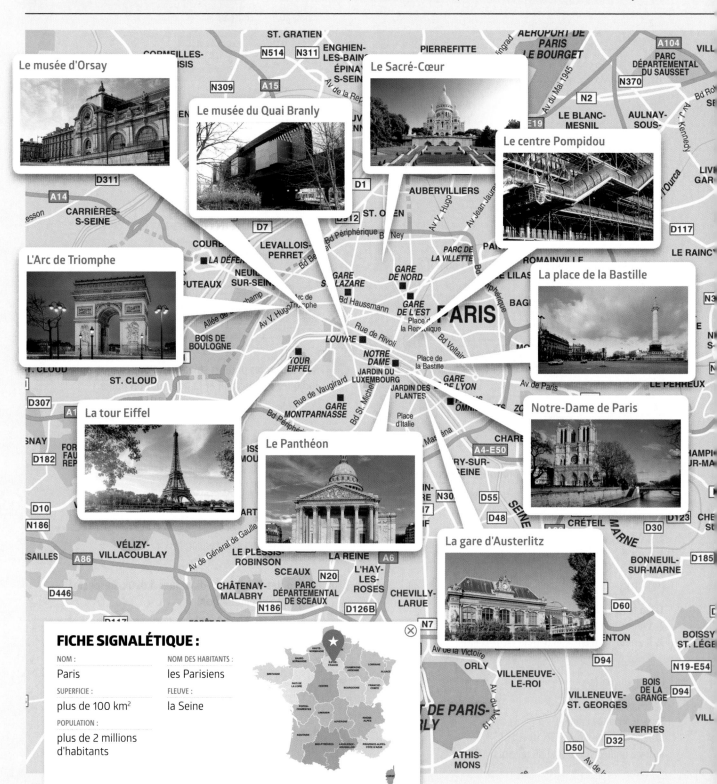

Le musée d'Orsay

Le musée du Quai Branly

Le Sacré-Cœur

Le centre Pompidou

L'Arc de Triomphe

La place de la Bastille

La tour Eiffel

Le Panthéon

Notre-Dame de Paris

La gare d'Austerlitz

FICHE SIGNALÉTIQUE :

NOM :
Paris

SUPERFICIE :
plus de 100 km²

POPULATION :
plus de 2 millions d'habitants

NOM DES HABITANTS :
les Parisiens

FLEUVE :
la Seine

LES TRANSPORTS
PARISIENS

10. À LA DÉCOUVERTE DE PARIS

Observez les documents et retrouvez :

1. le nom des habitants de Paris.
2. le nom de deux transports parisiens.
3. le nom du fleuve qui traverse la ville.
4. le nom de deux monuments.
5. le nom de deux musées.

11. QUI SUIS-JE ?

Lisez la devinette et dites de quel lieu parisien il s'agit.

?
- Je suis un monument situé au bord de la Seine.
- Je suis un monument religieux d'art gothique et j'ai inspiré un roman de Victor Hugo. Qui suis-je ?

12. PARIS ET SES TRANSPORTS

A. Associez les étiquettes aux photos.

le tramway   le Vélib'   le bateau-mouche

le métro   le taxi   le RER   le bus

B. En groupes, choisissez un des monuments présentés sur la carte. Faites des recherches et remplissez la fiche signalétique suivante. Puis, affichez vos fiches dans la classe.

Quartier / arrondissement : ....
Date de création : ....
Type de lieu :
☐ musée ☐ monument ☐ espace public
À voir / À faire : ....

+ DE RESSOURCES SUR
espacevirtuel.emdl.fr

La fête des Lumières à Lyon
Une tradition française

TÂCHES FINALES

 TÂCHE 1 UN LIEU EXCEPTIONNEL

1. Choisissez un lieu que vous trouvez exceptionnel (un monument, un site naturel...). Faites des recherches sur ce lieu en vous aidant de la fiche suivante.

Nom du lieu : Le Salar de Uyuni
Pays : Bolivie
Région / Ville / Quartier : Potosí
Info + : C'est la plus grande réserve terrestre de sel de la planète !
Conseils : Une traversée du désert de sel à vélo.
Pour moi, ce lieu est : magique.

CONSEILS

- Présentez un lieu que vous souhaitez découvrir ou faire découvrir à la classe.
- Illustrez votre présentation pour donner envie aux autres de découvrir votre lieu exceptionnel.

2. Préparez une présentation de ce lieu sur un ordinateur ou en faisant un collage.

3. Présentez votre lieu à la classe. Vos camarades peuvent poser des questions.

Mon lieu exceptionnel est situé en Bolivie, c'est le Salar de Uyuni !
Je vous conseille une traversée...

 TÂCHE 2 NOTRE QUARTIER IMAGINAIRE

1. À deux, choisissez deux quartiers que vous aimez et notez leurs caractéristiques les plus intéressantes.

2. À partir de vos notes, créez un nouveau quartier et présentez-le dans un petit texte.

3. Exposez vos productions écrites. Votez pour choisir le meilleur quartier imaginaire de la classe.

CONSEILS

- Pensez aux points positifs de chaque quartier pour les mettre en valeur.
- Utilisez les adjectifs que vous connaissez.
- Préparez un texte clair et original.

POBLENETA

C'est un mélange entre Poble Sec et Barceloneta, deux quartiers très animés de Barcelone. Dans ce quartier, il y a la mer et la plage de Barceloneta mais aussi les petites rues et les commerces de Poble Sec.

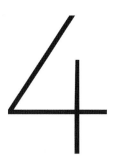

UN PEU, BEAUCOUP, À LA FOLIE

 + DE RESSOURCES SUR
espacevirtuel.emdl.fr

— Des activités autocorrectives (grammaire/lexique/culture/CE/CO)
— Des nuages de mots sur la famille et les loisirs

COOLTURE

Artistes de génération en génération

A

La famille Gainsbourg est une véritable famille d'artistes : chanteurs, acteurs, photographes... Charlotte Gainsbourg est aujourd'hui la figure emblématique de cette famille atypique.

Olga,
la grand-mère de Charlotte

Jane,
chanteuse et actrice française

Lou est top model et chanteuse. C'est la fille du réalisateur Jacques Doillon et la demi-sœur de Charlotte.

Charlotte, la fille
de Serge et de Jane

Joseph,
le grand-père de Charlotte

"La famille sera toujours la base des sociétés,,

Honoré de Balzac, écrivain français

Serge,
chanteur français

Un autre chanteur dans la famille : Lulu.
C'est le fils de la chanteuse Bambou.

1. UNE FAMILLE D'ARTISTES

A. Voici un reportage du magazine *Coolture* sur la famille Gainsbourg. Observez la photo A. À votre avis, quel est le métier de Charlotte ?

B. Retrouvez les prénoms des membres de la famille de Charlotte.

> sa demi-sœur   ses grands-parents

> son demi-frère   son père   sa mère

• Sa demi-sœur, c'est Lou !

C. Remplissez ce tableau avec les prénoms des membres de votre famille. Ensuite, à deux, parlez de vos familles respectives.

MEMBRE DE MA FAMILLE	PRÉNOM(S)
mon grand-père	
ma grand-mère	
mon père	
ma mère	
mon frère / mes frères	
ma sœur / mes sœurs	

• J'ai deux frères et une sœur.
  Ma sœur Anna est étudiante.

D. En groupes et sur le modèle du reportage de *Coolture,* présentez une famille célèbre.

2. FAIS PAS CI, FAIS PAS ÇA

A. Voici les personnages de la série TV *Fais pas ci, fais pas ça*.
La famille de Tiphaine est une famille recomposée, savez-vous ce que ça signifie ?

La famille de Tiphaine

LA FAMILLE BOULEY

Tiphaine, la fille aînée

Denis, le beau-père

Valérie, la mère

Eliott, le demi-frère

Salomé, la ....

Le père : Denis travaille à la maison, il est coach. Il n'impose rien à ses enfants et il est très tranquille.
La mère : Valérie travaille dans la communication. C'est une mère active et dynamique. Elle n'est pas très sévère. Elle privilégie le dialogue avec ses enfants.
Les enfants : Tiphaine est la fille de Valérie, elle a un demi-frère, Eliott, et une demi-sœur, Salomé.

La famille de Christophe

LA FAMILLE LEPIC

Christophe, le fils aîné

Fabienne, la mère

Renaud, le père

Soline, la ....

Charlotte, la ....

Lucas, le frère

Le père : Renaud, il est assez exigeant avec ses enfants.
La mère : Fabienne, elle est femme au foyer et elle s'énerve souvent.
Les enfants : Christophe a trois frères et sœurs : Soline, Charlotte et Lucas. C'est le petit-ami de Tiphaine Bouley.

B. Qui est qui ? Retrouvez qui se cache derrière les cartes floutées.

• *Eliott, c'est le demi-frère de Tiphaine !*

C. Relisez les présentations. Selon vous, quel est le style d'éducation de chaque famille ?

classique   exigeant   cool   moderne   sévère

D. Votre famille ressemble-t-elle à une de ces deux familles ? Parlez-en à deux.

• *Ma famille est comme la famille Lepic ; mon père est très exigeant...*

 Et vous ?
Connaissez-vous des séries TV ou des films qui mettent en scène des familles ?

3. FAMILLE LEPIC OU FAMILLE BOULEY ?

A. Lisez les commentaires postés sur le forum famille-ados.en.

Samuel : Mon fils est assez autonome. Je fais les devoirs avec lui, mais après, je le laisse tranquille, il s'organise.

Thomas : Moi, je surveille beaucoup mes enfants, je n'aime pas les laisser seuls très longtemps. Quand ils terminent leurs devoirs, ils ont des activités comme la musique ou le sport. Ma femme dit que je suis trop strict !

B. Selon vous, Samuel et Thomas sont-ils plus proches de la famille Lepic ou Bouley ? Pourquoi ?

4. UN ARTISTE FORMIDABLE !

A. Voici un célèbre artiste francophone. Le connaissez-vous ?

STROMAE

Stromae (Maestro en « verlan ») est un chanteur belge atypique.

SON ENFANCE
Stromae est né en Belgique, en 1985. Dans ses textes, il parle souvent de la famille, de l'absence du père (*Papaoutai*) ou des problèmes de couple (*Te quiero*). Il vient d'une famille nombreuse : il a trois frères et une sœur. Son père, rwandais, est mort en 1994. Pour lui, sa mère est une référence et il dit souvent que la famille monoparentale, ça fonctionne bien.

SES INFLUENCES MUSICALES
La musique est très importante dans sa famille. Pour sa mère, c'est la rumba et la salsa. Pour sa tante, c'est le zouk ou la musique africaine. Pour son frère aîné, c'est la musique classique et le rap. C'est grâce à cette passion familiale que Stromae décide de prendre des cours de percussions à 12 ans et, de suivre, plus tard, une formation d'ingénieur du son.

UNE AFFAIRE DE FAMILLE
Ses deux frères, Dati et Luc, travaillent avec lui. Dati, l'aîné, est son photographe officiel et Luc son directeur artistique. Sa petite-amie, Coralie, est styliste et s'occupe de leur marque de vêtements : Mozaert.

SON STYLE MUSICAL
À 20 ans, il fonde son groupe de rap, Suspicion. Puis il décide de se lancer en solo et il invente son propre style musical : un mélange de musique hip-hop, d'électro, de *world music* et de chanson française.

INFO+
Il est connu pour son look original et décalé. En 2014, il lance sa propre marque de vêtements. Il est souvent comparé à l'artiste Jacques Brel pour ses gestes et sa façon de chanter. ◉

B. À présent, lisez à nouveau l'article et retrouvez à quoi correspondent les termes suivants. Faites des recherches si nécessaire.

1. une famille nombreuse
2. une famille monoparentale
3. la tante
4. le plus grand frère

A. la sœur du père
B. le frère aîné
C. une famille avec un seul parent
D. une famille avec trois enfants ou plus

C. Écoutez ces trois extraits : de quel style musical s'agit-il ? À présent, attribuez-les à chaque membre de la famille de Stromae.
CD 1 PISTE 40

D. Et vous, quels sont vos goûts en matière de musique. Qu'aimez-vous ? Que détestez-vous ? Parlez-en à deux.

• Moi, j'aime beaucoup la musique africaine. Et toi ?
○ Moi, je préfère le rock.

5. ET MOI ?

A. Voici trois mots qui définissent la famille de Stromae. Et vous, quels sont les trois mots qui définissent votre famille ?

• nombreuse • de musiciens • belge

B. Sur ce même modèle, écrivez trois mots qui donnent des informations sur vous-même.

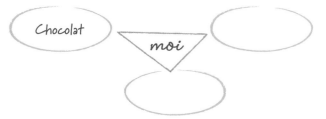

C. Échangez votre dessin avec un camarade et essayez de deviner à quoi correspondent ses mots. Parlez-en ensemble.

• Chocolat... C'est parce que tu aimes le chocolat ?
○ Non, Chocolat, c'est mon chat !

6. MOTIVÉES, MOTIVÉS...

A. Anna, Louis, Sophie et Stéphane sont inscrits à « l'École Zen ». Observez leurs photos.
D'après vous, pour quelles raisons, dans quel but prennent-ils ces cours ?

pour être en forme   pour se sentir bien   pour le plaisir

pour s'amuser   pour rencontrer des gens   pour se reposer

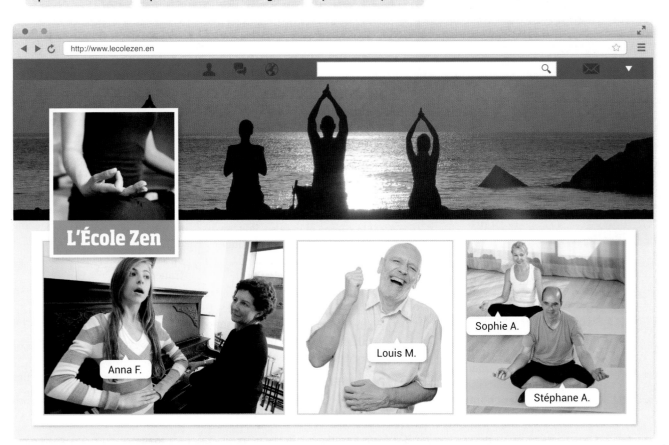

L'École Zen

Anna F.

Louis M.

Sophie A.

Stéphane A.

CD 1
PISTE 41

B. Anna, Louis, Sophie et Stéphane expliquent leurs motivations. Écoutez l'interview, puis cochez la ou les bonne(s) réponse(s).

Anna prend des cours de chant...
- ☐ pour devenir célèbre.
- ☐ pour le plaisir.
- ☐ parce qu'après, elle se sent bien.

Louis suit l'atelier du rire...
- ☐ parce qu'il est timide.
- ☐ pour partager sa bonne humeur.
- ☐ pour se relaxer.

Sophie et Stéphane prennent des cours de relaxation...
- ☐ parce qu'ils adorent les disciplines orientales.
- ☐ pour apprendre à respirer.
- ☐ parce qu'ils sont stressés.

 Et vous ?
Suivez-vous des cours originaux ?

C. Maintenant, complétez la règle suivante.

POUR / PARCE QUE

On utilise **pour** + verbe à l'infinitif / + nom pour exprimer :
☐ la cause   ☐ le but
On utilise **parce que** pour exprimer :
☐ la cause   ☐ le but

D. Relisez les phrases du B et complétez le tableau.

LES VERBES COMME *PRENDRE* AU PRÉSENT

je	prend-**s**
tu	prend-**s**
il / elle / on	....
nous	pren-**ons**
vous	pren-**ez**
ils / elles	.... - ....

Et aussi **apprendre, comprendre**...
Participe passé : *pris* (prendre), *appris* (apprendre), *compris* (comprendre)...

7. L'ÉCOLE ZEN

A. Observez cette publicité. Que propose-t-elle ?

L'École Zen

Une école pour se sentir bien et pour s'amuser !

Atelier Relaxation

Cette année, pour la première fois, nous vous proposons une initiation au bouddhisme. Ce cours est idéal pour apprendre à méditer.

Atelier Rire

Cet atelier de bien-être est original et parfait pour se relaxer.

Cours de Chant

Initiez-vous au chant et découvrez de nouvelles techniques vocales. Ces méthodes vous aideront à mieux chanter.

Plus d'informations sur
www.lecolezen.en

B. Relisez la présentation des ateliers et complétez le tableau suivant.

LES ADJECTIFS DÉMONSTRATIFS

On les utilise pour désigner une personne, un objet, un lieu déjà cité.

	MASCULIN	**FÉMININ**
SINGULIER	.... cours .... atelier*	.... année
PLURIEL	.... méthodes	

Ce devient .... devant une voyelle ou un *h* muet.

C. Quels types d'ateliers vous intéressent ? En petits groupes, choisissez une activité et faites une présentation de votre atelier à la classe.

POUR / PARCE QUE

EX. 1. Complétez le dialogue avec *pour* ou *parce que*. Ajoutez une apostrophe si nécessaire.

- Pourquoi tu apprends le chinois ?
- .... aller en Chine, et toi ?
- .... ma grand-mère est chinoise et aussi .... elle ne parle pas français.
- Ah, alors tu apprends le chinois .... communiquer avec ta grand-mère !
- Oui. Mais toi, pourquoi tu vas en Chine ?
- .... j'adore la culture chinoise et aussi .... voir la Grande Muraille.

EX. 2. Complétez les dialogues avec *pour* ou *parce que*. Ajoutez une apostrophe si nécessaire.

1. • Pourquoi tu fais du yoga ?
   ○ .... j'aime ça, et toi ?
   • .... me relaxer.
2. • Pourquoi tu prends des cours de chant ?
   ○ .... le plaisir.
3. • Pourquoi est-ce que tu viens à l'atelier du rire ?
   ○ .... je suis trop stressé. J'ai besoin de rire .... me détendre.
4. • Pourquoi est-ce que tu apprends le français ?
   ○ .... j'aime cette langue et aussi .... améliorer mon niveau.

LES VERBES COMME *PRENDRE* AU PRÉSENT

EX. 3. Complétez les dialogues avec les verbes *prendre*, *apprendre* ou *comprendre* au présent de l'indicatif.

1. • Vous comprenez le français ?
   ○ Oui, je le .... assez bien.
2. • Vous .... le métro pour aller à l'université ?
   ○ Non, nous .... le tramway.
3. • Dans l'entreprise, les responsables .... le chinois.
4. • Paul et moi, nous .... un café. Et toi, Julie ?
   ○ Moi, un thé.
5. • Pierre parle trois langues et, en ce moment, il .... le japonais parce qu'il va travailler au Japon.
6. • Je ne .... pas. Vous pouvez répéter, s'il vous plaît ?

LES ADJECTIFS DÉMONSTRATIFS

EX. 4. Complétez les phrases avec l'adjectif démonstratif qui convient.

1. .... année, je pars en Argentine.
2. Moi, ... été, je me repose au soleil.
3. J'aime .... hôtel, il dispose d'un espace bien-être.
4. .... livres datent du XVe siècle.
5. Je n'aime pas .... appartement, il est trop petit.
6. .... cours de yoga est gratuit tous les samedis.

+ d'exercices : pages 177 - 180

8. LE BLOG DE MIMI

A. Mimi tient un blog. Quel est l'objectif de son post ?

JE M'APPELLE MIMI, JE SUIS BLOGGEUSE, J'AI 29 ANS ET J'HABITE À GRENOBLE. JE SUIS CALME, DRÔLE ET SPORTIVE.

MES LOISIRS

12/03/2015

J'ADORE :
la photo, jouer au tennis, écrire sur mon blog et lire des romans

J'AIME BEAUCOUP :
faire de la peinture, danser, voyager et jouer du piano

J'AIME :
faire de la natation, jouer aux échecs et faire des excursions

JE N'AIME PAS :
jouer au basket, les jeux vidéo

JE DÉTESTE :
faire du bricolage, le football

B. Quels sont les loisirs de Mimi ? Retrouvez les loisirs qui correspondent aux icônes suivantes.

faire de la peinture ....

....

LES ARTICLES CONTRACTÉS (2)

Quand la préposition **de** est devant **le** ou **les**, elle se contracte avec lui.

de + le	de + les	de + la	de + l'
du	des	de la	de l'

C. Aimez-vous les mêmes activités que Mimi ? Parlez-en à deux.

« J'aime la peinture. » 😊
- Moi aussi, surtout l'aquarelle. 😊
- Pas moi, je déteste ça. 😦

« Je n'aime pas jouer au basket. » 😦
- Moi non plus, je déteste ce sport ! 😦
- Moi si, je fais souvent du basket. 😊

« Je déteste faire du bricolage. » 😦
- ....

D. Avez-vous des activités en commun ? Parlez-en en petits groupes.

9. AU PLAISIR D'ÉCRIRE

Lisez l'annonce de cette association, puis complétez le tableau du verbe *écrire*.

Vous aimez lire ? Vous écrivez ? Nous vous invitons à participer à notre atelier d'écriture « Au plaisir d'écrire ». Nous nous retrouvons une fois par semaine, le mercredi soir à 19 h. Nous lisons l'extrait d'un auteur, nous faisons des commentaires, puis nous écrivons un texte sur le même thème. Une fois par mois, un auteur participe à notre atelier et écrit une nouvelle avec les participants.

Pour participer à nos ateliers, contactez notre association : infos_au.plaisir.d.ecrire@entrenous.en

LE VERBE *ÉCRIRE* AU PRÉSENT

j'	écri-**s**
tu	écri-**s**
il / elle / on	....-....
nous	....-....
vous	....-....
ils / elles	écriv-**ent**

Et aussi **décrire, inscrire**...
Participe passé : **écrit** (*écrire*), **décrit** (*décrire*)...

10. SONDAGE...

A. Le magazine *Tout pour vous* a publié un sondage pour connaître vos goûts. Répondez-y.

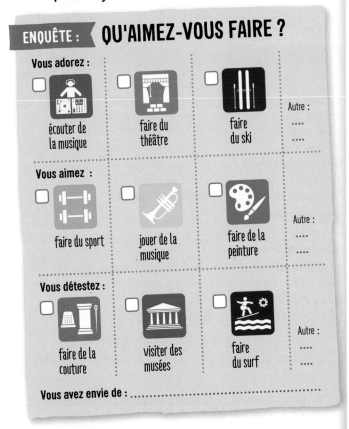

B. Observez le sondage et, à l'aide de l'exemple, retrouvez la place de chaque expression.

je déteste   j'aime beaucoup   j'aime

je n'aime pas   j'adore

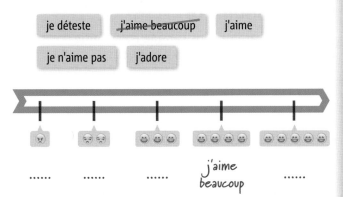

.... j'aime beaucoup ....

C. Maintenant, formez des groupes et créez une nouvelle enquête sur les activités et les loisirs. Ensuite, allez interroger vos camarades de classe. Quelles sont leurs préférences ?

- Qu'est-ce que tu aimes le plus ? Le rock, la samba ou la musique classique ?
- Le rock !

- Quel type de films tu détestes ? Les films d'horreur, les films romantiques ou les films policiers ?
- Les films d'horreur, je déteste ça !

LES ARTICLES CONTRACTÉS
EX. 1. Retrouvez l'activité correspondante et complétez comme dans l'exemple.

équitation   dessin   peinture   piano   judo

échecs   snowboard   natation   couture

1. Julie aime les jeux, elle joue *aux échecs*.
2. Amélie aime beaucoup les sports d'hiver, elle fait .... .
3. Thibault aime beaucoup les chevaux : il fait .... .
4. Sébastien adore le sport, il fait .... et .... .
5. Christine aime les vêtements, elle fait .... .
6. Anne-Sophie aime la musique, elle joue .... .
7. Sandra adore l'art, elle fait .... et .... .

EX. 2. Classez les activités suivantes dans le tableau puis, placez la préposition qui convient devant.

guitare   piano   danse   judo   cartes   athlétisme

échecs   bricolage   peinture   surf   études

FAIRE...	JOUER...
du surf	aux échecs

NUANCER SES PROPOS :
MOI AUSSI, MOI NON PLUS, PAS MOI, MOI SI
EX. 3. Avez-vous les mêmes goûts que Samuel ? Répondez selon vos goûts, comme dans l'exemple.

1. Samuel aime le sport.
- Moi aussi, j'adore le sport : je fais du vélo, du basket et de la natation.
- Pas moi, je déteste ça !

2. Samuel déteste la danse.
3. Samuel n'aime pas faire du shopping.
4. Samuel adore le bricolage.
5. Samuel aime beaucoup le théâtre.
6. Samuel préfère jouer aux échecs.

LE VERBE *ÉCRIRE* AU PRÉSENT
EX. 4. Complétez les phrases en conjuguant le verbe *écrire* au présent.

1. Il .... des romans d'aventure et des romans historiques.
2. Nous .... sur notre blog de voyage tous les jours.
3. Dans l'atelier d'écriture, on .... et on partage nos textes.
4. Les lecteurs .... leurs commentaires sur le forum.
5. J'adore la poésie, j'.... des poèmes.
6. Vous .... une pièce de théâtre ?

+ d'exercices : pages 177 - 180

11. À LA RECHERCHE DE COLOCATAIRES

A. Voici une annonce publiée sur le site encoloc.en.
Quel genre de colocataire cherchent les trois amis ?

2 chambres en colocation

RÉF. : 756483 – 34070 MONTPELLIER – FRANCE

AJOUTER CETTE ANNONCE À MES FAVORIS

Vous venez d'arriver à Montpellier ? Vous êtes étudiant(e) et vous cherchez une chambre à louer pour l'année universitaire ? Cette annonce est faite pour vous !

Qui sommes-nous ?
Trois garçons entre 23 et 30 ans. Nous venons de Belgique, des États-Unis et du Portugal.

Où vivons-nous ?
En plein centre de Montpellier.

Nos points communs ?
La joie de vivre et le sport. Nous aimons aussi les bons restos et les soirées entre amis.

Nous cherchons :
Un coloc sympa, sérieux, ouvert et facile à vivre.

Aleixo, Ben & Jason

B. D'où viennent les colocataires ? Complétez le tableau.

LE VERBE *VENIR* AU PRÉSENT

je	vien-**s**
tu	vien-**s**
il / elle / on	vien-**t**
nous	....-....
vous	....-....
ils / elles	vienn-**ent**

Participe passé : *venu* (**venir**), *revenu* (**revenir**), *devenu* (**devenir**)...

C. À présent, complétez le tableau.

LA PROVENANCE / L'ORIGINE

On exprime l'origine géographique à l'aide du verbe *venir + de/du*.

Venir de + pays féminin
Ex. : *Ben* .... *Belgique.*
Venir du + pays masculin
Ex. : *Aleixo* .... *Portugal.*
Venir des + pays au pluriel
Ex. : *Jason* .... *États-Unis.*
Venir de + ville
Ex. : *Gabriela* **vient de** *Rosario.*

De et *du* deviennent *d'* devant une voyelle.
Ex. : *Gabriela vient d'Argentine.*

D. À deux, imaginez le ou la colocataire idéal(e) pour Aleixo et ses amis.

| son caractère | ses goûts | ses activités |

12. LES CANDIDATS

A. Quel colocataire vous semble convenir le mieux à ces trois étudiants ? Et à vous ?

GABRIELA, 28 ANS, ARGENTINE
Bonjour ! Je m'appelle Gabriela et je viens d'Argentine, de Rosario. J'ai beaucoup de points communs avec vous : j'aime aller au restaurant, sortir avec mes amis et je suis étudiante aussi ! J'ai très envie de devenir votre colocataire. Je fume, mais jamais à l'intérieur.

RÉPONDRE

MATTHEW, 23 ANS, AMÉRICAIN
Salut ! Moi, c'est Matthew, je suis américain. Je suis étudiant et j'adore le sport ! J'aime beaucoup le cinéma. Je suis assez casanier, j'aime les soirées ciné à la maison. Ma spécialité : rire et faire rire les gens !

RÉPONDRE

B. Vous cherchez un colocataire. À deux, rédigez une annonce. Expliquez qui vous êtes, ce que vous faites et quels sont vos goûts.

13. IL HABITE CHEZ UNE PERSONNE ÂGÉE !

A. Lisez l'article. Comment appelle-t-on ce type de colocation ?

JEANNETTE A 84 ANS. Elle a une grande maison à Aix-en-Provence, mais sa famille habite à Paris. Pour ne pas vivre seule, elle loue une chambre à un étudiant.

Alex a 19 ans. Il est très content de cette colocation intergénerationnelle. Il habite chez elle pendant l'année universitaire et il retrouve ses parents l'été. Cette colocation a des avantages : Alex fait des économies. Jeannette fait la cuisine pour lui de temps en temps et lui, il fait des balades ou il joue au Scrabble avec elle.

C'est une solution très intéressante pour eux. Alex recommande ce type de colocation aux étudiants autonomes et curieux. ■

B. Pourquoi Jeanette a loué une chambre à Alex ? Et lui, pourquoi habite-t-il chez elle ?

C. Complétez ce rappel sur les pronoms toniques. Aidez-vous de l'article.

LES PRONOMS TONIQUES

PRONOMS SUJETS	PRONOMS TONIQUES
je	*moi*
tu	….
il	….
elle	….
nous	….
vous	….
ils	….
elles	….

D. Soulignez les pronoms toniques dans le texte. De quoi sont-ils précédés ?

 Et vous ?
Que pensez-vous de la colocation ?

LE VERBE *VENIR*
EX. 1. Lisez la présentation des colocataires et conjuguez le verbe *venir* au présent.

COLOCATION SYMPA

Nous sommes quatre colocataires et nous …. de différents pays.

Moi, je …. de Chine et je suis en France pour améliorer mon français. Andréa …. d'Allemagne pour faire des études en littérature. Monica et Juan …. du Chili. Ils font un stage à l'office de tourisme de la ville. Nous louons un grand appartement dans le centre-ville et nous recherchons un colocataire.

Tu es étudiant(e) et tu cherches une colocation sympa ? Alors, cette annonce est pour toi !

RÉPONDRE

LA PROVENANCE / L'ORIGINE
EX. 2. Complétez la présentation des colocataires de la Cité Bellemont.

Les colocataires du 44 cité Bellemont

Maryna vient …. Ukraine, …. Kiev.
Julien vient …. Suisse, …. Berne.
Simone vient …. Allemagne, …. Munich.
Aïcha et Lionel viennent …. France, …. Bordeaux.

LES PRÉPOSITIONS + PRONOMS TONIQUES
EX. 3. Complétez les dialogues avec les pronoms toniques qui conviennent.

1. ● Tu es chez Paul ?
   ○ Oui je suis chez …. . Pourquoi ?
2. ● C'est ton vélo ?
   ○ Oui, il est à …. .
3. ● Vous partez en vacances chez vos amis belges ?
   ○ Oui, nous allons chez …. une semaine.
4. ● Sophie apprend le chinois.
   ○ C'est facile pour …. ! Elle a habité un an en Chine.
5. ● Qui est sur la photo avec …. ?
   ○ C'est Stan, mon petit-ami.
6. ● Madame, ce chat est à …. ?
   ○ Oui, merci !, vous avez retrouvé Mektoub !
7. ● J'ai un cadeau pour …. .
   ○ Oh, tu es gentil !

+ d'exercices : pages 177 - 180

LA FAMILLE

1. Observez l'arbre généalogique de la famille Louis. Puis, retrouvez le prénom des personnes qui se présentent.

La famille Louis

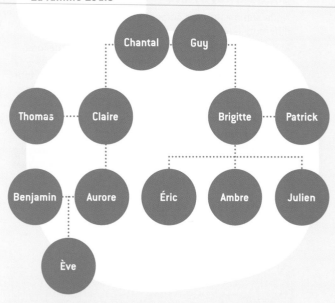

1. Je suis la grand-mère d'Aurore et de Benjamin. Je suis ... .
2. Je suis la sœur de Julien mais aussi la cousine d'Aurore. Je suis ... .
3. Claire est ma femme. Je suis ... .
4. Je suis le cousin de Julien, Ambre et Éric. Je suis ... .
5. Mes grands-parents sont Thomas et Claire. Je suis ... .

LE CARACTÈRE

2. Mots croisés : trouvez le contraire des mots suivants.

HORIZONTAL
1. inactif
2. optimiste

VERTICAL
3. difficile
4. extraverti
5. stressé
6. intolérant

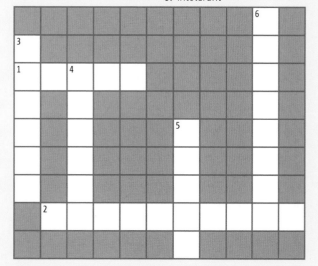

3. Evan cherche un(e) correspondant(e) francophone. Complétez sa présentation avec les mots suivants.

| sportif | curieux | sociable | drôle |

Je m'appelle Evan, je suis australien et j'ai 24 ans. Je suis un garçon ... . Je fais du surf, de la plongée et du jet ski. Je suis aussi très ... : j'aime plaisanter.

Je suis très ... . J'adore voyager et découvrir d'autres cultures, c'est parce que je suis ... . J'aime beaucoup discuter, rencontrer de nouvelles personnes.

Je cherche un(e) correspondant(e) francophone avec les mêmes goûts que moi pour discuter en français et peut-être organiser un échange !

À bientôt !

Evan

LES LOISIRS

4. Lisez les séries d'activités et barrez l'intrus comme dans l'exemple.

1. excursion / ~~cuisine~~ / randonnée / balade
2. guitare / batterie / tennis / piano / violon
3. basket / football / rugby / surf
4. échecs / cartes / randonnée / Scrabble
5. photographie / shopping / dessin / peinture
6. musique / cinéma / bricolage / danse

L'EXPRESSION DES GOÛTS

 5. Écoutez les dialogues et entourez la bonne réponse.

CD 1
PISTE 42

1. **Anne :** aime la musique électronique / n'aime pas la musique électronique / préfère la musique électronique.
2. **Marc :** aime beaucoup l'exposition / n'aime pas l'exposition / déteste l'exposition.
3. **Julie :** adore le shopping / aime un peu le shopping / n'aime pas du tout le shopping.
4. **Les filles :** aiment un peu le cinéma / adorent le cinéma / n'aiment pas du tout le cinéma.
5. **Pierre :** n'aime pas beaucoup le bricolage / aime un peu le bricolage / déteste le bricolage.
6. **Monsieur Legrand :** aime un peu le sport / n'aime pas du tout le sport / aime beaucoup le sport.

6. Associez les opinions à l'expression du goût qui convient.

| je préfère | j'adore | je déteste | j'aime |

1. Je suis fan de musique. J'écoute de la musique tous les jours.
2. Les balades, la randonnée, c'est vraiment pas pour moi !
3. Je fais des sorties avec mes amis, c'est sympa.
4. Stromae ? Oui, il a du talent, mais je préfère Brel.

A. PHONÉTIQUE

**DISTINGUER LES VOYELLES NASALES
ET LES VOYELLES ORALES**

CD 1
PISTE 43

1. Écoutez ces verbes prononcés à la 3e personne du singulier et du pluriel. Quelle est la forme que vous entendez deux fois ?

	SINGULIER	PLURIEL	
1	Il vient	Ils viennent	X
2	Elle prend	Elles prennent	
3	Elle prévient	Elles préviennent	
4	Il apprend	Ils apprennent	
5	Elle revient	Elles reviennent	
6	Il comprend	Ils comprennent	

CD 1
PISTE 44

2. Écoutez. Vous entendez une voyelle nasale [ɛ̃], [ã], [ɔ̃] ou une voyelle orale [ɛ], [ɔ] ?

	VOYELLE NASALE	VOYELLE ORALE
1		
2		
3		
4		
5		

CD 1
PISTE 45

3. À vous. Écoutez et prononcez ces mots.
1. bonne / bon
2. une personne / une colocation
3. saine / sain
4. ils viennent / il vient
5. panne / pan
6. chez Jeanne / une chambre

CD 1
PISTE 46

4. À présent, écoutez et prononcez ces phrases.
[ɛn], [ɛ̃]
1. Elles prennent des cours de dessin.
2. Il vient de Vienne.

[an], [ã]
3. Anna apprend l'allemand.
4. Mes enfants adorent le piano.

[ɔn], [ɔ̃]
5. Je suis passionné de natation.
6. J'aime rencontrer de nouvelles personnes.

B. PROSODIE

LES LIAISONS AVEC [z], [n], [t] ET [R]

CD 1
PISTE 47

6. Écoutez. Quelle consonne de liaison entendez-vous avec le mot « ami » ?

	[n] comme *« nami »*	**[t]** comme *« tami »*	**[z]** comme *« zami »*	**[R]** comme *« rami »*
1	X			
2				
3				
4				

La liaison est obligatoire entre :
- Un pronom et un verbe : *Ils‿habitent.*
- Un déterminant et un nom : *des‿amis, mon‿ami, leurs‿amis*
- Après 1, 2, 3, 6 et 10 : *J'ai deux‿enfants.*
- Entre une préposition et un déterminant : *J'habite chez‿une personne âgée, dans‿un bel appartement.*
- Après les adverbes d'une syllabe : *Je suis très‿heureuse.*
- ⚠ Si **l'adjectif** est placé **avant le nom** (*mon petit‿ami,*), on fait également la liaison.

CD 1
PISTE 48

7. À vous. Écoutez et prononcez ces groupes de mots. Faites les liaisons.
1. C'est mon chanteur préféré. / C'est mon‿acteur préféré.
2. Un grand sportif. / Un grand‿artiste.
3. Il habite chez ses parents. / Il habite chez‿une amie.

CD 1
PISTE 49

8. Écoutez et prononcez ces phrases. Respectez le rythme et l'intonation.
1. Ils viennent avec leurs‿amis italiens.
2. C'est mon premier‿atelier de dessin.
3. Elle vient avec son nouveau petit‿ami. Elle est très‿heureuse.
4. Elle prend des cours de piano dans‿une école de musique.

C. PHONIE-GRAPHIE

LA PRONONCIATION DES CONSONNES FINALES

CD 1
PISTE 50

9. Écoutez, barrez les consonnes finales qui ne se prononcent pas et marquez les liaisons avec ‿ .
1. Le petit‿ami d'Antonia, c'est le petit frère d'Olivier.
2. C'est un grand actif, il prend des cours de judo.
3. Nos enfants sont très timides.

10. À présent, cochez les bonnes réponses.

Si le mot est prononcé seul ou s'il est devant une consonne, les consonnes finales « t », « d », « s » (*petit, grand, nos*) :
☐ se prononcent
☐ ne se prononcent pas.
Si on fait la liaison, la lettre « s » se prononce : ☐ [s] / ☐ [z]
Et la lettre « d » se prononce : ☐ [t] / ☐ [d]

BILAN DES FESTIVALS D'ÉTÉ 2014

LA FRÉQUENTATION DES FESTIVALS EN FRANCE

④ **MAIN SQUARE**
NUITS SECRÈTES
CABARET VERT
ROCK DANS TOUS LES ÉTATS

BEAUREGARD
PAPILLONS DE NUIT
ROUTE DU ROCK
3 ÉLÉPHANTS

PEACOCK SOCIETY
JARDIN DU MICHEL
DÉCIBULLES

② **SOLIDAYS**
ROCK EN SEINE

FÊTE DU BRUIT **ART ROCK**
① **VIEILLES CHARRUES**
FESTIVAL DU BOUT DU MONDE
PONT DU ROCK   MOTOCULTOR

EUROCKÉENNES

LES ESCALES TERRES DU SON
③ **HELLFEST**
⑤ **FRANCOFOLIES**
AU FIL DU SON

FRANCOS GOURMANDES

EUROPAVOX
FOREZTIVAL
WOODSTOWER **MUSILAC**

BLUES PASSIONS

CABARET FRAPPÉ
HADRA TRANCE

REGGAE SUN SKA
GAROROCK

ALUNA FESTIVAL
GARANCE REGGAE
LIVES AU PONT
LES SUDS

MUSICALARUE
BIG FESTIVAL WEEK-END DES CURIOSITÉS

LES VOIX DU GAOU

ELECTROBEACH
DÉFERLANTES

CALVI ON THE ROCKS

SPECTATEURS
A
+ DE 200 000
↑
A
+ DE 15 000

2013/2014
A EN HAUSSE
A STABLE
A EN BAISSE

LES ARTISTES LES PLUS PROGRAMMÉS

PLUS DE 15 DATES
FAUVE

....

ENTRE 10 ET 15 DATES
M
STROMAE
CASSEURS FLOWTERS
FRANÇOIS AND THE ATLAS MOUNTAINS
ACID ARAB

....

ENTRE 5 ET 10 DATES
BEN L'ONCLE SOUL
GAËTAN ROUSSEL
SKIP THE USE
WINSTON
PATRICE
KEZIAH JONES
FRANZ FERDINAND
LONDON GRAMMAR
METRONOMY

LES PRIX DES FESTIVALS

TICKET LE PLUS CHER ≈ 80 €
HELLFEST

TICKET MOYEN ≈ 40 €

TICKET LE MOINS CHER ≈ 10 €
LES NUITS SECRÈTES

14. EN AVANT LA MUSIQUE !

A. **Observez la carte de France des festivals.**

1. Connaissez-vous certains de ces festivals ?
2. Imaginez leur style musical.

rock   hip hop   ska   électro

pop   jazz   métal   world music

chanson française   classique   reggae

3. Dans quelle partie du pays y a-t-il le plus de festivals ?
4. Assistez-vous à des festivals de musique ? Quel style aimez-vous le plus ?

B. **Observez la liste des artistes.**

1. Les artistes cités sont-ils également connus dans votre pays ? Les avez-vous déjà vus en concert ?
2. Le prix des tickets vous semble-t-il raisonnable ?

15. À LA UNE

Lisez ces commentaires et observez les documents. Essayez de deviner de quel festival il s'agit.

Le plus grand festival musical de France continue à attirer plus de spectateurs chaque année !

Avec ses DJ venus du monde entier qui mixent sur la plage, c'est le meilleur festival de musique électronique.

Un festival musical et gastronomique, une idée originale, mais qui a rencontré moins de succès en 2014.

C'est le plus cher des festivals français mais il continue à attirer de plus en plus de fans de métal et de hard rock.

16. À CHACUN SON FESTIVAL

Quels sont les plus grands festivals de votre pays ? Présentez un de ces festivals à la classe.

+ DE RESSOURCES SUR **espacevirtuel.emdl.fr**

Le festival des Vieilles Charrues
Premier festival de France

TÂCHE 1 — UN INTRUS DANS LA FAMILLE

1. En groupes, choisissez une des familles suivantes et créez une carte pour chaque membre en vous aidant du modèle. Présentez quatre membre de la famille.

2. Maintenant, vous allez créer une cinquième carte. Pour cela, choisissez un intrus qui vient d'une autre famille.

3. Vous allez faire deviner aux autres groupes quel est le profil de votre famille et qui est l'intrus. Pour cela, présentez vos cartes aux autres. Quel groupe a trouvé le plus de profils et d'intrus ?

la famille bricoleuse

la famille artiste

la famille sportive

la famille fêtarde

la famille casanière

La famille ... ???

LE PÈRE - Daniel, 40 ans
C'est un passionné : il adore réparer les voitures. Il aime créer des jeux pour ses enfants. Il déteste rester sans rien faire. Il est curieux et très actif. Il fait de la mécanique.

CONSEILS

- Variez l'âge des membres de votre nouvelle famille, pensez à différentes générations.
- Attention, ne nommez pas le profil de votre famille !
- Pour l'intrus, soyez originaux et discrets.

TÂCHE 2 — QUAND ON ARRIVE EN VILLE...

1. Vous êtes nouveau résident dans la ville où vous étudiez le français et vous cherchez à rencontrer de nouvelles personnes. Vous vous inscrivez sur le site de l'association « On sort en ville ».

2. Inventez votre personnage et complétez votre profil comme Romuald. L'association organise une soirée pour les nouveaux membres. Vous ne connaissez personne. Parlez avec le maximum de personnes pour trouver celles qui partagent vos goûts et vous ressemblent.

3. Formez des groupes en fonction de vos préférences et organisez de futures sorties culturelles, sportives ou gastronomiques. Ensuite, faites vos propositions à la classe. Quelles propositions ont le plus de succès ?

ROMUALD

Ma profession : Web designer

État civil : Marié, 2 enfants, un chat

Mes origines : Mère irlandaise, père français, né à Tours

Mon caractère : Curieux, extraverti, drôle

Mes loisirs : La natation, les randonnées en montagne, la peinture

Mes goûts : J'adore faire la fête et dessiner. J'aime aussi le jardinage.

CONSEILS

- Pour trouver des idées, regardez le site de l'office de tourisme de votre ville.
- Pour votre profil, pensez aussi à ce que vous n'aimez pas.
- Vous rencontrez ces personnes pour la première fois : échangez pour faire connaissance !

PIQUE-NIQUE ENTRE JEUNES !

NOUS PROPOSONS UNE SORTIE PIQUE-NIQUE, DIMANCHE MIDI AU BORD DE L'EAU.

PENSEZ À APPORTER QUELQUE CHOSE À BOIRE ET À MANGER.

LES INSTRUMENTS DE MUSIQUE SONT AUSSI LES BIENVENUS !

À DIMANCHE !

MALEK, DAN ET JULIA

DOSSIER
CULTUREL

PARIS

La tour Eiffel au bord de la Seine

Géographie

Paris est la capitale de la France, elle se situe dans la partie nord de l'hexagone. C'est la ville la plus peuplée du pays (avec plus de 2 millions d'habitants). Elle est divisée en arrondissements (20), ils sont disposés en spirale à partir du centre et forment un escargot. La ville est partagée en deux par un fleuve : la Seine. Il y a la rive droite au Nord et la rive gauche au Sud. Paris, la ville lumière, est une des villes les plus touristiques du monde.

Spécialités culinaires

Le Paris-Brest, une pâtisserie en forme de roue de vélo inspirée de la course cycliste Paris-Brest-Paris et le Parisien, nom donné au sandwich jambon-beurre.

Paris, c'est...

173 musées
8 000 terrasses de cafés
90 000 pigeons

Un dicton

« Être parisien, ce n'est pas être né à Paris, c'est y renaître. »
Sacha Guitry

Une expression parisienne

« Faire un bœuf » : Cette expression vient d'un cabaret parisien : *Le Bœuf sur le Toit*. Aujourd'hui, cette expression est utilisée par tous les musiciens qui se regroupent dans un bar et qui improvisent ensemble.

Le Panthéon

Le Panthéon est un monument situé dans le 5e arrondissement de Paris, dans le Quartier latin. Pendant la Révolution française, cette ancienne église est devenue un temple laïque, dédié au culte des grands hommes de la nation. Plus de 70 personnalités reposent dans la crypte de ce monument, des écrivains comme Victor Hugo et Aimé Césaire ou encore des scientifiques comme les physiciens Pierre et Marie Curie.

Le Panthéon

La place du Tertre

Montmartre : le quartier bohème

Montmartre est un quartier du 18e arrondissement, situé sur une colline, la butte Montmartre. C'est un ancien village qui est devenu le quartier des artistes. Il est connu pour la basilique du Sacré-Cœur mais aussi pour la place du Tertre, la place des peintres, qui est un des endroits les plus animés du quartier. Des chanteurs comme Georges Brassens ou Édith Piaf et des peintres comme Toulouse-Lautrec, Van Gogh ou Picasso ont vécu à Montmartre. Il y a beaucoup de salles de spectacles comme *La Cigale* ou *La Boule Noire* et de cabarets comme *Le Moulin Rouge* ou ceux de la place Pigalle. Beaucoup de scènes du film *Le fabuleux destin d'Amélie Poulain* ont été tournées dans ce quartier.

Le musée du Quai Branly : arts et civilisations du monde entier

Le musée du Quai Branly existe depuis 2006, c'est le musée des Arts et des Civilisations d'Afrique, d'Asie, d'Océanie et des Amériques. C'est un des musées de France les plus fréquentés, avec presque 1,5 million de visiteurs par an. Le musée est aussi un centre pour l'enseignement et la recherche (conférences et publications) et un lieu de spectacles (concerts et animations).

Les catacombes de Paris

Le musée du Quai Branly

La Pagode : un cinéma insolite

La Pagode est un lieu prestigieux situé dans le 7e arrondissement de Paris ; il est classé monument historique depuis 1990 grâce à son style oriental et à un jardin exotique exceptionnel. Son histoire fait rêver : le directeur d'un grand magasin l'a fait construire pour sa femme, admiratrice des jardins japonais. Dans les années 20, c'est un lieu de divertissement où on organise des fêtes et des réceptions somptueuses. En 1931, *La Pagode* devient un cinéma et participe, dans les années 60, à la diffusion du courant artistique de la Nouvelle vague.

Une visite à 20 mètres sous terre : les catacombes

Les catacombes de Paris sont les galeries souterraines de la ville. Elles sont ouvertes aux visiteurs. Après la descente de 130 marches, à 20 mètres de profondeur – l'équivalent d'un immeuble de 5 étages –, on découvre un parcours de 2 kilomètres de galeries. Un message du poète Jacques Delille accueille les visiteurs : « Arrête ! C'est ici l'empire de la mort ». C'est un lieu mystérieux où on compte 6 à 7 millions d'ossements...

Paris, c'est aussi...

- **Les bateaux-mouches**
  Pour découvrir Paris, la Seine et ses quais.

- **La cathédrale Notre-Dame**
  Pour découvrir le monument le plus visité de Paris, décor du livre *Notre-Dame de Paris* de Victor Hugo.

- **Le château de Versailles**
  Pour admirer la galerie des Glaces et le palais du Roi-Soleil.

La Pagode

LYON

Géographie

Lyon est située dans la région Rhône-Alpes, entre l'Europe du Nord et l'Europe du Sud. La ville est traversée par deux fleuves : le Rhône et la Saône. Elle est célèbre pour ses deux collines, Fourvière et la Croix-Rousse, toutes deux situées près du centre-ville.

Spécialités culinaires

Le saucisson brioché, les quenelles, la salade lyonnaise, la rosette de Lyon, la tarte à la praline, les bugnes...

Lyon, c'est...

468 300 habitants
La 2e ville touristique de France
6 millions de touristes par an

Un dicton

« Tout le monde ne peut pas être de Lyon, il en faut un peu d'ailleurs. »

Une expression lyonnaise

« Et le gône, qu'est-ce qu'il veut manger ? » (gône = enfant)

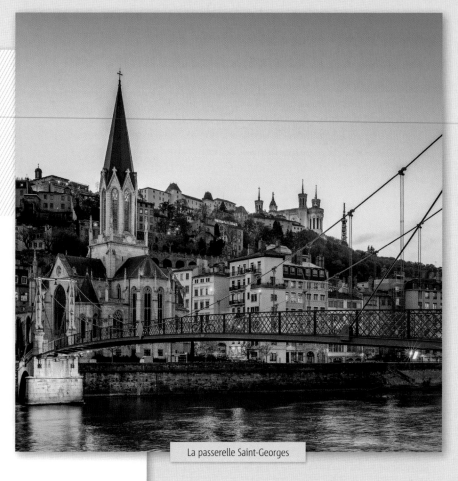

La passerelle Saint-Georges

Lyon, la capitale mondiale de la gastronomie

La ville de Lyon a toujours été réputée pour sa cuisine et porte le titre de « Capitale de la gastronomie » depuis les années 30. Pourquoi cette réputation ? Pour ses chefs connus dans le monde entier comme, par exemple, Paul Bocuse, un des maîtres de la grande cuisine française.

Les bouchons représentent la tradition de la cuisine lyonnaise. Ce sont des restaurants typiques où on mange des spécialités de la région : les fameuses quenelles ou les délicieuses tartes à la praline...

Un bouchon lyonnais

Les quenelles lyonnaises

Le cinéma, un héritage culturel

Lyon est une ville de culture ! Les nombreuses salles de cinéma témoignent de l'héritage des frères Lumière... Auguste et Louis Lumière ont inventé le cinéma en 1895. Aujourd'hui, leur ancienne maison, située rue du Premier Film, a été transformée en musée et en cinéma : c'est l'institut Lumière. En 2009, le Festival Lumière et le Prix Lumière sont créés pour récompenser des films et des personnalités qui apportent une contribution à l'histoire du cinéma. C'est un bel hommage au septième art !

La fête des Lumières

L'institut Lumière

La fête des Lumières, une véritable institution

C'est une tradition vieille de 150 ans qui attire chaque année près de 3 millions de visiteurs. Elle a lieu la semaine du 8 décembre. Pendant cette fête, le patrimoine architectural de la ville est illuminé ; il y a des projections et des spectacles de lumière dans tous les quartiers. L'ambiance est féérique !

Guignol : emblème de la ville de Lyon

En 1808, Laurent Mourguet, un ouvrier de la soie, crée une marionnette, Guignol. C'est un personnage qui parle avec des expressions typiques de la région et qui dénonce l'injustice sociale. Il est souvent accompagné de Gnafron, buveur de Beaujolais (célèbre vin de la région), et de sa femme, Madelon. Le trio vit des aventures comiques présentées dans un petit théâtre.

Le théâtre de la maison de Guignol

Lyon, c'est aussi...

- **La place Bellecour**
  Pour aller se balader, boire un verre, aller au restaurant...

- **Les halles de Lyon**
  Pour découvrir la gastronomie lyonnaise.

- **Le musée de l'Imprimerie**
  Pour découvrir l'histoire de l'imprimerie et du papier.

LA CORSE

La plage de Palombaggia

Géographie

C'est une île de la mer Méditerranée et une région française. Elle est située au Sud-Est de la Côte d'Azur (à 200 km environ), à l'Ouest de la Toscane et au Nord de la Sardaigne. La Corse possède de très belles plages, des parcs et des réserves naturelles.

Spécialités culinaires

La gastronomie corse est liée aux produits locaux : l'huile d'olive, le vin, le miel, la châtaigne mais aussi la charcuterie (la coppa, le figatellu, la salsiccia...) et le fromage de chèvre ou de brebis (comme le brocciu).

La Corse, c'est...

La 4e plus grande île de la Méditerranée après la Sicile, la Sardaigne et Chypre.
1 000 km de côtes
Plus de 2 700 heures de soleil par an !

Un surnom

La Corse a un surnom : « l'Île de Beauté ».

La langue

Le corse est proche de l'italien standard, il date de l'époque romaine et il est très parlé sur l'Île de Beauté. 70 % des habitants parlent cette langue en plus du français. Les proverbes et les chants corses marquent l'identité de l'île.

Une expression corse

« U soli sorti par tutti. »
(Le soleil brille pour tout le monde.)

Des sites inscrits au patrimoine mondial de l'Unesco

La presqu'île de la Scandola, ancien volcan, et aujourd'hui réserve marine et terrestre, est située dans le golfe de Porto. Elle fait partie du parc naturel régional de Corse. Elle est célèbre pour sa vie marine, ses eaux transparentes et ses îles. Elle est classée au patrimoine mondial de l'UNESCO et elle protège de nombreuses espèces d'oiseaux, de plantes et de poissons. Chaque année, le golfe de Porto attire de nombreux visiteurs qui font de la randonnée, de la plongée sous-marine et qui profitent de ses plages.

Le fromage brocciu

Le brocciu corse

C'est un formage de brebis. Il est très apprécié des Corses qui le considèrent comme leur « fromage national » ! On le retrouve dans de nombreux plats traditionnels comme les cannelloni et l'omelette au brocciu ou à la menthe et dans beaucoup de pâtisseries.

L'omelette au brocciu

Préparation : 5 min
Cuisson : 5 à 8 min
Ingrédients (4 personnes) :
- quelques feuilles de menthe
- 8 œufs
- 250 g de brocciu
- 2 c. à soupe d'huile d'olive
- sel, poivre

Les villages fantômes de l'Île de Beauté

Sur l'île, il y a aussi des villages moins connus, plus mystérieux et intéressants à visiter. Ce sont des villages abandonnés à cause de la guerre ou parce que, petit à petit, les habitants sont partis travailler dans des villes plus grandes. On peut découvrir ces villages fantômes pendant une balade ou une randonnée à pied dans les montagnes. Ils sont souvent isolés, parfois en altitude, mais la longue marche est récompensée par un paysage magnifique.

Le cantu in paghjella est classé au patrimoine immatériel de l'humanité

Le village fantôme d'Occi

Les artisans de Pigna

Pigna est un village du Nord-Ouest de l'île, célèbre pour ses petites rues étroites et son artisanat. On peut faire les boutiques mais aussi voir les artisans qui travaillent dans leurs ateliers. Ils sont potiers, sculpteurs, bijoutiers ou musiciens et ils représentent le savoir-faire de l'île. Pigna est aussi le village qui organise le festival EstiVoce.

Un chant unique : le cantu in paghjella

Le chant polyphonique corse est une tradition orale et populaire. Ce sont des chants *a capella* chantés à plusieurs voix et qui expriment la tristesse ou la joie. Ils représentent l'identité et la mémoire corse. On peut les écouter toute l'année ou pendant des festivals comme EstiVoce, le festival qui fête la voix. Voici quelques ambassadeurs de cette tradition : I Muvrini, Canta U Populu Corsu…

La Corse, c'est aussi...

- **Le maquis**
  Pour se balader dans la végétation typique de l'île.
- **Les îles sanguinaires**
  Pour admirer le coucher de soleil sur ces îles mystérieuses.
- **Calvi, Porto Vecchio, Bonifacio**
  Pour découvrir des villes de caractère.

BRUXELLES

Géographie

La Belgique est située au Nord-Ouest de l'Europe. Bruxelles est sa capitale. Elle est située au Nord du pays, à moins de 300 km de Paris.

Spécialités culinaires

La bière, les moules-frites mais aussi les gaufres, les spéculoos... et, bien sûr, les chocolats belges !

Bruxelles, c'est...

Une capitale bilingue, avec 2 langues, le français et le néerlandais
173 540 habitants
Une ville cosmopolite avec plus de 150 nationalités
500 chocolatiers !
Une des villes les plus vertes d'Europe

À Bruxelles, on dit

70 : septante
90 : nonante

La langue

La Belgique compte trois langues officielles : le **néerlandais**, le **français** et l'**allemand**. L'usage de l'anglais dans la région de Bruxelles-Capitale et sa périphérie est de plus en plus répandu.

La Grand-Place de Bruxelles

La Grand-Place de Bruxelles

La Grand-Place de Bruxelles est inscrite sur la liste du patrimoine mondial de l'UNESCO. Cette place est le symbole de la Bruxelles médiévale, grande ville marchande du nord de l'Europe.

Sur la Grand-Place, on peut admirer l'hôtel de ville, c'est un des plus beaux bâtiments du pays, il est célèbre pour son architecture gothique. La place est toujours animée et très visitée ; elle propose des expositions (au musée de la ville), des marchés (marché aux plantes, marché de Noël), des concerts et, l'été, elle se couvre de bégonias, c'est le Tapis de fleurs.

Le Tapis de fleurs

Une molécule... un musée

L'Atomium, construit pour l'Exposition universelle de 1958, est aujourd'hui un des symboles de Bruxelles ! Cette énorme molécule est l'attraction la plus populaire de la capitale. La visite est originale car on se balade dans des tubes et des sphères et on profite d'une vue panoramique de la ville. Cet espace possède des salles d'exposition permanentes et temporaires et même un restaurant gastronomique !

Bruxelles, la ville du 9ᵉ art

Il y a plus de 700 auteurs de BD à Bruxelles, ce qui fait de la Belgique le pays avec la plus forte densité de dessinateurs au kilomètre carré !

Le CBBD (Centre Belge de la Bande Dessinée) est un espace entièrement dédié à la BD, il existe depuis plus de 25 ans. Il reçoit chaque année plus de 200 000 visiteurs qui profitent des expositions, des ateliers et des visites guidées. Dans ce musée, on retrouve de grands personnages de la BD belge comme Tintin, Lucky Luke, le Marsupilami ou Gaston Lagaffe.

Le Centre Belge de la Bande Dessinée

Bruxelles, la gourmande

500 chocolatiers, 2 000 boutiques de chocolat : le chocolat belge est une spécialité gastronomique appréciée dans le monde entier ! Saviez-vous qu'une grande partie de sa production est destinée à l'exportation ?

Mais il existe aussi d'autres gourmandises belges comme les gaufres ou les spéculoos. Les spéculoos sont des biscuits à la cannelle préparés traditionnellement pour la période de Noël. Aujourd'hui, on les sert toute l'année pour accompagner le café ou le thé.

« Ce qui compte dans une vie, ce n'est pas la durée d'une vie, c'est l'intensité d'une vie... »
« Brel parle »,
interview, RTBF, 1971.

Jacques Brel

Jacques Brel (1929-1978) est un grand représentant de la chanson francophone. Cet artiste sensible a touché beaucoup de générations grâce à ses textes.

Son succès est international et beaucoup de ses chansons sont devenues cultes. C'est le cas de *Ne me quitte pas*, *Quand on n'a que l'amour* ou *Le plat pays*, chanson en hommage à son pays natal.

Bruxelles, c'est aussi...

- **Le Manneken Pis**
  Pour l'originalité de cette fontaine incontournable de Bruxelles.

- **Le musée Magritte**
  Pour découvrir le peintre surréaliste belge (1898-1967).

- **Le marché aux puces de la place du Jeu de balle**
  Pour se balader parmi les brocanteurs et les antiquités.

LA FRANCOPHONIE DE 1 À 5

1 Une langue

Le français, 5e langue la plus parlée dans le monde

2 Des artistes

Titouan Lamazou

Romuald Hazoume

3 Des plats

La poutine
Québec

La tajine
Maghreb

Le tiep bou dien
Sénégal

4 Des monuments classés (UNESCO)

Canada
Le Vieux-Québec

Liban
Byblos

Madagascar
La colline royale d'Ambohimanga

France
Le pont du Gard

5 Des littératures

 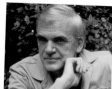   

Eugène Ionesco   **Milan Kundera**   **Gao Xing Jian**   **Aimé Césaire**   **Marguerite Yourcenar**

5

COMME D'HABITUDE

DÉCOUVERTE	OBSERVATION ET ENTRAÎNEMENT	REGARDS CULTURELS	TÂCHES FINALES
pages 92-95	**pages 96-103**	**pages 104-105**	**page 106**

DÉCOUVERTE

Premiers regards
• Découvrir les activités quotidiennes et les loisirs
• Différencier les moments de la journée

Premiers textes
• Répondre à un test psychologique
• Comprendre les expressions de la fréquence
• Découvrir la BD francophone

OBSERVATION ET ENTRAÎNEMENT

Grammaire
• Les verbes pronominaux
• L'interrogation (4) : *combien, quand, à quel moment, à quelle heure...*
• Les adverbes de fréquence
• Le verbe *faire* au présent
• Les verbes comme *sortir*
• Le passé composé (1) : avec *avoir*
• La négation (2) : au passé composé
• La négation (3) : *ne ... rien / ne ... jamais / ne ... pas encore*

Lexique
• Les moments de la journée
• L'heure
• La description physique
• Les activités quotidiennes
• Les articulateurs logiques
• L'expression de l'intensité
• Le caractère (2)

Phonétique
• Le phénomène de l'enchaînement
• La différence entre les consonnes [s] et [z]
• Les graphies des sons [s] et [z]

REGARDS CULTURELS

Les documents
• Les habitudes insolites à travers le monde

La vidéo
• Les habitudes matinales des Parisiens

▶ 0:13 ◀))

À visionner sur :
espacevirtuel.emdl.fr

TÂCHES FINALES

Tâche 1
• Présenter notre semaine idéale

Tâche 2
• Imaginer et décrire la journée d'un personnage de BD

+ DE RESSOURCES SUR
espacevirtuel.emdl.fr

— Des activités autocorrectives (grammaire/lexique/culture/CE/CO)
— Un nuage de mots sur les activités quotidiennes

QUEL EST VOTRE MOMENT PRÉFÉRÉ DE LA SEMAINE ?

A

1

« Le samedi matin, quand je pêche. »
Jérôme

3

« Le mercredi après-midi, quand je joue avec mon fils. »
Stéphane

C

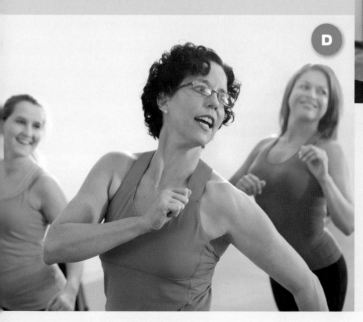

D

5

« Le dimanche soir, à neuf heures, on fait une soirée pizza entre copines. »
Audrey

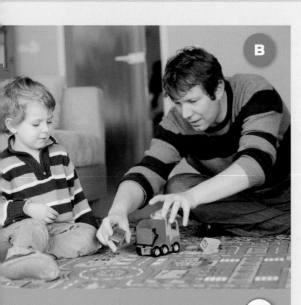

« C'est le week-end parce que je me lève tard et je cuisine. » Thibaud

②

« Le mardi soir, après le travail, à six heures et demie, j'ai mon cours de zumba : j'adore ça. » Leïla

④

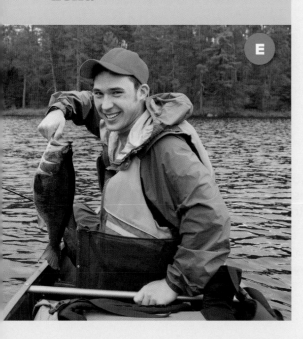

" De temps en temps, il faut se reposer de ne rien faire "

Jean Cocteau, poète, dessinateur et cinéaste français

1. QUEL EST VOTRE MOMENT PRÉFÉRÉ DE LA SEMAINE ?

A. Voici une enquête sur le moment préféré de la semaine des Français. Lisez les témoignages et associez-les aux photos correspondantes.

B. Faites-vous aussi ces activités ? À quel moment de la semaine ? Parlez-en à deux.

• *Le week-end, je fais la grasse matinée, et toi ?*

1. le lundi   le mardi   le mercredi   le jeudi
   le vendredi   le samedi   le dimanche

2. en semaine   le week-end

3. (le) matin   (le) midi
   (l') après-midi   (le) soir

CD 2
PISTE 1

C. Écoutez d'autres personnes qui répondent à l'enquête. Quels points communs ont-elles avec les cinq personnes des photos ?

• *N°1 : Elle aime cuisiner comme Thibaud.*

D. Réécoutez l'enregistrement. À quel moment ces personnes font-elles ces activités ?

Et vous ?
Quel est votre moment préféré de la semaine ? Pourquoi ?

2. TEST : « ÊTES-VOUS STRESSÉ(E) ? »

A. Répondez au test de ce magazine et découvrez si vous êtes stressé(e).
Ensuite, comptez vos réponses et regardez les résultats.

TEST DE PERSONNALITÉ

Êtes-vous stressé(e) par votre travail ?

1. Quel moment de la journée préférez-vous ?

▲ Le matin, quand j'arrive au travail.

❏ Le midi, quand je mange rapidement.

◇ Le soir car j'oublie un peu mon travail.

2. Combien de fois par semaine sortez-vous tard du bureau ?

◇ Presque tous les jours.

❏ Une ou deux fois par semaine.

▲ Rarement.

3. Avez-vous des difficultés pour vous endormir ?

◇ Souvent.

❏ Parfois.

▲ Jamais.

4. Quand passez-vous un moment avec vos amis ?

❏ Deux ou trois fois par semaine car c'est important.

▲ Le plus souvent possible.

◇ Rarement, je n'ai pas le temps.

5. Quel jour est le plus difficile pour vous ?

◇ Le lundi, quand la semaine commence.

❏ Le jour où j'ai des réunions.

▲ Aucun.

RÉSULTATS ! Vous avez une majorité de :

Vous êtes **très stressé(e)**. Essayez de vous relaxer un peu, prenez du temps pour vous.

Vous êtes **un peu stressé(e)**. Vous avez des moments de stress pendant la semaine, mais en général vous vous contrôlez.

▲

Vous ? Vous n'êtes **pas du tout stressé(e)** par votre travail. Bravo !

B. Vos réponses sont-elles les mêmes que celles de vos camarades ? En groupes, commentez les résultats.

• *Moi, je suis un peu stressé.*

CD 2
PISTE 2

C. Écoutez Léa qui parle de son quotidien à un ami. Selon vous, est-elle stressée par son travail ?

D. Et vous, que faites-vous pour lutter contre le stress ? À deux, organisez un programme anti-stress et présentez-le à la classe.

• *Voici notre programme anti-stress pour la semaine : le matin, on fait du sport. Le midi, on déjeune à l'extérieur avec des collègues et le soir on voit des amis. Et le week-end, ...*

3. TINTIN ET SES AMIS : ILS SONT COMME NOUS...

A. Voici quatre personnages de Tintin, la célèbre bande dessinée (BD) d'Hergé. Lisez les descriptions et associez à chaque personnage le ou les adjectifs qui, pour vous, correspondent à sa personnalité.

curieux   nerveux   courageux   original   étourdi   drôle   sensible

Tintin

C'est un reporter courageux. Il est petit, roux et mince. Il n'abandonne jamais une enquête, même si elle est très difficile. Il adore les nouvelles aventures et il est toujours accompagné de son fidèle ami Milou, son chien.

Le professeur Tournesol

C'est un scientifique et un inventeur. Il est mince et chauve. Il s'énerve facilement et il est souvent dans la lune. Il y a souvent des malentendus quand le professeur Tournesol est là parce qu'il est un peu sourd.

Le capitaine Haddock

« Mille millions de mille sabords ! », voici la phrase préférée du capitaine. C'est un marin au mauvais caractère mais il a bon cœur. Il est brun et il porte une barbe. Il s'énerve beaucoup mais il aide toujours les autres et il est assez sensible.

Dupond et Dupont

Ce sont deux policiers originaux. Ils ont une moustache et ils sont bruns. Ils ne sont pas très discrets et ils ne se séparent jamais. Ils compliquent toujours les enquêtes et provoquent des situations comiques.

 CD 2 PISTE 3

B. Écoutez deux amis discuter de cette BD et devinez de quels personnages ils parlent.

1. ....
2. ....
3. ....

C. À deux, dites à quel personnage vous vous identifiez le plus.

• Moi, je suis comme le capitaine Haddock : je m'énerve beaucoup mais je suis gentil.

D. Connaissez-vous d'autres personnages de BD célèbres ? En groupes, préparez une présentation écrite sur un personnage de BD à l'aide des catégories suivantes. Ensuite, présentez-le oralement à la classe.

caractère   nationalité   profession

description physique   ...

4. À CHACUN SON CARACTÈRE

Quel est votre principal trait de caractère ? Faites ce test et découvrez-le.

1. Votre chef vous convoque dans son bureau. Vous pensez...
◇ Oh là là ! Qu'est-ce qu'il veut ?
✳ Génial, il va me proposer un nouveau projet !

2. Vous apprenez qu'un nouveau collègue va partager votre bureau.
✳ Super, vivement qu'il arrive !
◇ Mais, il n'y a pas de place !

3. Un ami vous annonce qu'il part vivre dans une autre ville.
◇ Vous êtes triste et vous pleurez.
✳ Vous lui posez des questions sur ses projets.

4. Le week-end, vous préférez...
✳ Faire de l'escalade en montagne.
◇ Donner de votre temps à une association.

5. Bientôt les vacances...
◇ Vous organisez tout avant de partir.
✳ Vous partez à l'aventure au dernier moment.

RÉSULTATS ! Vous avez une majorité de :
✳ : vous êtes curieux et courageux, comme Tintin.
◇ : vous êtes sensible et nerveux, comme Haddock.

5. QUELLE HEURE EST-IL ?

A. Observez les horloges et écrivez les heures manquantes.

Il est ....

quatorze heures cinq

....

six heures et quart

dix heures et demie

trois heures moins vingt-cinq

six heures moins le quart

....

deux heures moins dix

....

midi/minuit

B. Écoutez et cochez les heures annoncées.

CD 2
PISTE 4

12h15   11h35   7h35   9h50   15h45   22h30

   X

C. Maintenant, comme dans l'exemple, écrivez les heures de l'activité B d'une autre manière.

9h50 : Il est dix heures moins dix.

Et vous ?
Et maintenant, quelle heure est-il ?

6. UNE NUIT TROP COURTE

Observez l'affiche de ce festival de Grenoble et répondez aux questions.

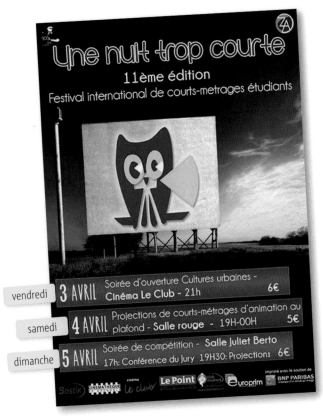

1. Quel est l'événement présenté sur cette affiche ?
2. Quel jour et à quelle heure commence-t-il ?
3. À quel(s) moment(s) de la journée ont lieu les activités ?
4. Quel jour les activités finissent-elles le plus tard dans la soirée ?
5. Quel jour commencent-elles le plus tôt ?
6. De quelle heure à quelle heure peut-on voir des court-métrages d'animation ?
7. Selon vous, pourquoi le festival est-il représenté par un hibou ?

Et vous ?
Connaissez-vous d'autres festivals de cinéma ?

7. LES HORAIRES DES FRANÇAIS

A. Lisez cet article. Est-ce que le mode de vie des Français d'aujourd'hui vous surprend ?

ACTUALITÉ
La France urbaine stressée

▸ Selon une étude récente, les Français se couchent entre 22h et 23h. Ils dorment en moyenne 7 heures par nuit. Le matin, ils se lèvent entre 6h30 et 7h.

▸ En général, les Français se réveillent très tôt le matin (souvent avant 6h) et partent travailler en voiture ou en transports publics.
8% de la population va au travail à pied. En moyenne, les Français ont besoin d'environ 20 minutes pour aller au travail. Le matin, la Française passe environ 45 minutes dans la salle de bains (elle se douche, se maquille, se coiffe…) et le Français, lui, a besoin d'une demi-heure (il se lave, se rase, s'habille…).

▸ Les Français consacrent plus de deux heures par jour à manger. L'heure du déjeuner se situe entre 12h et 14h, et celle du dîner vers 20h15.
Le moment du repas en famille est très apprécié en général.

▸ Plus de la moitié des Français disent qu'ils n'ont pas assez de temps pour se reposer ou même pour s'amuser. Le rythme de vie rapide et les horaires de travail assez longs provoquent une augmentation du stress, surtout dans les grandes villes.

B. Relisez cet article. Quelles sont les activités qui correspondent aux chiffres suivants ?

22h – 23h / 6h30 – 7h00 / 12h - 14h / 20 min. / 20h15

C. Quelles habitudes quotidiennes des Français sont les mêmes que dans votre pays ?

• Nous, ici, on déjeune entre 12h et 14h.

D. Maintenant, soulignez les verbes pronominaux de l'article comme dans l'exemple puis complétez le tableau suivant.

LES VERBES PRONOMINAUX AU PRÉSENT

je	**me**	couch-**e**
tu	**te**	couch-**es**
il / elle / on	....	couch-**e**
nous	**nous**	couch-**ons**
vous	**vous**	couch-**ez**
ils / elles	....	couch-**ent**

Et aussi : **se laver, s'habiller, se réveiller…**
me / te / se deviennent **m' / t' / s'** devant une voyelle ou un **h** muet → *Il s'habille toujours en noir.*

L'HEURE

EX. 1. Écrivez ces heures en chiffres d'une autre manière, comme dans l'exemple.

1. 15h40 → *quinze heures quarante, quatre heures moins vingt.*
2. 18h30 → ....
3. 09h45 → ....
4. 22h15 → ....
5. 11h50 → ....

EX. 2. Écoutez les dialogues et cochez l'heure qui correspond.

CD 2
PISTE 5

1. ☐ 8h00   ☐ 20h00   4. ☐ 3h00   ☐ 15h00
2. ☐ 7h00   ☐ 19h00   5. ☐ 12h00 ☐ 00h00
3. ☐ 9h30   ☐ 21h30   6. ☐ 1h30   ☐ 13h30

LES VERBES PRONOMINAUX

EX. 3. Associez un élément de chaque colonne pour former une phrase.

1. Tu • se repose • quand il est fatigué.

2. Vous • vous amusez • très tôt le matin.

3. Nous • nous douchons • pendant les vacances.

4. Paul • se lèvent • à 22h tous les soirs.

5. Les Français • te couches • avant notre petit déjeuner.

EX. 4. Complétez cet article de journal en conjuguant les verbes au présent.

LEUR TRAVAIL LES SÉPARE MAIS ILS S'AIMENT

Lucas est chauffeur de taxi et Annabelle est infirmière de nuit. Des horaires difficiles, peu de moments à deux, voici leur quotidien.

Mardi, Annabelle rentre du travail à 6 heures du matin et Lucas ... (se réveiller). Tous les deux ... (se préparer) : Annabelle pour aller au lit et Lucas pour aller au travail. Après son petit déjeuner, Lucas va dans la salle de bains : il ... (se doucher) et il ... (se raser). Annabelle, elle, ... (se déshabiller) et après, elle ... (se démaquiller). Tous les deux ... (se brosser) les dents en même temps. Ça y est, Lucas est prêt à partir ! Ils ... (s'embrasser) et ils se disent au revoir. Samedi, c'est tout le contraire ! Ils ... (se réveiller) tard le matin et ils sont ensemble toute la journée. Ce sont des moments de détente importants pour le couple.

+ d'exercices : pages 181 - 184

8. JOUR APRÈS JOUR

A. Observez ce document. Qu'est-ce que c'est ?

Émilie ☑   Baptiste ☑

	Lundi	Mardi	Mercredi	Jeudi	Vendredi	Samedi	Dimanche
8h							
	Réunion marketing	RDV Psy			Réunion commerciaux		
9h						Football	
10h							
11h	Réunion hebdomadaire du département						
12h							
				Déjeuner	Chinois		
13h	Déjeuner avec Laurence						Repas de famille
14h			Yoga				
15h							
					Yoga		
16h			Club de lecture				
17h							
18h							
	Zumba	Footing	Footing	Zumba	Footing	Footing	Footing
19h	Footing			Footing			
					Soirée ciné		
20h							

L'INTERROGATION

B. Observez à nouveau le document et choisissez la bonne réponse.

1. **Quels jours** de la semaine Émilie n'a pas d'activité sportive ?
   a. Le mercredi et le week-end.
   b. Le mardi et le week-end.

2. **À quelle heure** et quel jour Émilie et Baptiste ont-ils un repas de famille ?
   a. Samedi, à 12 h.
   b. Dimanche, à 12 h.

3. **À quelle fréquence** Baptiste fait-il du footing ?
   a. Deux fois par semaine.
   b. Tous les jours.

4. **De quelle heure à quelle heure** Émilie a-t-elle son cours de chinois ?
   a. De 9 h à 11 h.
   b. De 12 h à 13 h.

5. **Combien de fois** par semaine Émilie fait-elle du yoga ?
   a. Deux fois par semaine.
   b. Trois fois par semaine.

6. **Quelles** activités Émilie et Baptiste font-ils ensemble ?
   a. Ils font du sport.
   b. Ils vont au cinéma.

LES ADVERBES DE FRÉQUENCE

jamais	rarement	parfois	souvent	toujours

LE VERBE *FAIRE* AU PRÉSENT

je **fais**	nous **faisons**
tu **fais**	vous **faites**
il / elle /on **fait**	ils **font**

9. MON EMPLOI DU TEMPS

A. Préparez un questionnaire écrit pour connaître les activités de la semaine des autres camarades de la classe. Aidez-vous des mots interrogatifs surlignés de l'activité 8B.

B. Maintenant, interrogez un camarade puis écrivez un petit texte à partir de ses réponses. Mélangez et redistribuez les textes au hasard.

C. Lisez votre texte et laissez la classe deviner de qui vous parlez.

10. À CHACUN SON MODE DE VIE !

A. Observez les photos. À deux, associez les caractéristiques aux personnes, comme dans l'exemple.

a. les fêtards

b. le casanier

c. l'intello

d. les footeux

e. le paresseux

1. *L'intello* → Elle suit toutes les conférences de son université et elle est très studieuse.
2. .... → Ils suivent tous les matchs de football et ils vivent la Coupe du monde avec passion.
3. .... → Il dort toute la journée et il ne fait pas grand chose.
4. .... → Il ne sort jamais, il aime passer du temps chez lui.
5. .... → Ils sortent très souvent et ils partent toujours en dernier quand il y a des fêtes.

B. Observez à nouveau les phrases de l'activité A et complétez la conjugaison du verbe *sortir*.

LES VERBES COMME *SORTIR* AU PRÉSENT

je	sor-**s**
tu	sor-**s**
il / elle/ on	.... - ....
nous	sort -**ons**
vous	sort -**ez**
ils / elles	.... - ....

Et aussi **partir** *(par-/part-)*, **dormir** *(dor-/dorm-)*, **suivre** *(sui-/suiv-)*, **vivre** *(vi-/viv-)*.

L'INTERROGATION

EX. 1. Marie et son ami parlent de vacances. Associez questions et réponses.

1. - Tu pars quand en vacances, Marie ?
2. - Et tu vas où ?
3. - Tu voyages comment ?
4. - Et à quel moment de la journée tu pars ?
5. - À quelle heure tu arrives ?

A. - En bateau, je n'aime pas l'avion.
B. - Le soir, c'est un voyage de nuit.
C. - À 8 h du matin.
D. - Jeudi prochain, le 10 mai.
E. - En Corse !

LES ADVERBES DE FRÉQUENCE

CD 2 PISTE 6

EX. 2. Des personnes répondent à un micro-trottoir sur le thème des loisirs. Écoutez-les et complétez comme dans l'exemple.

tous les jours   rarement   souvent   parfois   ~~jamais~~

1. Pêcher → jamais
2. Aller au cinéma → ....
3. Faire du sport → ....
4. Aller au musée → ....
5. Aller au restaurant → ....
6. Lire → ....
7. Aller à la piscine → ....

LE VERBE *FAIRE*

EX. 3. Conjuguez les phrases avec le verbe *faire* au présent puis complétez avec les mots suivants.

sport   sieste   soupe   études   promenade

1. Tu .... la .... en semaine ?
2. Vous .... du .... le week-end ?
3. Marie .... ses .... à Lyon.
4. Ils .... toujours une .... le soir.
5. Je .... une .... pour le dîner.

LES VERBES COMME *SORTIR*

EX. 4. Complétez les phrases avec un des verbes suivants conjugués au présent.

sortir   partir   dormir   suivre   vivre

1. Je .... un cours d'arabe tous les lundis.
2. Ils .... travailler à 8 h.
3. Nous .... le samedi soir avec nos amis.
4. Je .... en Belgique mais je suis Suisse. Mes parents, eux, ils .... en Suisse.
5. En général, les bébés .... seize heures par jour.
6. Nous .... en vacances en mars.

+ **d'exercices** : pages 181 - 184

11. UNE SEMAINE PAS COMME LES AUTRES

A. Lisez le post d'Emmanuel. Ensuite, cochez la bonne réponse pour chaque phrase proposée.

B. Maintenant, observez les phrases. Quelle est la différence ? Cochez la bonne réponse.

L'HABITUDE

• *Le lundi, je prends le train =*
  ☐ ce lundi (ponctuel)
  ☐ tous les lundis (habituel)
• *Lundi, je n'ai pas travaillé =*
  ☐ ce lundi (ponctuel)
  ☐ tous les lundis (habituel)

LES CONNECTEURS TEMPORELS

D'abord, ensuite, puis, après, finalement indiquent une progression dans le temps.

C. Dans ce post, il y a quinze verbes au passé composé. Soulignez-les comme dans l'exemple. Puis, à deux, complétez le tableau suivant.

LE PASSÉ COMPOSÉ AVEC *AVOIR* (1)

Au passé composé, la majorité des verbes se conjuguent avec l'auxiliaire *avoir* :
avoir (au présent) + participe passé.

J' .... *au match.*
Tu **as eu** *une semaine très positive.*
Il .... *trois buts !*
Nous .... *toute la nuit !*
Vous **avez eu** *de la chance !*
Ils .... *une fête.*

Le participe passé des verbes en **-er** → **-é**
Autres participes passés :
être → **été** / **avoir** → **eu** / **faire** → **fait** / **vivre** → **vécu**

LA NÉGATION (2) : *AU PASSÉ COMPOSÉ*

La négation au passé composé
Ne = **n'** + auxiliaire avoir + **pas** + participe passé.
→ *Je* **n'ai pas** *travaillé.*

D. À deux et à l'aide de cette liste de verbes qui se conjuguent avec *avoir*, imaginez une semaine parfaite.

1. voyager   **6.** gagner
2. avoir   **7.** participer
3. danser   **8.** vivre
4. organiser   **9.** être
5. commencer   **10.** faire

12. RENOUVEAU

A. Observez cette publicité. Quel est le thème de l'atelier ?

Vous n'avez plus de temps à vous ?
Vous mangez trop ? Vous ne mangez rien ?
Vous ne vous reposez jamais ?
Vous ne riez plus comme avant ?
Vous dormez mal ?
Vous vous sentez tout simplement stressé(e) et vous n'avez pas encore trouvé la solution ?

Dites non au stress !

Atelier animé par le **docteur Guerlain**,
psychologue spécialisé en thérapies du stress.

Du lundi au jeudi, de 15 h à 18 h, au centre Bien-être
21 rue Aubervilliers - 30000 Nîmes - Tél : 04 62 23 41 33

B. Êtes-vous intéressé(e) par ce type d'ateliers ? Pourquoi ?

C. Observez les tableaux suivants. Comment exprime-t-on ces négations dans votre langue ?

LA NÉGATION (3)

• **Ne/n'... rien** exprime une quantité nulle.
Elle répond à une question avec **quelque chose**.
Ex. : – *Tu veux **quelque chose** ?*
   – *Non merci, je **ne** veux **rien**.*

POUR SITUER UN FAIT DANS LE PASSÉ :

L'adverbe **déjà** exprime une action réalisée.
*J'ai **déjà** visité Istanbul. = J'ai voyagé à Istanbul.*

• **Ne/n'... jamais** répond à une question avec **déjà**.
Ex. : – *Tu as **déjà** vu ce film ?*
   – *Non, je **n'**ai **jamais** vu ce film.*
• **Ne/n'... pas encore** répond à une question avec **déjà**, mais exprime qu'une action n'a pas été réalisée mais qu'elle va être faite.
Ex. : – *Vous avez **déjà** terminé votre livre ?*
   – *Non, je **n'**ai **pas encore** terminé mon livre.*

D. Avez-vous déjà fait ces activités ou vécu ces situations ? À deux, parlez de vos expériences.

vivre en couple	faire une folie pour un(e) ami(e)
participer à une compétition sportive	rater son avion

• *Tu as déjà vécu en couple ?*
○ *Non, pas encore, mais j'ai vécu en colocation.*

LE PASSÉ COMPOSÉ AVEC *AVOIR* (1)

EX. 1. Complétez les phrases avec les verbes suivants au passé composé.

dîner	cuisiner	voyager
travailler	faire	avoir

1. Hier, nous .... un excellent couscous.
2. L'été dernier, mon frère .... à Lagos.
3. Vous .... de 8 h à 12 h la semaine dernière, mais cette semaine vous changez d'horaires.
4. Tu .... une fête pour ton anniversaire.
5. Sophie et Paul .... dans un beau restaurant samedi soir.
6. Sabine .... une semaine stressante.

LA NÉGATION (2) : *AU PASSÉ COMPOSÉ*

EX. 2. Associez les infinitifs aux participes passés, puis faites une phrase négative pour chaque verbe comme dans l'exemple.

regarder	eu	.... de chance.
faire	commencé	.... mon livre.
commencer	visité	.... ce musée.
gagner	gagné	.... la compétition.
voyager	été	.... en Chine.
avoir	regardé	*Je n'ai pas regardé la télé.*
visiter	fait	.... mes devoirs.
être	voyagé	.... en Afrique.

LA NÉGATION (3)

EX. 3. Associez les questions aux réponses qui conviennent.

1. - Tu écris quelque chose ?
2. - Séverine a faim ?
3. - Vous partez déjà ?
4. - Vous avez déjà visité l'Alsace ?
5. - Tu as préparé la réunion ?

A. - Non, pas encore.
B. - Non, je n'ai jamais visité cette région.
C. - Non, elle a déjà mangé.
D. - Non, je ne note rien, j'écoute surtout.
E. - Non, nous ne sommes pas encore prêts.

EX. 4. *Ne... pas encore* ou *ne... jamais* ? Choisissez la bonne négation et répondez aux questions comme dans l'exemple.

1. Est-ce que l'atelier est déjà terminé ? *Non, l'atelier n'est pas encore terminé. / Non, pas encore.*
2. Est-ce que Koffi a déjà appelé Marc ? → ....
3. Tu as déjà fait de la voile ? → ....
4. Vous avez déjà fini vos études ? → ....
5. Dima a déjà préparé la réunion ? → ....
6. Vous avez déjà vu un psy ? → ....

+ d'exercices : pages 181 - 184

LES MOMENTS DE LA JOURNÉE

1. Voici les moments de la journée. Associez-les aux horloges.

le matin   le midi   l'après-midi   le soir   la nuit

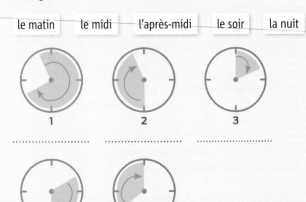

1 .... 2 .... 3 ....

4 .... 5 ....

2. D'habitude, à quels moments de la journée faites-vous ces activités ?

1. Vous regardez la télé : ....
2. Vous sortez du travail : ....
3. Vous faites une sieste : ....
4. Vous vous douchez : ....
5. Vous allez au restaurant : ....
6. Vous faites du sport : ....
7. Vous allez boire un verre avec des amis : ....

L'HEURE

3. À votre avis, à quelle heure fait-on ces activités en France ?

1. On se réveille et on prend son petit déjeuner.
2. On fait une pause pour déjeuner.
3. On dîne.
4. On se couche après une longue journée.

A. entre midi et quatorze heures
B. entre vingt-deux heures et minuit
C. vers vingt heures
D. entre six heures et demie et sept heures

LA DESCRIPTION PHYSIQUE

4. À l'aide des mots suivants, écrivez un petit texte pour décrire physiquement une personne de votre choix.

- Il est :   petit / grand   mince / gros

brun   blond   châtain   roux

- Il porte :   une moustache   une barbe   des lunettes

LES ACTIVITÉS QUOTIDIENNES

5. Complétez les séries suivantes.

- Le matin : *se réveiller*...
- Le soir : *lire*...

LES CONNECTEURS TEMPORELS

 CD 2 PISTE 7

6. Écoutez Anissa parler de ses habitudes et retrouvez l'ordre de ses actions.

☐ Elle se brosse les dents.
☐ Elle s'habille.
[1] Elle allume son portable.
☐ Elle se coiffe.
☐ Elle se douche.
☐ Elle se maquille.
☐ Elle prend un café.
☐ Elle lit ses mails.

L'INTENSITÉ

7. Complétez l'article avec les expressions suivantes.

très fatigués   un peu le week-end   assez violentes

trop pour leur âge   beaucoup de livres

～ LES FRANÇAIS ET LE GOÛT DE LIRE ～

Les enquêtes récentes montrent que les Français aiment lire ; ils adorent ça ! Leurs moments préférés pour le faire ? Le soir : ils sont souvent ... mais ils se réservent un moment pour la lecture.

Les enfants lisent presque .... Selon certains spécialistes, cinq histoires par semaine, c'est assez, ils ne recommandent pas de lire plus.

Les adolescents sont les personnes qui lisent le moins de livres : ils lisent ... et principalement des histoires fantastiques et ... selon leurs parents.

Enfin, les personnes âgées lisent ... : trois ou quatre par mois en moyenne, ce sont de gros lecteurs en général.

LE CARACTÈRE

 CD 2 PISTE 8

8. Écoutez ces personnes qui parlent de leurs amis Fabien et Marc. Comment sont-ils ?

casanier   paresseux   intello   fêtard

- Fabien est ...
- Marc est ...

9. Trouvez huit adjectifs permettant de caractériser des personnes.

FIDÈLEDNTCOURAGEUXEKÉTOURDINA
WSDISCRETLAJENERVEUXENCGFCUME
DRÔLEGAN QA
EUXVWSEORIGINALNNCMSENSIBLEPWLMCEU

A. PROSODIE

LE PHÉNOMÈNE DE L'ENCHAÎNEMENT

> *quinze heures* = 1 groupe de mots. La dernière consonne de *quinze* fonctionne comme une liaison : [kɛ̃-zœʀ]

 1. A. Écoutez ; vous entendez combien de syllabes ?

CD 2 PISTE 9

1. Il est quinze heures. → *4*
2. Il est dix-huit heures. → ....
3. Il termine / à cinq heures. → *3 / 3*
4. L'après-midi / je dors une heure. → .... / ....
5. Demain / je me lève / à quatre heures. → .... / .... / ....

 1. B. À présent, prononcez les phrases et répétez la dernière syllabe. Écoutez l'enregistrement pour vérifier.

CD 2 PISTE 10

Il est quinze heures. → [zœʀ]

 2. A. Entraînez-vous à faire l'enchaînement. Écoutez et prononcez chaque phrase comme dans l'exemple. Écoutez l'enregistrement pour vérifier.

CD 2 PISTE 11

1. Il est quinze heures :
   - I- → /i/
   - Il est → /i-le/
   - Il est quin- → /i-le-kɛ̃/
   - Il est quinze heures → /i-le-kɛ̃-zœʀ/
2. Il est sept heures.   4. Il est une heure.
3. Il est cinq heures.   5. Il est quatre heures.

 2. B. À présent, écoutez et commencez par la dernière syllabe.

CD 2 PISTE 12

Il est quinze heures :
   - -ze heures → /zœʀ/
   - quinze heures → /kɛ̃-zœʀ/
   - -l est quinze heures → /le-kɛ̃-zœʀ/
   - Il est quinze heures → /i-le-kɛ̃-zœʀ/

 3. Écoutez et prononcez ces énoncés. Faites l'enchaînement.

CD 2 PISTE 13

1. Ils vivent à la campagne.
2. Le matin, je pars à huit heures et demie.
3. Ils sortent en semaine régulièrement.
4. Ils partent en vacances la semaine prochaine.
5. Ils dorment entre sept et huit heures par nuit.

B. PHONÉTIQUE

LA DIFFÉRENCE ENTRE LES CONSONNES [s]/[z]

 4. Écoutez ces verbes prononcés à la 3ᵉ personne du pluriel. Vous entendez un verbe pronominal [s] ou un verbe non pronominal [z] ?

CD 2 PISTE 14

	1	2	3	4	5	6
[s]	X					
[z]						

 5. A. Vous entendez [s] ou [z] ? Cochez la réponse correcte.

CD 2 PISTE 15

		[s]	[z]
1	Ils s'habillent pour la soirée.	X	
2	Je sors tous les samedis soirs.		
3	Nous arrivons à vingt-deux heures quinze.		
4	Elles écoutent de la musique.		

5. B. Écoutez à nouveau. Vous entendez le son [s] ou [z] 2 fois ou 3 fois ?

1	2	3	4
2 fois			

 6. À vous. Écoutez et prononcez ces énoncés.

CD 2 PISTE 16

[s] : Il se lève à sept heures.
      Ils sortent trois soirs par semaine.

[z] : Nous faisons la fête de temps en temps.
      Ils ont visité le musée.

[s] + [z] : Je sors du travail à six heures.
            Le samedi matin, ils ont un cours de danse.

C. PHONIE-GRAPHIE

LES GRAPHIES DES SONS [s]/[z]

 7. Lisez, écoutez ces énoncés et marquez les liaisons.

CD 2 PISTE 17

1. Ils sont stressés.
2. Il est casanier, il reste à la maison tous les week-ends.
3. Ils ont dix petits-enfants. Pas six, dix !
4. Elles font du jogging tous les jours à dix-huit heures.

8. Dites comment se prononce la lettre -s : si elle se prononce [s], [z] ou si elle ne se prononce pas [ø].

1. En début de mot → *soir* : ....
2. Entre une voyelle et une consonne → *reste* : ....
3. Entre deux voyelles → *casanier* : ....
4. En fin de mot, quand il y a une liaison → *ils ont* : ....
5. En fin de mot, quand il n'y a pas de liaison → *elles font* : ....
6. La graphie **ss** se prononce → *stressés* : ....

9. Soulignez la prononciation correcte du mot *dix* quand :

		[DI]	[DIS]	[DIZ]
1	il est prononcé seul → *pas six,* **dix** !	☐	☒	☐
2	il est devant une voyelle ou un **h** muet → **dix** *heures.*	☐	☐	☐
3	il est devant une consonne → **dix** *petits-enfants.*	☐	☐	☐

Les Voyages Insolites ×

www.lesvoyagesinsolites.en

LES VOYAGES INSOLITES

Chers visiteurs, chers amis,

Bienvenue sur le blog des voyageurs curieux !

Nous sommes sept voyageurs et nous avons décidé de changer nos habitudes et de voyager à travers le monde pendant un an... Grâce à ce blog, suivez nos migrations en Europe et en Asie. Commencez à voyager avec nous et partagez nos expériences insolites de globe-trotters !

Départ

Simon – Une belle tradition !
Les Thaïlandais se retrouvent souvent dans les parcs en semaine ou le week-end pour faire du cerf-volant. Les cerfs-volants sont très grands et leurs couleurs sont magnifiques ! Ça m'a fait penser à Dieppe, ma ville natale, et à son festival international de cerf-volant, j'ai adoré le spectacle !

Ophélie – Un endroit insolite !
À Tokyo, on a découvert un bar très original pour se relaxer... un bar à chats ou Neko Café. *Neko* signifie *chat* en japonais. Le concept est curieux, mais très original, l'ambiance est zen. On a adoré ce moment de détente !

Anne-Lise – La fête des Couleurs
Début mars, en Inde, nous avons participé à la fête appelée Holi. Une tradition magnifique ! C'est la fête des Couleurs ! Les habitants sont habillés tout en blanc et ils se lancent de la poudre de couleurs. C'est une tradition chaleureuse et joyeuse... Un moment magique !

Rita – Une façon de manger inhabituelle
Nous sommes à Tokyo ! La ville des hommes pressés et des salarymen. Dans certains restaurants, il n'y a pas de sièges pour s'asseoir... En France, on mange toujours assis, on prend notre temps, on parle même de nourriture pendant les repas ! Hier midi, on a mangé debout pour la première fois ! Le service est très efficace et rapide. C'est une façon sympathique de manger des nouilles udon ou soba, un des plats typiques du Japon.

Julien – Une habitude curieuse
Ce week-end, nous avons visité le parc de Hyde Park, à l'ouest de Londres. Il est connu pour le Speaker's Corner (le coin des orateurs en français) : c'est un espace pour le débat public. Des orateurs font leurs discours et il y a des spectateurs et des touristes qui écoutent et participent. C'est très impressionnant !

Samia – Une tradition solidaire

C'est une tradition oubliée d'Italie mais elle revient à la mode... c'est le caffè sospeso, café « suspendu » ou « en attente » en français. Elle est pratiquée dans les bars napolitains. On paie deux cafés : son café et un café pour une autre personne qui n'a pas les moyens de le faire. D'autres pays s'inspirent de cette tradition avec le café et d'autres produits comme la baguette « en attente » en France par exemple. Cette idée est très originale et j'aime beaucoup cet esprit de solidarité !

Paul – Une économie plus juste

À Toulouse, vous pouvez utiliser une autre monnaie ! Une monnaie locale et solidaire, elle s'appelle le Sol-Violette : sol pour solidaire et violette car c'est la fleur emblématique de Toulouse. Cette monnaie peut être utilisée dans beaucoup de magasins. Je n'ai pas testé mais j'aime l'idée d'une économie juste et durable.

13. VOTRE INTUITION EST-ELLE BONNE ?

Lisez la présentation du blog et observez les photos présentées. Essayez de répondre à ces questions.

1. Pourquoi les voyageurs ont-ils créé ce blog ?
2. À votre avis, quels sont les pays présentés ?

14. LES VOYAGEURS CURIEUX

A. Lisez les expériences insolites des voyageurs. Pour chaque étape de leur voyage, associez la photo à la description correspondante.

Nº D'ÉTAPE	VOYAGEUR	LIEU
1	Paul	En France (à Toulouse)
2		
3		
4		
5		
6		
7		

B. Certaines de ces habitudes ou pratiques vous semblent-elles insolites ? Pourquoi ?

15. HABITUDES INSOLITES

A. Pensez à une habitude ou une pratique de votre pays qui peut surprendre un touriste puis parlez-en avec un camarade.

B. Par écrit, décrivez cette habitude de votre pays et présentez-la à la classe. Aidez-vous des témoignages des globe-trotters et ajoutez des images à votre présentation.

+ DE RESSOURCES SUR
espacevirtuel.emdl.fr

6h50

0:13

Comme d'habitude
Les habitudes matinales des Parisiens

TÂCHES FINALES

TÂCHE 1 — NOTRE SEMAINE IDÉALE

1. En groupes, organisez votre semaine idéale. Pour cela, complétez l'agenda de la semaine.

	Lundi	Mardi	Mercredi	Jeudi	Vendredi	Samedi	Dimanche
8h							
9h							
10h	Réveil						
11h							
12h							
13h							
14h							
15h							
16h							
17h							
18h							
19h							
20h							

CONSEILS

- Pensez aux horaires et à la fréquence de vos activités.
- Soyez créatifs, sortez de la routine !
- Attention, votre semaine doit être idéale mais réaliste.
- Soyez persuasifs pendant votre présentation.

2. Présentez oralement votre semaine idéale à la classe.

- Dans notre semaine idéale, on se lève tous les matins à 10 heures...

3. Votez pour choisir la meilleure semaine.

TÂCHE 2 — UNE JOURNÉE DANS LA VIE DE...

1. Formez des groupes. Vous allez écrire le script de la journée typique d'un personnage de votre choix, réel ou fictif. Construisez la journée-type de façon chronologique.

2. Choisissez un camarade d'un autre groupe. Lisez votre récit à la classe pendant que ce camarade joue le rôle de votre personnage.

3. Qui est le meilleur acteur ? Quel est le meilleur script ?

CONSEILS

- Soyez originaux mais réalistes, n'oubliez pas que votre camarade va jouer ce que vous allez raconter.
- Organisez bien votre journée, pensez aux horaires !
- Utilisez les connecteurs temporels pour structurer votre récit.
- Faites participer tout le monde : changez de narrateur.

SUPERWOMAN

Elle se réveille tous les jours à 6 heures. Elle reste au lit 30 minutes de plus. Puis, elle se lève. Ensuite, elle se douche, elle s'habille, elle se maquille et part sauver le monde...

6

TOUS ENSEMBLE

DÉCOUVERTE

pages 108-111

Premiers regards
- Découvrir des savoirs, des savoir-faire et des compétences
- Donner son avis sur les sites d'échanges de services

Premiers textes
- Analyser un bilan de compétences et définir un profil
- Faire son bilan de compétences
- Lire des offres d'emploi

OBSERVATION ET ENTRAÎNEMENT

pages 112-119

Grammaire
- Les marqueurs temporels du passé (1, 2, 3)
- Les pronoms relatifs (1) : *qui / que*
- Le passé composé (2) (3) : avec *être*
- Les verbes *savoir et connaître* au présent

Lexique
- Le lexique des savoirs et des compétences
- Le caractère (3)
- Le monde professionnel
- Le monde associatif

Phonétique
- Distinguer le présent et le passé composé
- Distinguer les auxiliaires *être* et *avoir*
- Les liaisons interdites
- L'accord du participe passé

REGARDS CULTURELS

pages 120-121

Les documents
- Le monde associatif en France et l'association *les Givrées*

La vidéo
- Le café *Cœur d'ARTichaut*, un lieu solidaire

C'EST QUOI ? LE CAFÉ CŒUR D'ARTICHAUT

▶ 0:13 ━━━━━━━━━ ◀))

À visionner sur : **espacevirtuel.emdl.fr**

TÂCHES FINALES

page 122

Tâche 1
- Proposer un échange de services

Tâche 2
- Écrire une biographie « patchwork »

 + DE RESSOURCES SUR espacevirtuel.emdl.fr

- Des activités autocorrectives
- Des nuages de mots sur le monde professionnel et associatif et sur le caractère

S'entraider en ligne ✕

◀ ▶ ↻ www.services-echanges.en

Services-échanges qu'est-ce que c'est ?

- Un site pour s'entraider en ligne.
- Un site pour donner ou recevoir un coup de main gratuitement.

Offres de services

ANIMAUX **A**

Charline V. - Issy-les-Moulineaux
POSTÉ LE 08/07

Nous avons un petit jardin. Nous aimons beaucoup les animaux. Nous pouvons garder vos chiens et vos chats.

Contacter

SPORT **B**

Sébastien P. - Paris
POSTÉ LE 04/07

Entraînement à domicile, remise en forme ? Je suis coach sportif. Je vous encourage, vous accompagne et vous aide.

Contacter

BRICOLAGE **C**

Étienne L. - Montreuil
POSTÉ LE 01/07

J'aime bricoler, je peux vous aider dans vos petits travaux : maçonnerie, meubles à monter ou à réparer.

Contacter

BABY-SITTING **D**

Salomé F. - Paris
POSTÉ LE 26/06

Je suis étudiante et j'ai été fille au pair en Argentine l'année dernière. Je connais bien les enfants et je propose mes services de baby-sitter.

Contacter

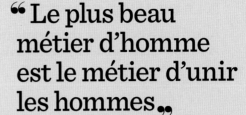

" Le plus beau métier d'homme est le métier d'unir les hommes "

Antoine de Saint-Exupéry, écrivain français

Demandes de services ✕

(1) POSTÉ LE 07/07

Je recherche une personne qui a de l'expérience avec les enfants et qui parle espagnol pour garder Louise (4 ans) et Manon (6 ans) le mercredi après-midi.

Alice F.
Paris

(2) POSTÉ LE 07/07

Je reviens d'Italie, j'ai adoré la cuisine sicilienne ! Un volontaire pour m'apprendre à cuisiner ?

Svetlana D.
Paris

(3) POSTÉ LE 06/07

J'ai besoin d'un maçon pour refaire le petit mur de mon jardin.

Clarisse G.
Neuilly-sur-Seine

(4) POSTÉ LE 05/07

Je recherche quelqu'un pour garder mon chat Shanti la semaine prochaine.

Lucas F.
Paris

(5) POSTÉ LE 05/07

Je cherche des cours d'informatique pour débutants.

Pierre C.
Paris

(6) POSTÉ LE 04/07

J'ai déménagé il y a une semaine et je recherche une personne qui sait bricoler pour m'aider à monter mes meubles.

Kamel B.
Paris

1. ENSEMBLE, C'EST BIEN !

A. Observez ce site Internet : quel est son objectif ?

B. Lisez les annonces puis, à deux, retrouvez quelles personnes peuvent s'entraider.

- Je pense qu'Étienne peut aider Clarisse.
- Moi aussi, il peut refaire le mur du jardin de Clarisse.

 CD 2 PISTE 18 **C.** Maintenant, écoutez la conversation entre deux amies, Elsa et Irène, qui parlent de ce site et retrouvez les annonces qu'elles commentent.

1. ....
2. ....
3. ....

D. Êtes-vous intéressé(e) par un de ces services ? Lequel ?

- L'offre de Charline m'intéresse parce que j'ai besoin de quelqu'un pour garder mon chien quand je pars en vacances.

 Et vous ?
Est-ce que les sites d'échanges de services existent dans votre pays ?

2. LE BILAN DE COMPÉTENCES

A. Arnaud a décidé de changer de travail. Pour cela, il fait appel à un coach professionnel, voici son questionnaire. À votre avis, quels adjectifs le définissent le mieux ?

individualiste   sociable   timide   communicatif

Nom :
Bonfils

Prénom :
Arnaud

Date de naissance :
03/09/1983

FORMATION

1. Qu'avez-vous étudié ?

> J'ai fait des études de commerce international.

2. Quelles langues étrangères parlez-vous ? Quel est votre niveau ?

> Je parle couramment anglais et espagnol.

3. Informations complémentaires :

> J'ai vécu un an au Mexique.

EXPÉRIENCE PROFESSIONNELLE

4. Quelle est votre profession ?

> Je suis commercial chez Air France.

5. Depuis combien de temps faites-vous le même travail ?

> 5 ans.

6. Êtes-vous déjà allé(e) à l'étranger pour le travail ?

> Oui, je suis souvent en déplacement à l'étranger.

7. Avez-vous déjà dirigé une équipe ?

> Non, mais j'ai toujours travaillé en équipe.

8. Avez-vous déjà exercé d'autres métiers ?

> Oui, j'ai été vendeur à la FNAC pendant mes études.

9. Informations complémentaires :

>

LOISIRS ET VIE SOCIALE

10. Quels sont vos principaux loisirs ?

> J'aime sortir avec mes amis, jouer au volley et faire du théâtre.

11. Informations complémentaires :

> Je suis bénévole dans une association. J'aime beaucoup voyager.

PERSONNALITÉ

12. Pour vous, quelle est la valeur la plus importante ?

> La solidarité

13. Définissez-vous en un mot.

> Curieux.

14. Qu'est-ce qui est le plus important pour vous ?

> Mes amis.

15. Informations complémentaires :

>

B. À votre tour, complétez le questionnaire et comparez vos réponses avec celles d'un camarade. Quels adjectifs lui correspondent le plus ? Vous pouvez en trouver d'autres ?

responsable   curieux   sociable   ambitieux   optimiste   généreux

C. Arnaud a maintenant un entretien avec le coach. Écoutez leur conversation et complétez la fiche.

CD 2
PISTE 19

ENTRETIEN INDIVIDUEL

Client :
Arnaud Bonfils

Date :
16 mai

Il sait :
– écouter les clients
– …. les clients

Il aime :
– ….
– les voyages d'affaires
– ….

Il connaît :
– les techniques de vente
– ….

D. Arnaud a répondu à deux annonces. Lisez-les et choisissez celle qui lui convient le plus. Justifiez votre choix.

CARAÏBES VOYAGES

RESPONSABLE DES VENTES

Tourisme / Vente

Agence de voyages recherche un responsable des ventes avec une expérience en marketing pour l'ouverture de nouveaux locaux à Paris.

Voir l'annonce

Équi-Commerce

FORMATEUR COMMERCIAL

Conseil / Vente

Entreprise leader dans le commerce équitable recherche un professionnel pour conseiller et former ses équipes aux techniques de vente dans différents pays latinoaméricains.

Voir l'annonce

• *Je pense que c'est l'annonce pour le poste de… parce que…*

Et vous ?
Est-ce que vous vous imaginez travailler dans la même entreprise toute votre vie ?

3. MERCI POUR TOUT !

A. Lisez les cartes de remerciements que ces trois associations ont envoyées à leurs membres. Quel est l'objectif de chaque association ?

Protéger les animaux   Développer l'éducation   Aider les personnes défavorisées

Lutter contre les épidémies   Protéger l'environnement

1

L'ÉCOLE POUR TOUS

Meaux, le 12 octobre

Madame Brageul,

Au nom de l'association *L'École pour tous*, je vous remercie pour votre engagement. Grâce à votre aide, nous avons construit une école dans le quartier du Marché et elle a ouvert ses portes la semaine dernière. Les enfants ont déjà commencé l'apprentissage de la lecture.

Avec tous mes remerciements,

Armand Lebreton, président de *L'École pour tous*

2

Plages Propres

La Rochelle, le 25 mai

Chers membres du collectif,

Un très grand merci de la part de *Plages propres* pour votre générosité et votre mobilisation pour l'environnement. Le mois dernier, nous avons créé notre association et vous n'avez pas hésité à répondre à notre appel.
Les plages sont presque prêtes pour l'été et une nouvelle action est prévue en septembre.

Le collectif *Plages propres*

3

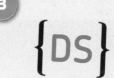

{DS}

DÎNERS SOLIDAIRES

Lyon, le 5 janvier

Chers bénévoles,

Chaque hiver, vous vous mobilisez pour servir des repas chauds, le soir, aux personnes qui vivent dans la rue. Grâce à votre solidarité, l'année dernière, notre association a servi plus de 50 000 repas. Merci pour tout.

Association *Dîners solidaires*

CD 2 PISTE 20

B. À présent, écoutez la conversation de deux bénévoles, Léa et Bruno, et retrouvez de quelle association ils parlent.

LES EXPRESSIONS DE TEMPS (1)

C. Relisez les cartes et retrouvez quand ont eu lieu les actions suivantes. Est-ce que vous comprenez ces expressions de temps ? Savez-vous les dire dans votre langue ?

1. Elle a ouvert ses portes ....
2. ...., nous avons créé notre association.
3. ...., notre association a servi plus de 50 000 repas.

D. Maintenant, observez les formes surlignées et complétez ce rappel du passé composé.

LE PASSÉ COMPOSÉ AVEC *AVOIR*

FORME AFFIRMATIVE
Sujet + auxiliaire **avoir** au présent + participe passé du verbe

FORME NÉGATIVE
Sujet + ... + auxiliaire **avoir** au présent + ... + participe passé du verbe

Et vous ?
Avez-vous déjà fait partie d'une association ?

4. MON ASSOCIATION PRÉFÉRÉE...

A. Lisez cette devinette. De quelle association s'agit-il ?

> C'est une association très ancienne qui protège la vie et la santé des hommes dans 35 pays et que tout le monde connaît !

1 WWF   **2** GREENPEACE   **3** CROIX-ROUGE FRANÇAISE

● Je pense que c'est...

B. Faites-vous la différence entre *qui* et *que* ? Observez le tableau suivant.

LES PRONOMS RELATIFS *QUI / QUE*

Les pronoms relatifs remplacent un nom et relient deux phrases entre elles.

• *Qui* est toujours sujet :
C'est une association très ancienne. Cette association protège la vie et la santé des hommes.
→ C'est une association très ancienne **qui** protège la vie et la santé des hommes.
• *Que** est toujours complément d'objet direct :
C'est une association très ancienne. Tout le monde connaît cette association.
→ C'est une association **que** tout le monde connaît.

Que* devient **qu' devant une voyelle.
→ Les personnes .... elle aide sont nombreuses.

C. À votre tour, en groupes, créez vos propres devinettes en suivant le modèle et proposez-les à la classe.

C'est une association...   C'est un objet...

C'est une personne...   C'est un animal...

● Indice n°1 : C'est un animal qui est noir et blanc.
○ Un chat ?
● Non, indice n°2 : C'est un animal que l'association WWF utilise comme logo.
○ C'est un panda !
● Oui !

LES EXPRESSIONS DE TEMPS (1)
EX. 1. Complétez la frise chronologique avec les expressions de temps suivantes.

l'année dernière   demain   aujourd'hui
le mois dernier   hier   la semaine dernière

....   demain

l'année dernière   ....

LE PASSÉ COMPOSÉ AVEC *AVOIR*
EX. 2. Complétez le témoignage de cette bénévole de l'association *L'École pour tous* en conjuguant les verbes au passé composé.

donner   rencontrer   apprendre   aider   travailler

> J'.... dans cette association l'hiver dernier. D'abord, j'.... l'équipe de bénévoles. Ensuite, j'.... des cours aux enfants le soir ; j'.... les enfants à faire leurs devoirs. Et je ne le regrette pas parce que j'.... beaucoup de choses avec eux.

EX. 3. Complétez les questions avec le mot qui convient, puis répondez au passé composé à la forme négative.

entretien   voyage   devoirs

1. ● Pierre, tu as fait tes .... ?
   ○ Euh... Non, je .... (avoir) le temps.
2. ● Paul, tu as fait un .... cette année ?
   ○ Non, je .... (avoir) de vacances.
3. ● Marc a réussi son .... ?
   ○ Non, il .... (obtenir) le poste.

LES PRONOMS RELATIFS *QUI / QUE*
EX. 4. Complétez cette conversation avec les pronoms relatifs *qui* ou *que*.

● Salut Axel, ça va ?
○ Oui très bien, et toi ?
● Ça va, merci. Tu sais, David a quitté *Action contre l'exclusion*. C'est une personne .... tout le monde regrette et .... a fait beaucoup pour l'association. On cherche un bénévole comme lui, quelqu'un d'organisé et .... les gens aiment bien. Tu as une idée ?
● Hum... Pourquoi pas mon ami Marc ?
○ Ah oui, il nous a déjà aidé, c'est une personne .... on connaît bien dans l'association. Tu lui en parles ?
● D'accord !

+ d'exercices : pages 185-188

5. RÉCITS DE VIE

A. Les différentes étapes de la vie de Jacques-Yves Cousteau et de l'Abbé Pierre ont été mélangées. Retrouvez les phrases qui correspondent à chaque personne.

ÉTAPES DE VIE

- **Dans les années 20**, il est parti aux États-Unis et il a découvert l'apnée.
- **En 1938**, il est devenu prêtre catholique.
- **Pendant** la Seconde Guerre mondiale, il a été résistant.
- **En 1949**, il a fondé le mouvement *Emmaüs* pour aider les pauvres.
- **De 1950 à 1996**, il est allé sur toutes les mers avec son bateau *La Calypso*.
- **En 1983**, il a reçu un prix pour ses actions de protection de la nature.
- **En 1988**, il a créé une fondation pour le logement des défavorisés.
- **En 1992**, il est devenu conseiller régulier pour l'ONU sur l'environnement.

B. À présent, complétez les frises chronologiques des deux personnalités.

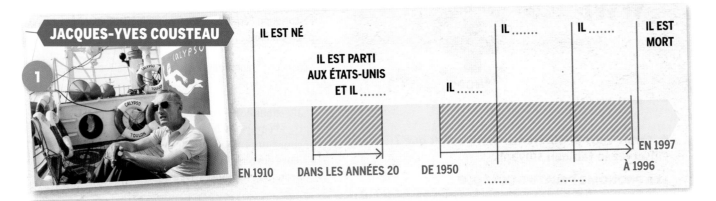

JACQUES-YVES COUSTEAU

IL EST NÉ — IL EST PARTI AUX ÉTATS-UNIS ET IL .... — IL .... — IL .... — IL .... — IL EST MORT

EN 1910 — DANS LES ANNÉES 20 — DE 1950 .... — À 1996 — EN 1997

L'ABBÉ PIERRE

IL EST NÉ | IL .... — IL A ÉTÉ RÉSISTANT — IL .... — IL .... — IL EST MORT

EN 1912 — .... 1939 — 1945 .... — .... — EN 2007

PENDANT LA SECONDE GUERRE MONDIALE

C. Observez à nouveau les frises et complétez la règle.

LES EXPRESSIONS DE TEMPS (2)

POUR SE SITUER OU INDIQUER UN MOMENT :	
.... + année 1938	.... + décennie 20

POUR EXPRIMER LA DURÉE D'UNE ACTION :	
.... la Seconde Guerre mondiale	.... + événement / nombre d'années

POUR EXPRIMER LE DÉBUT ET LA FIN D'UNE ACTION OU D'UN PROCESSUS :	
.... 1950 1996	.... + année / mois .... + année / mois

D. À présent, donnez deux dates ou périodes importantes de votre vie à un camarade. Sait-il à quoi elles correspondent ?

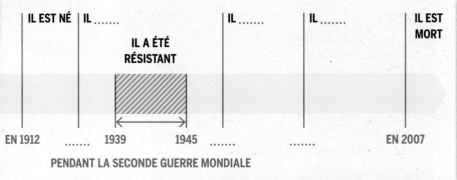

- En 2010, j'ai fait une chose importante...
- Tu as eu ton diplôme ?
- Non, j'ai eu mon diplôme en 2012. En 2010, j'ai passé mon permis de conduire.

6. UNE ARTISTE ENGAGÉE

A. Lisez la biographie de l'actrice Catherine Deneuve et attribuez un titre à chaque paragraphe.

| Son succès | Son engagement | Ses débuts |

BIOGRAPHIE

Elle est née en 1943, à Paris, dans une famille d'artistes. Elle est apparue pour la première fois à la télévision en 1956. À l'âge de 18 ans, elle a rencontré le cinéaste Jacques Demy et ils sont devenus amis. Puis, en 1964, il lui a offert un rôle dans *Les parapluies de Cherbourg*.

Ensuite, elle a joué dans beaucoup de films et avec de grands réalisateurs. Pour cela, elle a voyagé partout dans le monde : elle est allée en Europe, aux États-Unis et en Afrique dans les années 70 et 80.

Star engagée, elle a soutenu le droit des femmes, elle a lutté contre la peine de mort et elle est restée toute sa vie très engagée en faveur des personnes défavorisées.

B. Relisez la biographie et, à deux, relevez les verbes au passé composé. Ensuite, complétez la règle.

- Elle *est née*, ..., ..., ..., ...
- Elle *a rencontré*, ..., ..., ..., ..., ...

LE PASSÉ COMPOSÉ (2) : AVEC *ÊTRE*

FORMATION DU PASSÉ COMPOSÉ :

.... ou .... au présent + participe passé du verbe

CHOIX DE L'AUXILIAIRE :

Auxiliaire **avoir** → avec la majorité des verbes
Auxiliaire **être*** → avec les verbes suivants :

arriver/partir	retourner
monter/descendre	rester/devenir
aller/(re)venir	naître/mourir
tomber	apparaître
entrer/sortir	

*Avec l'auxiliaire ...., le participe passé s'accorde en genre et en nombre avec le sujet.
Ex. : *Elle est née en 1943. Ils sont devenus amis.*

C. À votre tour, à deux, écrivez la biographie d'une personne engagée de votre choix.

LES EXPRESSIONS DE TEMPS (2)

EX. 1. Complétez la biographie de l'écrivain David Fauquemberg avec les expressions de temps qui conviennent.

| de ... à | pendant | en (x 3) | dans les années |

DAVID FAUQUEMBERG

Il est né .... 1973 à Saint-Omer. .... 90, il a voyagé à Cuba, en Patagonie, en Andalousie et en Californie. Ensuite, il a vécu .... deux ans en Australie, ... 1998 .... 2000. Son premier roman, *Nullarbor*, parle de ce pays. Puis, il a écrit *Mal tiempo* .... 2009 et *Manuel el Negro* .... 2013. Il est également traducteur et il écrit des reportages pour des magazines comme *Géo*.

LE PASSÉ COMPOSÉ (2) : AVEC *ÊTRE*

EX. 2. Classez ces verbes selon qu'ils se conjuguent avec *être* ou *avoir*.

| ~~venu~~ | ~~donné~~ | aimé | reçu | adoré | entré |
| parti | sorti | détesté | offert | arrivé |

- **ÊTRE** : *venu*,
- **AVOIR** : *donné*,

EX. 3. Choisissez le verbe qui convient et conjuguez-le au passé composé. Faites l'accord si nécessaire.

| partir | sortir | devenir | aller | rester |

1. Nemanja Radulovic est un grand violoniste. Il .... célèbre à l'âge de 19 ans !
2. • Alissa, tu .... hier soir ?
   ○ Oui, je .... au cinéma.
3. Claire est malade. Elle .... au lit toute la journée.
4. Marie et Bérénice .... en vacances à Tahiti cette année.

EX. 4. À partir des informations suivantes, écrivez la biographie d'Amélie Nothomb au passé composé, comme dans l'exemple.

1967 : elle naît à Kobé, au Japon.
1967 - 1972 : elle vit au Japon.
1983 : elle commence à écrire.
Les années 90 : elle publie son premier roman.
1999 : elle reçoit un grand prix littéraire pour son roman *Stupeur et tremblements*.
1992 - 2014 : elle écrit 23 livres !

Amélie Nothomb est née en 1967 à Kobé, au Japon.

+ d'exercices : pages 185-188

7. SORTIR À BANGKOK

A. Voici les sorties proposées par le site *FDE*. Retrouvez de quel type d'événement il s'agit à chaque fois.

exposition   concert   cinéma   spectacle   atelier

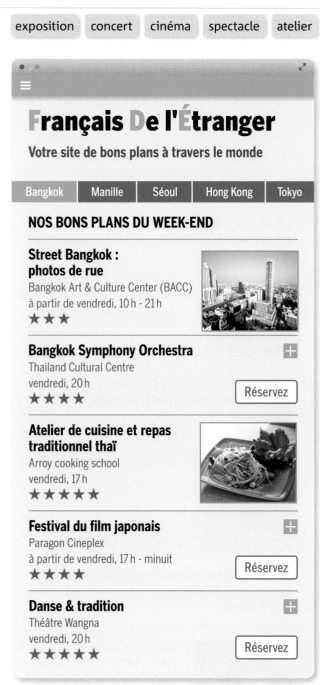

Français De l'Étranger

Votre site de bons plans à travers le monde

| Bangkok | Manille | Séoul | Hong Kong | Tokyo |

NOS BONS PLANS DU WEEK-END

**Street Bangkok :
photos de rue**
Bangkok Art & Culture Center (BACC)
à partir de vendredi, 10 h - 21 h
★★★

Bangkok Symphony Orchestra   ⊞
Thailand Cultural Centre
vendredi, 20 h
★★★★   Réservez

**Atelier de cuisine et repas
traditionnel thaï**
Arroy cooking school
vendredi, 17 h
★★★★★

Festival du film japonais   ⊞
Paragon Cineplex
à partir de vendredi, 17 h - minuit
★★★★   Réservez

Danse & tradition   ⊞
Théâtre Wangna
vendredi, 20 h
★★★★★   Réservez

B. Dans ce programme, quelle activité vous intéresse le plus ? Quel type de sorties préférez-vous ?

C. Maintenant, à deux, dites ce que vous avez fait ce week-end.

 Et vous ?
Consultez-vous ce type de sites pour organiser vos sorties ?

8. RENCONTRE FORTUITE

A. Lisez ces messages de Théo et Alice. À votre avis, qui Alice a-t-elle rencontré ?

> Salut Alice, tu es bien arrivée ?
> Comment ça se passe ?   16:59 ✓✓

> Génial ! Ce matin, j'ai assisté à une conférence et je me suis inscrite à un atelier pour demain. Et, ce midi, je me suis promenée en ville.
> C'est magnifique !   17:06 ✓✓

> Ah oui, et devine qui j'ai vu 😵 😨 😵   17:07 ✓✓

> Qui ? 17:10 ✓

> Attends, je t'appelle !   17:11 ✓✓

B. Maintenant, écoutez la conversation téléphonique des deux amis et cochez la bonne réponse.

CD 2 PISTE 21

- Alice s'est levée...
  - ☐ tôt.
  - ☐ tard.

- Alice et Emma se sont rencontrées...
  - ☐ dans la rue.
  - ☐ dans l'ascenseur.

- Emma...
  - ☐ visite Bangkok.
  - ☐ habite à Bangkok.

- Emma a promis à Alice...
  - ☐ une visite de Bangkok.
  - ☐ un dîner.

C. À présent, observez les formes verbales ci-dessous et complétez la règle suivante.

1. Alice s'est levée tôt.
2. Nous nous sommes rencontrées dans l'ascenseur.

LE PASSÉ COMPOSÉ (3) AVEC *ÊTRE*

Au passé composé, tous les verbes pronominaux se forment avec l'auxiliaire .... + participe passé :
Ex. : *Je me .... levée tôt.*
Le participe passé des verbes pronominaux s'accorde en genre et en nombre avec le sujet :
Ex. : *Elles **se** sont rencontr**ées** dans l'ascenseur.*

9. RETROUVAILLES

A. Lisez le mail d'Alice à son amie Élodie. D'après vous, quels sont les deux moments les plus importants de la vie d'Emma ?

Salut Élodie !

Tu sais quoi ? Ce week-end, j'ai revu Emma. Tu te rappelles, notre copine de fac ? Il y a dix ans, elle a quitté la France et elle a fait le tour du monde. Elle s'est installée à Bangkok, c'est là qu'elle a rencontré Kosin, son mari. Depuis trois ans, ils dirigent une association pour aider les enfants de leur quartier.

Emma m'a fait découvrir la ville, elle connaît tout de ce pays : la langue, les habitudes, les traditions et elle sait même faire la cuisine thaï ! Elle est vraiment incroyable ! Voici son adresse si tu veux lui écrire : emmawai@thaithai.en.

Bises !

Alice

B. Observez les phrases suivantes. Que signifient-elles ? Cochez.

LES EXPRESSIONS DE TEMPS (3)

Il y a dix ans, elle a quitté la France.
- ☐ L'action a commencé dans le passé et elle continue dans le présent.
- ☐ L'action est complètement terminée dans le passé.

Depuis trois ans, ils dirigent une association.
- ☐ L'action a commencé dans le passé et elle continue dans le présent.
- ☐ L'action est complètement terminée dans le passé.

C. Relisez le mail d'Alice et complétez la conjugaison des verbes suivants.

SAVOIR ET CONNAÎTRE AU PRÉSENT

SAVOIR		CONNAÎTRE	
je	sai-**s**	je	connai-**s**
tu	sai-....	tu	connai-**s**
il / elle / on	sai-....	il / elle / on	connaî-....
nous	sav-**ons**	nous	connaiss-**ons**
vous	sav-**ez**	vous	connaiss-**ez**
ils / elles	sav-**ent**	ils / elles	connaiss-**ent**
		Connaître se conjugue comme **apparaître**, **naître**	
Participe passé : *su*		Participe passé : *connu*	

D. Décrivez quelqu'un que vous admirez. Expliquez comment vous l'avez connu et ce qu'il sait faire, comme dans l'exemple.

- Je connais Sylvie depuis 5 ans : on s'est rencontrés dans une association. Je l'admire parce qu'elle...

LE PASSÉ COMPOSÉ (3) AVEC *ÊTRE*

EX. 1. Choisissez le verbe qui convient puis complétez les phrases suivantes au passé composé.

~~se préparer~~   s'endormir   se lever   se décider

1. Eloïse *s'est préparée* pour aller au travail.
2. Nous .... à 11 h 00 ce matin !
3. Tu .... très tard cette nuit !
4. Je .... hier : je pars en vacances au Pérou !

EX. 2. Complétez le texte au passé composé à l'aide des verbes suivants.

se doucher   se coucher   se lever   se préparer

Ce matin, Élie .... à 8 h. Elle a pris son petit-déjeuner, puis elle .... . Ensuite, elle .... et, à 8 h 50, elle est allée au collège. Elle a étudié toute la journée. À 17 h, elle est allée chez Marc pour regarder avec lui leur série préférée. À 19 h, Élie est rentrée chez elle. Elle a mangé et elle .... .

LES EXPRESSIONS DE TEMPS (3)

EX. 3. Complétez les phrases suivantes avec *depuis* ou *il y a*.

1. .... une semaine, Laetitia est partie en Italie et elle n'est pas encore revenue.
2. Pascal travaille dans cette entreprise .... un mois.
3. .... un an, Sophie a créé une association.
4. Léa et Philippe se sont rencontrés .... quinze ans.
5. Je t'attends .... une heure ! Tu es toujours en retard !

EX. 4. Lisez le témoignage d'Antoine et dites si les affirmations suivantes sont vraies ou fausses. Justifiez.

J'ai terminé mes études d'agronomie en juin dernier et, depuis le mois de septembre, je cherche un emploi. Il y a trois jours, une entreprise m'a contacté : elle cherche un ingénieur agronome pour travailler à l'étranger. J'ai un entretien lundi.

---

1. Antoine a terminé ses études au mois de mai.
2. On sait depuis quand Antoine cherche un emploi.
3. L'entreprise a contacté Antoine hier.

LES VERBES *SAVOIR* ET *CONNAÎTRE*

EX. 5. Lisez le dialogue suivant et conjuguez les verbes entre parenthèses au présent.

- Je .... (connaître) une personne qui propose ses services de décorateur d'intérieur. Elle .... (connaître) tous les styles et elle .... (savoir) associer les couleurs. Elle a étudié le feng shui. Ça vous intéresse ?
- Oui, pourquoi pas ! Nous ne .... (connaître) pas vraiment cet art, mais ça a l'air intéressant. Tu nous recommandes cette personne ?
- Oui ! Vous .... (savoir), elle est très connue !

+ d'exercices : pages 185-188

LE LEXIQUE DES SAVOIRS ET DES COMPÉTENCES

1. À votre avis, quelles sont les qualités nécessaires pour :

écrire un roman	vendre un produit

présenter un monument historique à des touristes

1. savoir communiquer
2. connaître l'histoire d'un lieu
3. savoir conseiller les gens
4. avoir une bonne expression écrite
5. savoir écouter
6. avoir l'esprit critique
7. savoir gérer un groupe

LE CARACTÈRE

2. Complétez ces définitions avec les adjectifs suivants.

optimiste	créatif	sociable	curieux	généreux

1. Il a beaucoup d'imagination et il est inventif. Il est .... .
2. Il a toujours envie d'apprendre, de découvrir. Il est .... .
3. Il donne beaucoup et partage avec les autres. Il est .... .
4. Il est positif et il voit toujours le bon côté des choses. Il est .... .
5. Il sait vivre en societé et aime être entouré d'amis. Il est .... .

3. A. Pêle-mêle. Retrouvez six adjectifs de personnalité dans le tableau.

I	N	^{1}D	É	P	E	N	D	A	N	T
X	D	A	C	R	É	A	T	^{2}I	F	F
A	I	B	N	A	V	T	E	X	U	R
Z	P	O	U	G	W	N	É	R	F	E
T	L	U	Z	^{3}M	B	C	O	V	O	T
D	O	V	P	A	T	I	E	N	^{4}T	B
S	M	E	Q	T	T	V	C	A	M	O
É	A	R	R	I	S	I	R	V	E	T
L	O	G	I	Q	U	^{5}E	P	D	E	F
S	É	N	S	U	B	U	E	J	I	N
C	U	R	^{6}I	E	U	X	A	C	Z	Y

3. B. Maintenant, reformez l'adjectif caché à partir des cases numérotées.

LE MONDE PROFESSIONNEL

4. Associez les éléments de chaque colonne.

1. un travail
2. des études
3. une offre
4. des voyages d'affaires
5. un emploi

a. une annonce
b. un poste
c. une formation
d. un travail
e. des déplacements professionnels

5. Pensez à des métiers que vous aimez et donnez les qualités nécessaires pour les exercer.

● Commercial : il connaît bien les techniques de vente et il sait communiquer.

LE MONDE ASSOCIATIF

6. Voici la définition de quelques mots vus dans l'unité. Pouvez-vous les retrouver ?

1. C'est une personne qui travaille gratuitement pour une association. C'est un *b*....
2. C'est une valeur qui conduit des personnes à s'entraider. C'est la *s*....
3. C'est un groupe de personnes qui se réunissent autour d'un intérêt commun. C'est une *a*....

LES VERBES SAVOIR ET CONNAÎTRE AU PRÉSENT

7. Complétez l'annonce en conjuguant les verbes *savoir* ou *connaître* au présent.

Annonce n° 6302

Bonjour,

J'ai trois enfants, Arthur, 8 ans, Noémie, 6 ans, et Louen, 1 an. Je cherche une personne pour les garder le mercredi après-midi. Arthur et Noémie sont très faciles à vivre. Ils .... s'occuper, ils .... bien la maison et ils sont toujours prêts à aider. Louen est encore petit. Si vous êtes intéressé, contactez-moi ! Julie

8. *Savoir* ou *connaître* ? Dites quel verbe vous utilisez pour les activités suivantes.

mon travail	les règles des échecs	faire la cuisine

écrire des articles	la littérature française	danser

travailler avec les autres

● Savoir : ....

● Connaître : ....

A. PHONÉTIQUE

DISTINGUER LE PRÉSENT ET LE PASSÉ COMPOSÉ

1. Écoutez ces verbes au présent et au passé composé. Quel temps entendez-vous en premier ? Complétez le tableau.

CD 2
PISTE 22

	PRÉSENT	PASSÉ COMPOSÉ
créer	1	2
faire		
écrire		
construire		

2. A. Écoutez et soulignez la phrase que vous entendez en premier.

CD 2
PISTE 23

1. Je crée une association. / J'ai créé une association.
2. Je fais des études d'informatique. / J'ai fait des études d'informatique.
3. J'écris un roman. / J'ai écrit un roman.
4. Je construis une école. / J'ai construit une école.

2. B. À présent, prononcez les phrases du A dans l'ordre de votre choix. La classe doit deviner quelle est la phrase que vous prononcez en premier.

DISTINGUER LES AUXILIAIRES *ÊTRE* ET *AVOIR*

3. Écoutez, entendez-vous « ils sont » ou « ils ont » ? Complétez le tableau.

CD 2
PISTE 24

	ILS SONT	ILS ONT
rester	X	
être		
partir		
venir		
avoir		

4. À présent, écoutez et prononcez ces phrases.

CD 2
PISTE 25

1. Elles sont devenues amies quand elles ont eu leur diplôme.
2. Ils ont vécu au Mexique. Ils sont restés là-bas dix ans.
3. Ils sont arrivés. Ils ont pris l'avion.
4. Elles ont décidé de changer de vie. Elles sont parties vivre au Québec.

B. PROSODIE

5. Écoutez ces phrases et marquez les liaisons avec ‿.

CD 2
PISTE 26

1. Un écrivain ennuyeux.
2. Un médecin a beaucoup de travail.
3. Quand êtes-vous allé en Afrique ?
4. Elle a joué dans plus de cent films et elle a eu plusieurs prix.
5. Quand est-ce qu'ils ont terminé leurs études ?

LES LIAISONS INTERDITES

Il n'y a pas de liaison :
– entre un nom et un adjectif : *un ‿écrivain # ennuyeux*
– entre un nom et un verbe : *un médecin # a beaucoup de travail*
– Après *et* : [...] *et # elle a eu...*
– Après le pronom, quand le verbe et le pronom sont inversés : *Quand # êtes-vous # parti...*
– Après un pronom interrogatif : *Quand # êtes-vous parti...*
⚠ Exceptions : *Quand‿est-ce que ? / Comment‿allez-vous ?*

6. Écoutez et interprétez ce dialogue. Respectez le rythme, les intonations et les liaisons obligatoires et interdites.

CD 2
PISTE 27

● Alors, j'ai reçu votre CV. Vous avez déjà travaillé dans une association ?
○ Oui, dans une association humanitaire en Afrique.
● Et quand avez-vous eu votre diplôme de médecine ?
○ En 2012.
● Vous parlez quelles langues ?
○ Je parle anglais, allemand et un peu espagnol.

C. PHONIE-GRAPHIE

L'ACCORD DU PARTICIPE PASSÉ

7. Dans les phrases suivantes, soulignez les participes passés. Puis écoutez et complétez le tableau.

CD 2
PISTE 28

		PRONONCIATION		GRAPHIE	
		=	≠	=	≠
1. Il est né.	Elle est née.	X			X
2. Elle est restée.	Elles sont restées.				
3. Il est parti.	Ils sont partis.				
4. Elle est venue.	Elles sont venues.				
5. Elle est morte.	Ils sont morts.				
6. Il s'est inscrit.	Elle s'est inscrite.				

8. À présent, complétez le tableau suivant.

L'ACCORD DU PARTICIPE PASSÉ

Quand le participe passé s'accorde avec le sujet, on ajoute un .... au féminin et un .... au pluriel.

Si le participe passé se termine par une voyelle au masculin, les prononciations du féminin et du pluriel sont :
☒ identiques. ☐ différentes.

Si le participe passé se termine par une consonne au masculin, la prononciation du féminin est :
☐ identique. ☐ différente.

Mais la prononciation du pluriel est :
☐ identique. ☐ différente.

Bonnes actions pour les associations

En France, il existe plus de 1 300 000 associations actives et plus de 30% de la population française exerce une activité bénévole. Du club de foot de quartier aux grandes ONG internationales, la vie associative occupe une place importante dans la vie des Français.

LES ASSOCIATIONS PRÉFÉRÉES DES FRANÇAIS

(Dons en millions d'euros)

89,3 M€

Association Française contre les Myopathies (AFM)

88 M€

Croix-Rouge

84 M€

Restos du cœur

68,3 M€

Médecins sans frontières

63 M€

Secours catholique

LE BÉNÉVOLAT EN FRANCE

28 %
des Français

77 %
de bénévoles réguliers

1 million
d'associations

L'ASSOCIATION LES GIVRÉES

A

POUR QUOI ?

9 % Éducation

16 % Loisirs

17 % Culture

28 % Sport

9 % Environnement

18 % Promotion de causes

11 % Action sociale et caritative

rencontrer
s'affirmer apprendre
agir
comprendre
influencer
réaliser éduquer
sensibiliser
s'occuper

POUR QUI ?

Pour toutes les personnes désirant s'engager pour une cause

ET VOUS ?

B

Fondée en 2012, **l'association Les Givrées** est représentée par une vingtaine d'amies. **Les Givrées** sont engagées dans la lutte contre le cancer du sein. Leur action se traduit par des défis sportifs (l'ascension du Mont-Blanc, un saut en parachute de 4 000 mètres, des marathons....) qui permettent de collecter des dons pour financer la recherche contre le cancer du sein.

C'est aussi un hommage aux femmes qui luttent contre la maladie car chaque défi sportif illustre l'effort physique et psychologique pour dépasser ses limites.

10. LE MONDE ASSOCIATIF EN FRANCE

A. Observez le nom des associations préférées des Français. Les connaissez-vous ?

B. À votre avis, dans quels domaines travaillent-elles ?

santé   recherche médicale   environnement

action sociale   action humanitaire

11. L'ASSOCIATION LES GIVRÉES

A. Observez les affiches (A). À votre avis, de quel type d'association s'agit-il ?

B. Quel est l'objectif de ces campagnes ?

récolter des dons pour la recherche

faire parler du droit des femmes

inciter à faire plus de sport

C. À présent, observez les documents (B). Quel est le combat des Givrées ? À travers quelles activités se manifestent-elles ?

12. VOTRE COMBAT !

En groupes, pensez à une association qui est importante pour vous. Faites des recherches et cherchez des affiches de campagnes qui illustrent bien le combat et les actions de cette association. Ensuite, présentez l'association que vous avez choisie à la classe.

+ DE RESSOURCES SUR
espacevirtuel.emdl.fr

Le monde associatif
Le café Cœur d'Artichaut, un lieu solidaire

TÂCHE 1 | **ÉCHANGEONS NOS TALENTS !**

1. Vous allez organiser un échange de talents. Pour cela, faites d'abord le bilan de vos savoirs et compétences à partir de la fiche suivante.

FICHE

- Je suis : ...
- Je connais : ...
- Je sais : ...
- J'ai : ...
- Autre : ...

ENVIE DE CHANTER ?

Je propose des cours de chant.
Je suis chanteuse depuis 10 ans.
Je connais très bien le métier.
Je sais transmettre les techniques de chant.

J'ai déjà donné des cours il y a quelques années.

Pour plus d'informations, contactez-moi !

Manuela,
manu@emdl.en

2. Lisez le modèle d'annonce ci-contre. Maintenant, rédigez une annonce pour proposer vos services. Puis, affichez-la dans la classe.

3. Enfin, lisez les différentes annonces et choisissez le service qui vous intéresse. Informez-vous auprès de la personne qui propose ce service et discutez-en ensemble.

CONSEILS

Pour l'annonce :
- Pensez à ce que vous savez faire le mieux.
- Pensez à des services réels et qui vous semblent utiles.

Pour l'échange :
- Demandez des informations complémentaires.
- Mettez-vous d'accord sur les conditions : lieu, horaire...

 TÂCHE 2 | **ÉCRITURE COLLECTIVE : NOTRE BIOGRAPHIE « PATCHWORK »**

1. Vous allez construire une biographie *patchwork*. Pour commencer, notez individuellement les grandes étapes de votre vie.

- En 2005, je suis parti vivre et étudier à l'étranger.
- Je me suis marié il y a deux ans.
- Je vis à Madagascar depuis un an.
- ...

2. Maintenant, formez des groupes et exposez votre parcours aux autres. Choisissez les étapes les plus originales et intéressantes des différents parcours. Écrivez une seule biographie à partir des étapes choisies.

3. Présentez la biographie de votre groupe à la classe. Quelle est celle que vous préférez ? Pourquoi ?

LA VIE DE MATH&O TRAORÉ

Par Math Fisher / Oliver Lester / Idriss Traoré

« Il est né à Mopti en 1985.
Ses parents sont maliens mais, à 10 ans, il est parti vivre à Londres avec sa famille.
Là-bas, il a commencé à jouer au tennis.
Dans les années 2000, il a...

CONSEILS

- Écrivez une biographie structurée logiquement.
- Faites des phrases courtes et précises.
- Soyez originaux pour surprendre vos lecteurs !

7

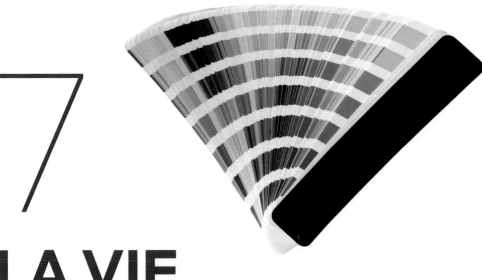

LA VIE EN ROSE

 + DE RESSOURCES SUR
espacevirtuel.emdl.fr

— Des activités autocorrectives (grammaire/lexique/ culture/CE/CO)
— Des nuages de mots sur les vêtements et les parties du corps

Le papier d'Arménie

C'est un petit papier qu'on fait brûler pour parfumer la maison. Il est né au XIXᵉ siècle grâce à un chimiste et un pharmacien français inspirés par une coutume arménienne. Il est produit dans le sud de Paris.

La marinière

Le célèbre tricot à rayures est à la mode aujourd'hui, mais savez-vous d'où il vient ? Il a été conçu pour les matelots de la marine nationale en 1858. Ce vêtement pratique est maintenant indissociable du grand couturier Jean-Paul Gaultier.

Le savon de Marseille

Il est né au XIIᵉ siècle à Marseille. C'est le « petit frère » du savon d'Alep (Syrie) qui est utilisé dans toute la Méditerranée. Il est composé principalement d'huile d'olive. C'est un produit artisanal de qualité.

NORD-PAS DE CALAIS

HAUTE-NORMANDIE

PICARDIE

BASSE-NORMANDIE

ÎLE-DE-FRANCE

CH A

BRETAGNE

PAYS DE LA LOIRE

CENTRE

BOU

POITOU-CHARENTES

LIMOUSIN

AUVERGNE

AQUITAINE

MIDI-PYRÉNÉES

LANGUE ROUSSIL

La vache qui rit

C'est la vache la plus célèbre de France !
Elle est née en 1921 grâce à Jules Bel
(créateur, plus tard, du fromage Babybel).
Aujourd'hui, on vend ces petits triangles
de fromage fondu dans plus de 120 pays.

LORRAINE

NE-
E

ALSACE

FRANCHE-
COMTÉ

Le couteau Opinel

Voici un petit couteau pliable, très
pratique pour les randonneurs ou les
bricoleurs. Il existe depuis 1897 et il est
utile dans toutes les situations !

RHÔNE-
ALPES

PROVENCE-ALPES-
CÔTE D'AZUR

CORSE

❝Un seul printemps dans
l'année…, et dans la vie une seule
jeunesse❞

Simone de Beauvoir, écrivaine française

1. DES PRODUITS EMBLÉMATIQUES

A. Observez les photos. Connaissez-vous
ces produits ? À votre avis, où peut-on
acheter ces produits ?

- On peut acheter le papier d'Arménie dans une pharmacie.

**B. Achetez-vous des produits français ?
Lesquels ?**

1. Produits de beauté (parfum, maquillage…)
2. Vêtements et accessoires (manteaux, lunettes…)
3. Produits alimentaires (fromage, pâtisseries…)
4. Vins et liqueurs (Bordeaux, champagne…)
5. Autres (lesquels ?)

- Moi, je n'achète jamais de produits français, mais je connais des marques françaises.
- Moi, j'achète parfois des parfums français.

**C. Écoutez la présentation et devinez de
quel produit il s'agit.**

CD 2 PISTE 29

le carambar   le petit-beurre

le nougat   le comté

D. À présent, remplissez la fiche, puis
présentez les produits emblématiques de
votre pays à un camarade.

LES PRODUITS EMBLÉMATIQUES DE MON PAYS

Mon pays : ....

Un aliment : ....

Une boisson : ....

Un vêtement : ....

Un objet : ....

2. UN WEEK-END À LA MER

A. Nous sommes au mois de juin, Louise prépare sa valise pour partir en week-end à Marseille. Connaissez-vous ces vêtements et accessoires ? Numérotez-les.

- ○ des sous-vêtements
- ○ une veste
- ○ un pantalon
- ○ une écharpe
- ○ un pull-over

- ○ des lunettes de soleil
- ○ un appareil photo
- ○ un portefeuille
- ○ des sandales
- ○ un maillot de bain

- ○ une trousse de toilette
- ○ des baskets
- ○ un bonnet
- ○ une robe
- ○ un T-shirt

- ○ un jean
- ○ un passeport
- ○ un short
- ○ des chaussettes
- ○ de la crème solaire

B. À deux, aidez Louise à faire sa valise. Que peut-elle emporter ?

- • *Pour Marseille, elle peut prendre des lunettes de soleil.*
- ○ *Oui, et aussi une robe et...*

 C. Écoutez la conversation téléphonique entre Louise et Lucile, son amie de Marseille. Avez-vous choisi les mêmes vêtements qu'elle ?

CD 2
PISTE 30

D. Quand vous partez en week-end à la mer, qu'est-ce que vous emportez ? Et à la montagne ?

- • *Moi, quand je pars à la mer, je prends un maillot de bain et des sandales, et toi ?*
- ○ *Moi, je prends toujours mon appareil photo, même pour un week-end !*

3. C'EST DE SAISON

A. Observez ce site spécialisé dans la mode. Que propose-t-il ?

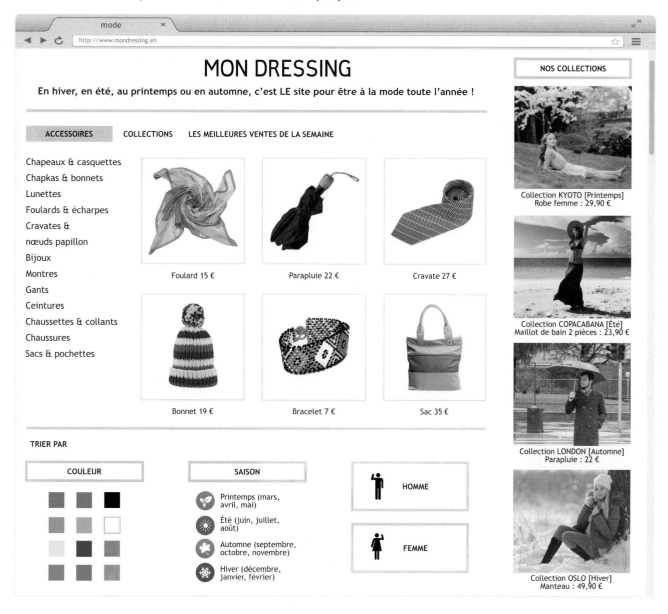

MON DRESSING

En hiver, en été, au printemps ou en automne, c'est LE site pour être à la mode toute l'année !

ACCESSOIRES   COLLECTIONS   LES MEILLEURES VENTES DE LA SEMAINE

Chapeaux & casquettes
Chapkas & bonnets
Lunettes
Foulards & écharpes
Cravates &
nœuds papillon
Bijoux
Montres
Gants
Ceintures
Chaussettes & collants
Chaussures
Sacs & pochettes

Foulard 15 €   Parapluie 22 €   Cravate 27 €

Bonnet 19 €   Bracelet 7 €   Sac 35 €

TRIER PAR

COULEUR   SAISON   HOMME   FEMME

Printemps (mars, avril, mai)
Été (juin, juillet, août)
Automne (septembre, octobre, novembre)
Hiver (décembre, janvier, février)

NOS COLLECTIONS

Collection KYOTO [Printemps]
Robe femme : 29,90 €

Collection COPACABANA [Été]
Maillot de bain 2 pièces : 23,90 €

Collection LONDON [Automne]
Parapluie : 22 €

Collection OSLO [Hiver]
Manteau : 49,90 €

B. Regardez les six produits qui sont en vente dans la rubrique « Accessoires ». Y a-t-il des accessoires utiles pour différentes saisons ?

1. Le foulard, *pour le printemps et pour l'été*
2. Le parapluie, ...
3. Le bracelet brésilien, ...
4. La cravate, ...
5. Le bonnet ....
6. Le sac, ...

C. Observez à nouveau les collections. Associez chacune d'elle au temps qui lui correspond.

QUEL TEMPS FAIT-IL ?

Il pleut et il fait frais.
Il neige et il fait froid.
Il fait beau et il fait bon.
Il fait beau et il fait chaud.

D. Expliquez à un camarade ce que vous portez pour chacune des occasions suivantes.

vous êtes invité(e) à une soirée

il fait très froid   il fait très chaud

vous êtes invité(e) à un pique-nique

vous allez au travail

vous partez faire de la randonnée

 Et vous ?
Faites-vous des achats sur Internet ? Lesquels ?

4. C'EST LA FÊTE !

A. Observez la publicité. Que propose cette entreprise ?

Vous voulez vous marier mais vous n'avez pas d'idées pour la cérémonie ?

Votre entreprise veut organiser un cocktail ?

Vos amis veulent faire une fête d'anniversaire mais ils n'ont pas le temps de la préparer ?

C'EST LA FÊTE
LE PROFESSIONNEL DE LA FÊTE

C'est la fête s'occupe de tout !
Nos équipes de spécialistes peuvent vous conseiller et réaliser tous vos projets.

✉ : cestlafete@emdl.en

☎ : 08 22 59 63 33

B. Lisez à nouveau la publicité et complétez le tableau suivant.

LES VERBES *VOULOIR* ET *POUVOIR* AU PRÉSENT

VOULOIR		POUVOIR	
je	veu-**x**	je	peu-**x**
tu	veu-**x**	tu	peu-**x**
il / elle / on	.... -	il / elle / on	peu-**t**
nous	voul-**ons**	nous	pouv-**ons**
vous	.... -	vous	pouv-**ez**
ils / elles	.... -	ils/elles	.... - ....

Participes passés : **vouloir** → **voulu**, **pouvoir** → **pu**

 Et vous ?
Avez-vous déjà fait appel à ce type d'entreprises ?

5. SPOTS PUBLICITAIRES

CD 2
PISTE 31

A. Écoutez ces extraits de spots publicitaires. À quelles entreprises correspondent-ils ?

B. En groupes, réalisez un document publicitaire à la manière de *C'est la fête* pour une de ces trois entreprises.

6. L'ANNIVERSAIRE !

CD 2
PISTE 32

A. Écoutez la conversation entre Élise et Sidonie. Quels sont les produits qu'elles achètent ?

1. Des roses ⟨ rouges / blanches

2. Un gâteau au chocolat ⟨ noir / blanc

3. Un sac ⟨ noir / bleu

Les couleurs :

■ noir □ blanc ■ rouge ■ bleu
■ vert ▢ jaune ■ violet ■ rose
▢ gris ■ marron ■ orange

B. Écoutez à nouveau la conversation. Dans quels magasins Sidonie fait-elle ses achats ?

☐ chez le fleuriste
☐ à la librairie
☐ à la boulangerie-pâtisserie
☐ dans un magasin de vêtements
☐ à la parfumerie
☐ au supermarché

• *Elle achète les fleurs...*

C. Maintenant, observez et complétez le tableau suivant.

L'ACCORD DES ADJECTIFS DE COULEUR

	MASCULIN	FÉMININ
SINGULIER	un sac **noir** un sac	une robe .... une robe **rouge**
PLURIEL	des sacs **noirs** des sacs	des robes .... des robes **rouges**

Les adjectifs de couleur s'accordent en genre et en nombre avec le nom qu'ils qualifient.
⚠ *Marron* et *orange* sont invariables.
Ex. : *Des sacs **orange**. Des chaussures **marron**.*

D. Quels cadeaux avez-vous déjà offerts à une personne de votre famille pour un anniversaire ? Quels sont les cadeaux que vous avez reçus ? Discutez-en à deux.

• *Moi, l'année dernière, j'ai offert une tablette à mon père.*

LES VERBES *VOULOIR* ET *POUVOIR* AU PRÉSENT

EX. 1. Vouloir ou pouvoir ? Choisissez le bon verbe et conjuguez-le au présent.

1. Nous .... vous aider à préparer le repas, si vous ....
2. Je .... bien aller prendre un café avec toi mais je ne .... pas payer, j'ai oublié mon portefeuille.
3. Ils ne .... pas rentrer chez eux parce qu'ils ont perdu leurs clés.
4. On .... acheter ce téléphone pour l'anniversaire de Yanou ? Il n'est pas très cher !
5. On .... partir en week-end à Belle-Île, mais Sandrine et Nicolas ne .... pas le 20 juin.

EX. 2. Complétez le mail de M. Houplain à l'entreprise *C'est la fête*. Choisissez entre les verbes *vouloir* ou *pouvoir* et conjuguez-les au présent.

Cher Monsieur, ma femme et moi fêtons nos 10 ans de mariage cette année. Nous .... organiser une grande fête. Ma femme ne .... pas d'un dîner classique. ....-vous m'envoyer vos différentes formules ? Merci ! Cordialement.

L'ACCORD DES ADJECTIFS DE COULEUR

EX. 3. De quelle couleur sont ces objets ?

1. Un sac à main
2. Une tablette
3. Un portefeuille
4. Des clés
5. Un appareil photo
6. Un téléphone portable
7. Des stylos
8. Un porte-monnaie

• *Le sac à main est marron.*

EX. 4. Associez ces expressions à leur explication. Faites des recherches si nécessaire. Ensuite, donnez, dans votre langue, des exemples d'expressions avec des couleurs.

1. Être rouge de colère.
2. Travailler au noir.
3. Voir la vie en rose.
4. Passer une nuit blanche.
5. Un billet vert.
6. La carte bleue.

A. La carte de crédit.
B. Un dollar.
C. Travailler illégalement.
D. Être optimiste.
E. Ne pas dormir de la nuit.
F. Être très énervé.

+ d'exercice : page 189 - 192

7. L'AMOUR N'A (PRESQUE) PAS DE PRIX !

A. Voici deux versions du scénario d'une scène de film. Lisez-les et répondez aux questions.

1. Que veut acheter Maxime dans les deux scènes ?
2. Pour quelle occasion ?
3. Achète-t-il ce qu'il veut ? À quel prix ?

SÉQUENCE 1 – INTÉRIEUR/JOUR – UN GRAND MAGASIN

VENDEUR

Bonjour, monsieur. Je peux vous aider ?

MAXIME

Bonjour. J'aimerais faire un cadeau à ma copine, c'est son anniversaire... un parfum c'est bien ?

VENDEUR

Oui, c'est un grand classique : ça plaît toujours ! Quel genre de parfum préfère-t-elle ?

MAXIME

Euh... Vous me conseillez quoi ?

VENDEUR

Un parfum frais, *Utopie estivale* est vraiment exceptionnel. Voulez-vous le sentir ?

Il lui fait sentir.

MAXIME

Ça sent bon ! Combien est-ce que ça coûte ?

VENDEUR

70 euros.

Maxime hésite puis sourit.

MAXIME

C'est cher, mais je l'achète : l'amour n'a pas de prix !

SÉQUENCE 2 – INTÉRIEUR/JOUR – UN GRAND MAGASIN

VENDEUR

Bonjour, monsieur. Que désirez-vous ?

MAXIME

Je voudrais offrir un sac à ma copine, c'est pour son anniversaire.

VENDEUR

Bien sûr, monsieur, nous avons de magnifiques sacs marron, noirs et rouges. Ce sont des sacs de créateurs.

MAXIME

De créateurs, ah bon... Est-ce qu'ils sont chers ?

Le vendeur répond, irrité.

VENDEUR

Ce sont des sacs de luxe, monsieur. Ils coûtent au moins 200 euros. Désirez-vous un article plus petit ? Un portefeuille par exemple ?

Le vendeur montre les portefeuilles à Maxime.

MAXIME (*gêné*)

Euh... oui. Je prends le portefeuille en cuir rouge. Vous acceptez les cartes bleues ?

VENDEUR

Bien sûr, monsieur. 40 euros, s'il vous plaît.

B. Observez le tableau suivant et complétez avec des exemples tirés du texte de l'activité A.

L'INTERROGATION

- **REGISTRE FAMILIER**
Intonation montante : sujet + verbe ↗
Ex. : *Vous acceptez les cartes bleues ?* ....

- **REGISTRE COURANT**
Est-ce que + sujet + verbe ↗
Ex. : *Est-ce qu'ils sont chers ?* ....

- **REGISTRE SOUTENU**
Inversion sujet-verbe : verbe + sujet ↗
Ex. : *Désirez-vous un article plus petit ?* ....

⚠ Quand le verbe finit par une voyelle et que le sujet commence par une voyelle, on ajoute un *-t-* :
Ex. : *Que préfère-t-elle ?*

C. Maintenant, retrouvez les formules utilisées par le vendeur et le client pour...

LE VENDEUR
- accueillir un client → ....

LE CLIENT
- s'informer sur un produit → ....

J'AIMERAIS... JE VOUDRAIS...

Pour **demander quelque chose de façon polie**, on utilise les formules *je voudrais* ou *j'aimerais*.
Ex. : *Je voudrais* un parfum frais. *J'aimerais* acheter un sac.

D. À deux, écrivez une nouvelle version de la scène. Ensuite, faites-la interpréter par d'autres camarades.

8. LES SOLDES EN QUIZ

A. Que savez-vous des soldes ? À deux, répondez à ce quiz.

---

1. Les soldes, c'est…

☐ quand on a une réduction

☐ quand on a des articles gratuits

☐ quand on se fait rembourser un article

2. En France, où achète-t-on le plus pendant les soldes ?

☐ Dans les petites boutiques de quartier

☐ Dans les grands magasins

☐ Dans les supermarchés

3. Quel est le jour où on achète le plus pendant cette période ?

☐ le mercredi

☐ le vendredi

☐ le samedi

4. Quels sont les deux mois traditionnels des soldes en France ?

☐ juillet

☐ décembre

☐ janvier

B. Lisez l'article et vérifiez vos réponses.

LES SOLDES EN FRANCE

Les soldes permettent aux commerçants de mieux vendre des produits à la fin d'une saison et aux acheteurs d'obtenir des prix réduits sur leurs achats. Il y a deux grandes périodes de soldes : les soldes d'hiver (en janvier) et les soldes d'été (en juillet). Ce sont les Grands Magasins qui ont le plus de succès pendant les soldes, même si les ventes sur Internet progressent. Le samedi reste le jour préféré des Français pour faire leurs achats pendant cette période.

C. Observez à nouveau le quiz. Quel valeur a le pronom *on* dans les questions 2 et 3 ? Complétez la règle.

LES VALEURS DU PRONOM *ON*

Le **pronom** *on* peut avoir deux valeurs différentes :

• Le **pronom** *on* = ….
Ex. : *Marie et moi,* **on** *est contentes.*

• Le **pronom** *on* = valeur générale (le sujet n'est pas précisé)
Ex. : *En France,* **on** *aime faire les soldes.*

D. Dans ces deux questions, *où* remplace un nom. Quels sont ces noms ? Quelle est leur valeur ?

LE PRONOM RELATIF *OÙ*

En France, les magasins **où** *on achète le plus pendant les soldes sont les grands magasins.*
→ **Où** remplace …., il exprime le **lieu**.
Quel est le jour **où** *on achète le plus pendant cette période ?*
→ **Où** remplace …., il exprime le **moment**.

L'INTERROGATION

EX. 1. Lisez les dialogues suivants et proposez une autre forme d'interrogation comme dans l'exemple.

Dans un magasin de vêtements…

● Claire, quelle robe est-ce que tu veux acheter finalement, la rouge ou la noire ?

● *Claire, quelle robe tu veux acheter, la rouge ou la noire ?*

Au marché aux puces…

● Et si j'achète deux paires de baskets, est-ce que vous faites un prix spécial ?

● ….

À la parfumerie…

● Voulez-vous un paquet-cadeau Madame ?

● ….

Chez le fleuriste…

● Très bien. Voulez-vous payer par carte ou en espèces ?

● ….

LES VALEURS DU PRONOM *ON*

EX. 2. Remplacez le sujet des phrases par le pronom *on*, comme dans l'exemple.

1. En Belgique, les gens achètent souvent des chocolats.
– *En Belgique,* **on** *achète souvent des chocolats.*

2. En Europe, les gens préfèrent attendre les soldes pour acheter des vêtements.

3. À Paris, pendant les ventes privées, les gens font des achats jusqu'à minuit.

4. Ma sœur et moi, nous préférons faire les courses sur Internet.

LE PRONOM RELATIF *OÙ*

EX. 3. Associez les éléments de chaque colonne pour faire des devinettes avec *où*, comme dans l'exemple. Puis, la classe répond en s'aidant des noms de pays ci-dessous. Ensuite, proposez vos propres devinettes.

● *C'est un pays où on peut manger un couscous.*

○ *Le Maroc.*

• manger	• une poupée matriochka
• porter	• à un carnaval
• voir	• *Ni Hao*, pour saluer
• acheter	• un sari
• dire	• des sumotoris
• participer	• un couscous

Chine   Russie   Brésil

Japon   Maroc   Inde

+ d'exercice : page 189 - 192

9. ÉQUIPÉS POUR L'ANNÉE

A. Sportotal est un site de vente de vêtements et d'accessoires de sport. Lisez le document et retrouvez les noms des parties du corps désignées sur les dessins.

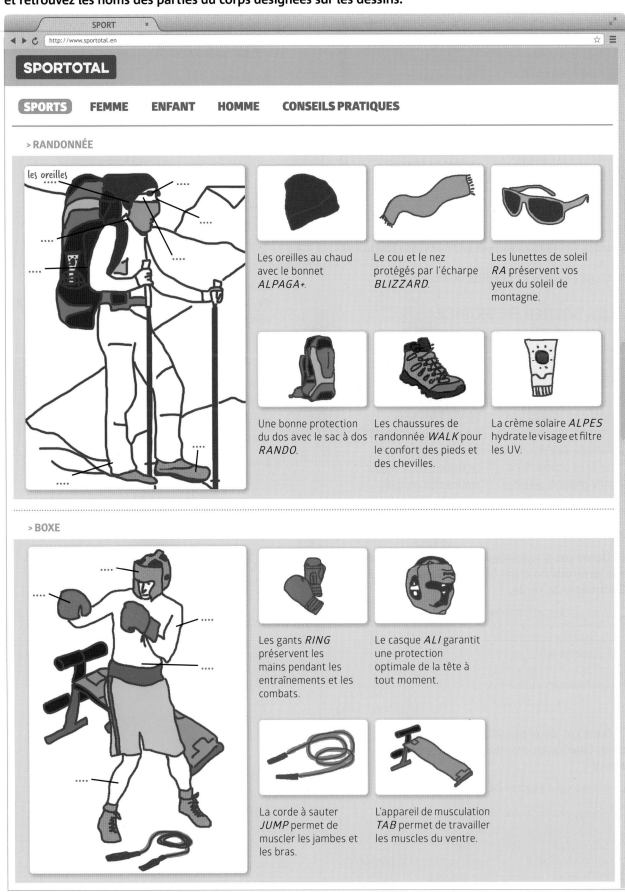

SPORTOTAL

SPORTS   FEMME   ENFANT   HOMME   CONSEILS PRATIQUES

http://www.sportotal.en

> RANDONNÉE

les oreilles

Les oreilles au chaud avec le bonnet *ALPAGA+*.

Le cou et le nez protégés par l'écharpe *BLIZZARD*.

Les lunettes de soleil *RA* préservent vos yeux du soleil de montagne.

Une bonne protection du dos avec le sac à dos *RANDO*.

Les chaussures de randonnée *WALK* pour le confort des pieds et des chevilles.

La crème solaire *ALPES* hydrate le visage et filtre les UV.

> BOXE

Les gants *RING* préservent les mains pendant les entraînements et les combats.

Le casque *ALI* garantit une protection optimale de la tête à tout moment.

La corde à sauter *JUMP* permet de muscler les jambes et les bras.

L'appareil de musculation *TAB* permet de travailler les muscles du ventre.

B. À présent, observez la page « Conseils pratiques » du site. À votre avis, qu'allez-vous trouver si vous cliquez sur ces rubriques ?

| Les conseils d'un coach | Des produits à vendre |

C. Observez les verbes surlignés, ils sont à l'impératif. Complétez le tableau suivant.

L'IMPÉRATIF

IMPÉRATIF AFFIRMATIF	IMPÉRATIF NÉGATIF
découvre découvrons	ne découvre pas .... ne découvrez pas
.... attendez	n'attends pas n' attendons pas ....
augmente augmentons	n'augmente pas ....
entraîne-toi entraînons-nous	ne t'entraîne pas ne nous entraînons pas ....
sois soyons	.... ne soyons pas ....

On utilise l'impératif pour **donner des conseils** ou pour **donner des ordres**.
À l'impératif, il n'y a pas de pronom sujet.
Le **-s** de la 2e personne du singulier des verbes en **-er** disparaît.

D. À votre tour, choisissez un sport ou une activité que vous connaissez bien et conseillez vos camarades.

Si tu veux être bon au tennis, entraîne-toi souvent et fais des étirements après chaque match.

EX. 1. Complétez cet échange entre un vendeur et une cliente en conjuguant les verbes à l'impératif.

Dans un grand magasin

CLIENTE : Bonjour, je voudrais acheter un cadeau pour mon mari.

VENDEUR : .... (venir) avec moi. .... (regarder) cette veste en cuir !

CLIENTE : Oui, elle est très belle, mais ce n'est pas ce que je cherche.

VENDEUR : Bon et pourquoi pas un parfum ? .... (sentir) *Terre de feu*, il est très frais !

CLIENTE : Oui, ça sent très bon. Ça coûte combien ?

VENDEUR : 55 euros.

CLIENTE : C'est parfait.

VENDEUR : ....-moi (suivre). Vous payez comment ?

CLIENTE : Par carte.

VENDEUR : D'accord. Voilà, ... (ne pas oublier) votre ticket !

CLIENTE : Ah oui ! Merci et bonne journée !

EX. 2. Observez ces conversations et complétez-les avec la phrase qui convient à la situation.

1. • Salut Benoît ! Alors, on mange où ce soir ?
   ○ J'ai envie de manger asiatique.
   ☐ • Allons manger des sushis alors !
   ☐ • Va manger des sushis alors !

2. • Tu peux me donner le mail de Manon ?
   ☐ ○ Non, je ne l'ai pas, mais demandez à Romain !
   ☐ ○ Non, je ne l'ai pas, mais demande à Romain !

3. • D'accord, je suis prêt. On se retrouve sur la place du Châtelet ?
   ☐ ○ Oui, à 20 h. Et n'oubliez pas les places de concert !
   ☐ ○ Oui, à 20 h. Et n'oublie pas les places de concert !

EX. 3. Vous lisez la rubrique « Besoin d'aide ? » du forum *À l'écoute*. Certaines personnes ont besoin de conseils. Aidez-les, comme dans l'exemple.

1. Nous sommes étudiants à Brest, nous venons d'arriver et nous ne connaissons personne. → *Inscrivez-vous sur un site pour sortir en ville et rencontrer de nouvelles personnes.*

2. Je cherche des cadeaux de Noël originaux et bon marché pour mes neveux (10–16 ans). → ....

3. Au secours ! J'ai trois mois pour organiser mon mariage ! Des idées ? → ....

4. Je voudrais partir vivre à l'étranger mais j'ai peur de l'inconnu. → ....

5. Au secours ! Ma belle-mère me déteste. Des conseils ? → ....

6. Je dois réviser pour un concours et j'ai du mal à me concentrer. Que faire ? → ....

+ d'exercice : page 189 - 192

LES VÊTEMENTS

1. Quelle est la tenue la plus appropriée pour... ?

| une robe | un maillot de bain | un T-shirt | une chemise |

| une veste | un pyjama | un short | des lunettes de soleil |

| des chaussures à talons | un pantalon | des baskets |

| un bonnet de bain | un survêtement | une cravate |

1. dormir : *un pyjama*
2. aller à la plage : ....
3. aller au travail : ....
4. faire du sport : ....
5. aller à la piscine : ....
6. aller à un mariage : ....

2. A. Adrien part faire du ski dans les Alpes. Aidez-le à faire sa valise. Que peut-il emporter ?

Pour aller au ski, il peut emporter...

- un maillot de bain
- des lunettes de soleil
- un jogging
- un gros pull
- un manteau
- une chemise
- une écharpe
- une cravate
- un chapeau
- des sandales
- un bonnet
- un costume

2. B. À votre tour, dites ce que vous emportez pour les occasions suivantes.

| un week-end à la campagne | un week-end à la mer |

| un week-end dans une grande ville |

LA MÉTÉO

3. Lisez puis associez les indications de la colonne de gauche aux suggestions de la colonne de droite, comme dans l'exemple.

1. Il fait beau !
2. Il pleut !
3. Il fait très froid !
4. Il fait très chaud !
5. Il neige !

A. Prends ton parapluie !
B. Mettez de la crème solaire !
C. Allons à la plage !
D. Allons skier !
E. Mettez vos manteaux !

4. Quelles sont les prévisions de Météo France pour aujourd'hui ?

1. À Bordeaux ....
2. À Toulouse ....
3. À Marseille ....
4. À Lyon ....
5. À Paris ....
6. À Rouen ....

LES COULEURS

5. Voici un quiz sur les couleurs. Essayez de répondre par écrit. Vérifiez vos réponses sur Internet si nécessaire.

1. Quelles sont les deux couleurs du drapeau de l'Union européenne ?
2. Citez une couleur qui est aussi une fleur.
3. Quelles sont les trois couleurs du drapeau français ?
4. Citez une couleur qui est aussi un fruit.
5. Quelle est la couleur traditionnelle de la robe de mariée en France ?
6. Quelles sont les deux couleurs nécessaires pour faire la couleur orange ?

6. Associez une couleur et un vêtement à chaque saison.

Le printemps : *la couleur verte et une jupe*
L'été : ....
L'automne : ....
L'hiver : ....

7. Mots mêlés : trouvez les 10 couleurs cachées !

N	F	O	G	O	R	A	N	G	E
O	L	V	I	O	L	E	T	I	V
I	M	R	J	U	E	R	H	O	E
R	K	G	R	I	S	D	A	B	R
R	U	E	D	O	T	F	I	L	T
Y	B	M	E	N	U	L	K	E	O
U	L	E	O	H	I	G	J	U	K
M	A	R	R	O	N	C	E	U	M
I	N	O	J	A	U	N	E	I	L
A	C	H	U	I	V	R	O	S	E

LES PARTIES DU CORPS ET LES VÊTEMENTS

8. Associez ces vêtements à la partie du corps qui convient.

| la tête | les jambes | les mains | les pieds | le cou |

1. Un pantalon
2. Des chaussures
3. Une écharpe
4. Des gants

9. Remettez les vêtements dans l'ordre, de la tête aux pieds.

| chaussures | bonnet | écharpe | pantalon | pull |

A. PHONÉTIQUE

DISTINGUER LES SONS [i], [y], [u]

 1. Écoutez ces énoncés. Vous entendez le son [i], [y] ou [u] ?

CD 2
PISTE 33

	[i] comme *chemise*	[y] comme *chaussure*	[u] comme *trousse*
1		X	
2			X
3	X		
4			
5			
6			

 2. Écoutez ces phrases. Dans quel ordre entendez-vous les sons [u] et [y] ? Et puis, dans quel ordre entendez-vous les sons [i] et [y] ?

CD 2
PISTE 34

A.

	[u] **et** [y] *Vous aimez cette jupe ?*	[y] **et** [u] *Des chaussures rouges*
1		X
2		
3		

B.

	[i] **et** [y] *La mini jupe*	[y] **et** [i] *Un pull gris*
1	X	
2		
3		

 3. Entraînez-vous et prononcez ces énoncés.

CD 2
PISTE 35

[y] / [u]

1. Vous voulez ces chaussures ?
2. Il porte toujours un costume.
3. Je voudrais un pull pour ma femme.
4. J'adore ce foulard et ces lunettes !

[y] / [i]

1. Moi, j'aime bien le costume gris.
2. C'est une jupe d'hiver.
3. Quel est le prix de ces chaussures ?
4. Il porte une chemise grise et des lunettes.

B. PROSODIE

DISTINGUER UN ORDRE D'UNE SUGGESTION À L'IMPÉRATIF

> **L'intonation injonctive**
> Une phrase conjuguée à l'impératif exprime un ordre ou une suggestion. Quand elle exprime un ordre, l'intonation descend distinctement ↘ .
> Quand elle exprime une suggestion, l'intonation monte légèrement ↗ .

 4. Écoutez les phrases suivantes et indiquez l'intonation de chaque phrase. Pour chaque phrase, écrivez O si elle exprime un ordre et S si elle exprime une suggestion.

CD 2
PISTE 36

	↗	↘	O / S
1. Achète la veste rouge.	X		
2. Venez avec moi !		X	
3. Lucas, mets ton bonnet !			
4. N'oublie pas ton écharpe.			

 5. Écoutez et répétez chaque phrase avec les deux intonations différentes (suggestion et ordre).

CD 2
PISTE 37

1. Prends des vêtements chauds.
2. N'oublie pas ton pull.
3. Mets ton écharpe.

C. PHONIE-GRAPHIE

PRONONCER [i], [y] **OU** [u]

 6. Écoutez et regroupez les mots suivants par son. Soulignez dans les mots les graphies qui se prononcent [i], [y] et [u].

CD 2
PISTE 38

chemise　pull　jean　foulard　tenue　pyjama　rouge

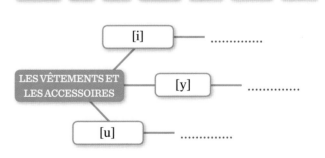

> **Prononcer** [i], [y] **et** [u]
> • Le son [u] s'écrit toujours ..... .
> • Le son [y] s'écrit toujours ..... .
> • Le son [i] s'écrit en général avec la lettre ..... , mais parfois avec ..... .

9 MOIS DE MA VIE 100 % MADE IN FRANCE

100 % made in France ! Les carottes sont françaises, le pain vient de la boulangerie d'à côté et la sauce mayonnaise est faite maison avec des œufs français !

UN CHANGEMENT RADICAL

Benjamin a commencé par retirer de son appartement tous les produits fabriqués à l'étranger. Il a dit adieu à sa télé, à son frigo, à son ordinateur… Vivre dans cet appartement presque vide a été très difficile pour sa copine. Il a fallu du temps à Benjamin pour trouver des produits entièrement fabriqués en France, aussi bien pour s'habiller que pour se nourrir car ils sont de plus en

UNE IDÉE FOLLE

Benjamin Carle, 25 ans, est né dans un monde globalisé et il a toujours consommé des produits du monde entier, sans même y penser. Un jour, ce journaliste a décidé de tenter une expérience inédite : consommer uniquement des produits français. Il raconte son expérience dans le documentaire *Made in France, l'année où j'ai vécu 100 % français.*

UN PRODUIT 100 % MADE IN FRANCE ?

Mais qu'est-ce qu'un produit français ? C'est difficile à définir car une marque française peut fabriquer ses produits à l'étranger, et inversement ; les apparences sont parfois trompeuses. Par exemple, Benjamin a pris l'habitude de manger des *Bánh mì* dans un restaurant du quartier de Belleville, à Paris. Ces sandwichs vietnamiens sont

plus rares dans les magasins et, en général, ils coûtent plus cher.

UNE EXPÉRIENCE SATISFAISANTE

Benjamin explique que l'expérience a été un peu difficile. Mais, dans l'ensemble, il est satisfait : « C'est l'occasion de consommer des produits de meilleure qualité. Et surtout, on fait plus qu'habiter dans un pays, on participe à son économie. » ‖‖‖‖‖‖‖‖‖‖‖‖‖

L'EXPÉRIENCE VOUS TENTE ? 10 CHOSES À ABANDONNER (OU PAS)

1. Le café
2. Le chocolat
3. La télévision
4. Les séries américaines
5. Votre smartphone
6. Votre ordinateur
7. Votre frigo
8. Votre voiture
9. Vos meubles Ikea
10. Une partie de vos vêtements

10. MADE IN FRANCE

A. Lisez le titre de l'article et regardez la photo. À votre avis, de quoi s'agit-il ?

B. Quelles marques ou produits français sont présents dans votre pays ?

C. Listez cinq produits que vous utilisez quotidiennement : où sont-ils fabriqués ?

11. UNE EXPÉRIENCE

A. Quelle information vous surprend le plus dans l'expérience de Benjamin ?

B. Seriez-vous prêt à tenter la même expérience que Benjamin ? Pourquoi ?

12. 10 CHOSES...

A. Lisez l'encadré « 10 choses à abandonner ». De quelles choses ne pourriez-vous pas vous passer ?

B. En groupes, faites une liste de produits ou d'habitudes à éliminer pour consommer de façon plus locale.

10 CHOSES À ABANDONNER POUR CONSOMMER PLUS LOCAL

1.	6. ....
2.	7. ....
3.	8. ....
4.	9. ....
5.	10. ....

+ DE RESSOURCES SUR
espacevirtuel.emdl.fr

▶ 0:13

Les clichés français
Les stéréotypes sur les Français

TÂCHES FINALES

TÂCHE 1   LE GRAND VIDE-DRESSING !

1. Pour le grand vide-dressing, chacun doit apporter un ou deux vêtements ou accessoires en classe. D'abord, remplissez une fiche explicative pour chaque article.

2. Formez deux groupes, le premier groupe est d'abord vendeur et le deuxième acheteur. Les vendeurs exposent leurs articles et répondent aux acheteurs à l'aide de leur fiche.
Une fois la vente terminée, on inverse les rôles et on dispose à nouveaux les vêtements pour la 2ᵉ vente.

3. Tirez au sort trois ou quatre personnes qui présentent leurs achats au reste du groupe et expliquent leurs choix.

- *Bonjour Mademoiselle, que désirez-vous ?*
- *Bonjour Monsieur, je voudrais ces chaussures ; combien elles coûtent, s'il vous plaît ?*
- *Elles coûtent 50 euros.*
- *C'est un peu cher ; vous pouvez me faire une petite réduction ?*
- *D'accord, je peux baisser le prix à 45 euros.*

Type de vêtement/accessoire : *chaussures*
Description du produit (couleur, particularité, etc.) : *chaussures en cuir, noires avec un poisson rouge dans le talon.*
Adapté à quelle saison ?
(printemps) / été / (automne) (hiver)
Prix : *50* euros
Taille : XS / S / M / L / XL / XXL
Pointure : 36 / 37 (38) 39 / 40…
Informations complémentaires : *années 70 / tendance disco / pour danser*

CONSEILS

- Vous pouvez apporter des vêtements originaux !
- Si vous le pouvez, essayez de négocier !
- Soyez convaincants dans les deux rôles !

TÂCHE 2   LE SUPER QUIZ (DE L'UNITÉ) !

1. La classe se divise en deux groupes. Chaque groupe prépare un questionnaire à choix multiples (QCM) de 10 questions sur cette unité. Les catégories du QCM sont les suivantes :

| des conseils à l'impératif | les vêtements | les couleurs | les parties du corps |

LE SUPER QUIZ

Pour lutter contre le froid, on met :
[ ] des chaussures, un chapeau et une robe.
[ ] un tee-shirt, un bonnet et un short.
[×] une écharpe, des gants et un pull.

LE SUPER QUIZ

Donne un conseil à un ami fatigué :
[ ] Fais du sport !
[×] Repose-toi !
[ ] Travaille plus !

CONSEILS

- Demandez à votre professeur de vous aider à corriger vos questions.
- Essayez de traiter le maximum de thèmes.
- Ne proposez pas des options trop faciles : c'est un concours !

2. C'est parti pour le quiz ! Le premier groupe pose sa question 1 et les autres devinent, puis le deuxième groupe pose sa question 1 et ainsi de suite jusqu'à la dernière question.

3. Chaque équipe dispose de deux jokers. Lorsqu'une équipe dit : « Joker ! », l'équipe adverse lui donne un indice pour l'orienter vers la solution. À chaque bonne réponse, le professeur attribue un point. Quel groupe est le gagnant du super quiz ?

8

BEC SUCRÉ, BEC SALÉ

DÉCOUVERTE	OBSERVATION ET ENTRAÎNEMENT	REGARDS CULTURELS	TÂCHES FINALES
pages 140-143	**pages 144-151**	**pages 152-153**	**page 154**

DÉCOUVERTE

pages 140-143

Premiers regards
- Découvrir des aliments et des plats français
- Parler des différents repas de la journée

Premiers textes
- Enrichir le lexique des aliments
- Lire des cartes de restaurant
- Créer sa propre recette
- Découvrir les étapes d'une commande au restaurant

OBSERVATION ET ENTRAÎNEMENT

pages 144-151

Grammaire
- Les articles partitifs
- Les pronoms COD
- L'obligation personnelle : *devoir* + impératif
- Le verbe *devoir* au présent
- Les adverbes de quantité
- L'obligation impersonnelle : *il faut* + infinitif
- Le futur proche : *aller* + infinitif

Lexique
- Les aliments et leurs catégories
- La commande au restaurant
- Les quantités

Phonétique
- Distinguer les trois voyelles nasales
- La graphie des voyelles nasales
- Les intonations expressives

REGARDS CULTURELS

pages 152-153

Les documents
- Les habitudes alimentaires des Français

La vidéo
- La Disco Soupe

0:13

À visionner sur :
espacevirtuel.emdl.fr

TÂCHES FINALES

page 154

Tâche 1
- Organiser une soirée à thème

Tâche 2
- Créer un menu original

 + DE RESSOURCES SUR
espacevirtuel.emdl.fr

— Des activités autocorrectives (grammaire/lexique/ culture/CE/CO)
— Un nuage de mots sur les aliments

1

5

2

6

3

4

7

"Cuisiner suppose une tête légère, un esprit généreux et un cœur large"

Paul Gauguin, peintre et sculpteur français

1. À TABLE !

A. Connaissez-vous ces produits ? Observez les photos et essayez de retrouver leur nom.

- une tartine beurrée
- une raclette
- un pain au chocolat
- un steak tartare
- une omelette
- un soufflé au fromage
- un sandwich au jambon
- une quiche aux poireaux
- des tomates farcies
- un fondant au chocolat

• Le n° 1, c'est la quiche aux poireaux.

B. Maintenant, associez les photos pour former des paires en fonction de leur ingrédient commun.

| de la viande | du chocolat | du fromage |

| du pain | des œufs | des tomates |

• Dans la quiche et l'omelette, il y a des œufs.

CD 2
PISTE 39
C. À présent, écoutez ces dialogues, puis retrouvez de quel repas il s'agit.

| le petit déjeuner | le déjeuner | le dîner |

| le goûter |

Dialogue 1 : ....

Dialogue 2 : ....

Dialogue 3 : ....

Dialogue 4 : ....

D. À quel moment de la journée consommez-vous ces produits ?

• Moi, je mange des œufs le matin, au petit déjeuner.

 Et vous ?
Vous êtes plutôt sucré ou salé au petit déjeuner ?

2. ENTRE MIDI ET DEUX...

A. Observez la carte de ce bar à salades. Associez les photos
aux salades du menu. Pouvez-vous retrouver à quelle catégorie ces produits appartiennent ?

les fruits	les légumes	les viandes	les poissons et les fruits de mer	les produits laitiers

BAR À SALADES · MILLE ET UNE SALADES

LES SALÉES

Salade du Sud-Ouest
Figues, magret de canard,
noix et salade verte · **9,5 €**

Salade bretonne
Crevettes, saumon,
artichaut et salade verte · **10 €**

Salade montagnarde
Lentilles, jambon,
crème fraîche · **8,5 €**

Salade grecque
Fromage de chèvre, tomates,
concombres et salade verte · **9 €**

LES SUCRÉES

Salade de fruits
Pommes, bananes, oranges · **4,5 €**

Salade exotique
Mangue, ananas, citron · **4,5 €**

Les suppléments · **2 €**
Chantilly
Chocolat
1 boule de glace

Composez votre salade salée (9 €) ou
sucrée (4 €) avec 3 ingrédients
de votre choix

B. Pour vous, quelle salade est la plus
appétissante ? Et la moins appétissante ?

• Moi, je préfère la salade du Sud-Ouest parce que
j'adore les figues.

 C. Théo et Vincent vont déjeuner aux
Mille et une salades. Ils commentent la
carte : de quelles salades parlent-ils ?

CD 2
PISTE 40

D. En petits groupes, créez votre propre salade.
Ensuite, affichez vos recettes dans la classe. De
toutes les propositions, quelle salade préférez-vous ?

NOTRE SALADE

Nom : Salade italienne

Ingrédients : Mozzarella,
tomates, basilic, olives
noires, huile d'olive

3. AU PETIT BOUCHON

A. Observez ces menus. Quel menu vous plaît le plus ?
À votre avis, dans quelle ville sommes-nous ?

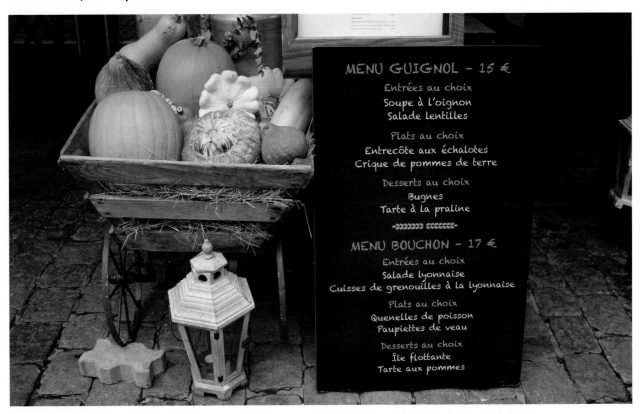

MENU GUIGNOL – 15 €

Entrées au choix
Soupe à l'oignon
Salade lentilles

Plats au choix
Entrecôte aux échalotes
Crique de pommes de terre

Desserts au choix
Bugnes
Tarte à la praline

·>>>>>> <<<<<<·

MENU BOUCHON – 17 €

Entrées au choix
Salade lyonnaise
Cuisses de grenouilles à la lyonnaise

Plats au choix
Quenelles de poisson
Paupiettes de veau

Desserts au choix
Île flottante
Tarte aux pommes

B. Kirsten et Élise dînent dans ce restaurant. Écoutez puis complétez le bon de commande du serveur.

CD 2 PISTE 41

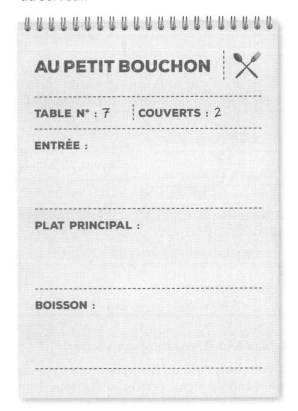

AU PETIT BOUCHON

TABLE N° : 7 | COUVERTS : 2

ENTRÉE :

PLAT PRINCIPAL :

BOISSON :

C. Les deux clientes passent maintenant commande pour le dessert. Écoutez-les et retrouvez leur choix. Quel est le menu de chacune ?

CD 2 PISTE 42

KIRSTEN → MENU ....

ÉLISE → MENU ....

4. RECETTE DE CHEF

A. Le site Super chef propose sa recette du jour : les œufs pochés. D'après vous, est-ce que cette recette est facile à faire ?

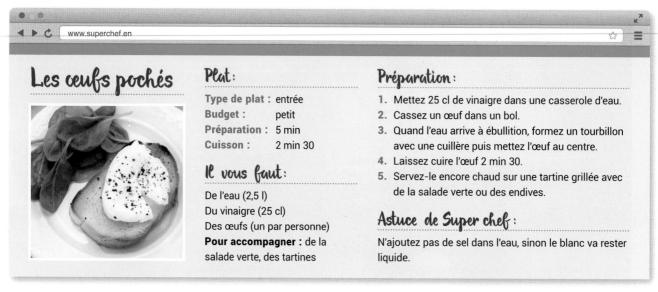

www.superchef.en

Les œufs pochés

Plat :

Type de plat : entrée
Budget : petit
Préparation : 5 min
Cuisson : 2 min 30

Il vous faut :

De l'eau (2,5 l)
Du vinaigre (25 cl)
Des œufs (un par personne)
Pour accompagner : de la salade verte, des tartines

Préparation :

1. Mettez 25 cl de vinaigre dans une casserole d'eau.
2. Cassez un œuf dans un bol.
3. Quand l'eau arrive à ébullition, formez un tourbillon avec une cuillère puis mettez l'œuf au centre.
4. Laissez cuire l'œuf 2 min 30.
5. Servez-le encore chaud sur une tartine grillée avec de la salade verte ou des endives.

Astuce de Super chef :

N'ajoutez pas de sel dans l'eau, sinon le blanc va rester liquide.

B. À présent, observez les déterminants utilisés dans la liste des ingrédients, puis complétez le tableau.

LES ARTICLES PARTITIFS

	MASCULIN	FÉMININ
SINGULIER	.... vinaigre	.... salade
	.... eau	
PLURIEL	.... œufs	

On utilise les **articles partitifs** pour désigner des quantités. Ils s'accordent en genre et en nombre avec le nom.

⚠ À la **forme négative**, l'article partitif devient **de/d'** :
*Ajoutez **du** sel.* → *N'ajoutez pas **de** sel.*
*Achète **de l'**huile.* → *N'achète pas **d'**huile.*

C. À deux, choisissez un des ingrédients suivants, puis cherchez une recette sur Internet et présentez-la à la classe.

du riz

des pommes de terre

des pâtes

du chocolat

5. CHAUD DEVANT !

A. Dites qui prononce ces phrases au restaurant : le serveur (S) ou le client (C) ? Ensuite, complétez les échanges avec les mots suivants.

plate ou gazeuse   le plat du jour   garniture

la carte des vins   cuisson   l'addition

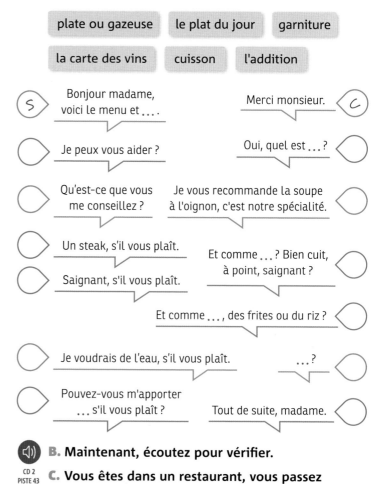

S — Bonjour madame, voici le menu et ....

C — Merci monsieur.

○ — Je peux vous aider ?

○ — Oui, quel est ... ?

○ — Qu'est-ce que vous me conseillez ?

○ — Je vous recommande la soupe à l'oignon, c'est notre spécialité.

○ — Un steak, s'il vous plaît.

○ — Et comme ... ? Bien cuit, à point, saignant ?

○ — Saignant, s'il vous plaît.

○ — Et comme ..., des frites ou du riz ?

○ — Je voudrais de l'eau, s'il vous plaît.

○ — ... ?

○ — Pouvez-vous m'apporter ... s'il vous plaît ?

○ — Tout de suite, madame.

🔊 **B.** Maintenant, écoutez pour vérifier.

CD 2
PISTE 43

C. Vous êtes dans un restaurant, vous passez commande. À deux, écrivez le dialogue entre le serveur et le client puis jouez-le.

6. DANS LES CUISINES DE...

A. Lisez l'interview de Hugo Prat, chef du restaurant *L'Épicurien*. Pouvez-vous définir sa cuisine ?

Hugo Prat a passé son enfance dans la cuisine de sa grand-mère. Aujourd'hui, ce grand chef, installé à Toulouse, nous a accueillis dans son restaurant trois étoiles...

Bonjour Hugo, prêt pour notre interview express ?
Oui, avec plaisir !

Quel est votre dessert préféré ?
La mousse au chocolat, sans hésitation ! Je **la** sers aux trois chocolats.

Votre source d'inspiration ?
Ma grand-mère Marguerite : elle m'a appris la cuisine et ses valeurs. J'aime la cuisine simple et familiale.

Votre odeur préférée ?
Les champignons : j'adore **les** cuisiner.

Votre ingrédient préféré ?
Hum... La vanille, je **l'**utilise pour préparer des desserts mais aussi dans des plats salés comme le poulet coco.

Quelle couleur représente le mieux votre cuisine ?
Le rouge... On dit que le rouge donne de l'appétit, non ?

Et, pour terminer, votre plat signature ?
Le cassoulet... de ma grand-mère... Encore elle ! (rires) C'est le plat typique de ma région et c'est aussi ma spécialité ! Mes clients **le** commandent très souvent. La prochaine fois que vous venez, goûtez-le !

Avec grand plaisir. Et merci à vous !

B. Maintenant, observez les articles surlignés dans l'interview et complétez le tableau.

LES PRONOMS COMPLÉMENTS D'OBJET DIRECT

Le **pronom complément d'objet direct (COD)** remplace un nom déjà introduit dans le discours. Il s'accorde en genre et en nombre avec le nom qu'il reprend.

	MASCULIN	FÉMININ
SINGULIER	Les clients commandent **le plat**. → Les clients .... commandent.	Je sers **la mousse** au chocolat. → Je .... sers.
	J'utilise **la vanille** pour les desserts. → Je .... utilise pour les desserts.	
PLURIEL	J'adore cuisiner **les champignons**. → J'adore .... cuisiner.	

C. À présent, complétez cette fiche sur la gastronomie de votre pays. Ensuite, comparez vos fiches en groupes.

Mon pays/ma région/ma ville : *le Mexique*
Un aliment insolite : *les insectes*
Un aliment emblématique : *le maïs*
Un plat typique : *le mole*

LES ARTICLES PARTITIFS

EX. 1. Retrouvez les noms des ingrédients puis complétez le texte avec les partitifs.

| café (m.s.) | confiture (f.s.) | jus d'orange (m.s.) |

| pain (m.s.) | œufs (m.p.) |

Tous les matins, en semaine, je bois .. *du café* .. au lait, je mange .... avec .... : les tartines sucrées, c'est ce que je préfère ! Mais le dimanche, je fais souvent un brunch. Je prends .... en omelette et je bois aussi .... pressé, pour les vitamines.

EX. 2. Complétez le texte avec les articles partitifs qui conviennent.

La famille Rolland

JOUR APRÈS JOUR

À la maison, on boit toujours .. *de l'* .. eau pendant les repas, on ne boit jamais de soda. On aime les repas traditionnels et complets. En général, on mange une entrée, un plat et un dessert à chaque repas. Parfois, on mange même .... fromage avant le dessert, avec .... pain. Pour le goûter, les enfants aiment manger .... pain avec .... chocolat. L'hiver, on consomme généralement .... soupe en entrée, mais l'été on mange .... salades, c'est plus frais.

LES PRONOMS COMPLÉMENTS D'OBJET DIRECT
EX. 3. Complétez le texte avec le pronom COD qui convient.

Mon fils aime beaucoup le chocolat. Il .... mange sous toutes ses formes : gâteaux, boisson... Il aime aussi les fruits, il .... aime en salade. Mais son dessert préféré, c'est la glace et vous savez quoi ? Il .... choisit toujours au chocolat !

EX. 4. Retrouvez ces mets qu'on consomme en France, puis complétez les phrases avec des pronoms COD.

| la tarte tatin | les crêpes | les croissants | le cassoulet |

1. *Le cassoulet* : on .... consomme dans le Sud-Ouest de la France, c'est un plat copieux à base de canard.
2. .... : dans d'autres pays, on .... appelle *pancakes* ou *blinis* ; en France, elles sont très fines.
3. .... : on .... retrouve dans beaucoup de restaurants ; c'est un dessert très demandé, souvent accompagné d'une boule de glace.
4. .... : on .... mange au petit déjeuner ou au goûter. On .... déguste nature ou au beurre.

+ d'exercices : pages 193-196

7. UNE ASSIETTE ÉQUILIBRÉE

A. Lisez le document. Quel est l'objectif de ces recommandations ?

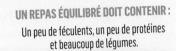

réduire son cholestérol | manger sainement

prendre du poids | perdre du poids

BIEN MANGER, C'EST SE FAIRE PLAISIR, MAIS IL FAUT AUSSI RESPECTER CERTAINES RÈGLES
Voici quelques recommandations pour une alimentation équilibrée

CHAQUE JOUR, VOUS DEVEZ CONSOMMER :

5 portions de fruits et de légumes

3 portions de féculents

3 produits laitiers

1 à 2 portions de protéines (viande, poisson...)

UN REPAS ÉQUILIBRÉ DOIT CONTENIR :
Un peu de féculents, un peu de protéines et beaucoup de légumes.

ENTRE LES REPAS, PRIVILÉGIEZ :
Les produits laitiers

Les fruits

Hydratez-vous à chaque repas et tout au long de la journée.

Sources : recommandations PNNS et OMS (Organisation Mondiale de la Santé).

B. Maintenant, complétez le tableau suivant.

L'OBLIGATION PERSONNELLE

Pour **conseiller** ou **donner un ordre** quand on s'adresse directement à quelqu'un, on utilise :
- **l'impératif**   Ex. : _...., à chaque repas._
- **le verbe _devoir_**   Ex. : _Vous .... consommer des légumes._

LE VERBE _DEVOIR_ AU PRÉSENT

je	doi-**s**
tu	doi-**s**
il / elle / on	.... - ....
nous	dev-**ons**
vous	.... - ....
ils / elles	doiv-**ent**

C. Vous connaissez à présent les recommandations de l'OMS. Que devez-vous faire pour mieux manger ?

- _Je pense que je dois manger plus de légumes._

8. UNE VIE SAINE ET ZEN

A. Lisez la rubrique _Conseils_ du magazine _Ma santé_. Appliquez-vous ces conseils ?

Ma santé   CONSEILS

CONSEILS POUR UNE VIE SAINE ET ZEN

Si vous n'avez pas le temps de pratiquer une activité sportive régulière, faites **un peu d'**exercice chaque jour : évitez les ascenseurs, privilégiez la marche ou le vélo.

Trop de stress est mauvais pour la santé, alors, détendez-vous et prenez quelques pauses de 5 à 10 minutes dans la journée !

Après le travail, si vous avez **assez de** temps, sortez entre amis et amusez-vous ! N'oubliez pas qu'une minute de rire = 45 minutes de relaxation !

Choisissez bien vos aliments et privilégiez les fruits avec **beaucoup de** vitamines.

B. Maintenant, observez les mots surlignés : quels adverbes sont utilisés dans ces conseils ? Complétez la frise.

LES ADVERBES DE QUANTITÉ

....	**_assez de/d'_** + nom	....	**_trop de/d'_** + nom

C. En groupes, choisissez un des objectifs suivants et rédigez des recommandations pour y parvenir. Ensuite, partagez vos recommandations avec la classe.

manger équilibré | être moins stressé

bien dormir | être en forme

- _Pour bien dormir, vous devez vous coucher tôt._

9. ÉLIXIR DE BONHEUR !

A. Lisez ce document. De quoi s'agit-il ?

Le bonheur :

INGRÉDIENTS :
- Des amis
- De la passion
- De l'amour
- De la folie

PRÉPARATION :
1. Pour commencer, il faut s'entourer de bons amis.
2. Ensuite, il faut ajouter de l'amour.
3. Après, il faut incorporer de la passion et bien agiter.
4. Enfin, il faut servir le tout avec un peu de folie pour pimenter la vie !

B. Et vous, quelle est votre recette pour vivre heureux ?

• Pour vivre heureux, il faut...

L'OBLIGATION IMPERSONNELLE

Pour **conseiller ou donner un ordre** de manière impersonnelle, généralement, on utilise :
• *il faut* + infinitif   Ex. : ..., s'entourer de bons amis.

C. En petits groupes, sur le modèle de la recette du bonheur, créez une recette pour un des thèmes suivants. Ensuite, présentez-la à la classe.

• vivre cent ans
• rester jeune
• être heureux au travail
• rester zen

• Pour vivre 100 ans, il faut faire un peu de sport...

LE VERBE *DEVOIR* AU PRÉSENT

EX. 1. Lisez les situations suivantes puis, formulez des conseils en utilisant le verbe *devoir* au présent.

1. Tu manges trop de graisses et de sucre : Tu dois varier ton alimentation.
2. Il est toujours en retard : ....
3. Ils sont toujours fatigués : ....
4. Il n'a jamais le temps de cuisiner : ....
5. Vous voulez perdre du poids : ....
6. Elles sont très stressées : ....

LES ADVERBES DE QUANTITÉ

EX. 2. Complétez ces phrases avec l'adverbe de quantité qui convient.

| assez de | trop d' | un peu de | trop de | beaucoup de |

1. .... alcool est dangereux pour la santé !
2. Je n'ai pas .... farine pour préparer le gâteau, il faut faire les courses.
3. Il faut .... fruits pour faire une bonne confiture.
4. Dans la pâte à crêpes, il faut .... sel.
5. Mon plat n'est pas bon : j'ai mis .... sel !

EX. 3. Complétez les phrases à l'aide de l'adverbe de quantité qui convient.

| peu de | trop de | assez de | beaucoup de |

1. Il boit .... café, il préfère le thé.
2. Nous mangeons .... légumes parce que c'est bon pour la santé.
3. Il y a .... œufs pour faire ce gâteau, c'est parfait !
4. Elle mange .... sucres, elle est très gourmande.

L'OBLIGATION PERSONNELLE ET IMPERSONNELLE

EX. 4. A. Rédigez vos recommandations à partir des verbes suivants.

| dormir | faire du sport | manger | boire |

Il faut dormir 8 heures par nuit.

EX. 4. B. Maintenant, donnez quatre conseils à un ou une ami(e) et développez, comme dans l'exemple.

Dormir :
Tu dois dormir 8 heures par nuit. Ne regarde pas la télé avant d'aller te coucher...

+ d'exercices : pages 193-196

10. ASTUCES DE CUISINE

A. Lisez *L'astuce du jour*. Pouvez-vous proposer une autre astuce de cuisine ?

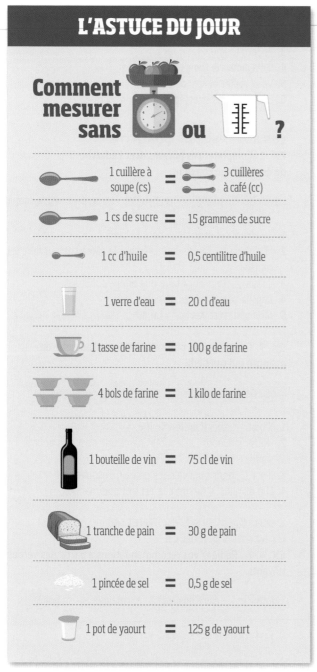

L'ASTUCE DU JOUR

Comment mesurer sans [balance] ou [verre doseur] ?

🥄	1 cuillère à soupe (cs)	=	3 cuillères à café (cc)
🥄	1 cs de sucre	=	15 grammes de sucre
🥄	1 cc d'huile	=	0,5 centilitre d'huile
🥛	1 verre d'eau	=	20 cl d'eau
☕	1 tasse de farine	=	100 g de farine
🥣	4 bols de farine	=	1 kilo de farine
🍾	1 bouteille de vin	=	75 cl de vin
🍞	1 tranche de pain	=	30 g de pain
	1 pincée de sel	=	0,5 g de sel
	1 pot de yaourt	=	125 g de yaourt

B. Vous organisez un pique-nique à la plage avec des amis. À deux, faites votre liste de courses et déterminez les quantités nécessaires pour 6 personnes.

> **Pour la salade :** 500 gr de tomates, ...
>
> **Pour les sandwichs :** 3 baguettes, 4 boîtes de thon, ...
>
> **Pour les boissons :** trois bouteilles de coca, ...
>
> **Autres :** 1 paquet de biscuits, ...

11. SOIRÉE À THÈME

A. Lisez ces messages. Pourquoi Céline écrit-elle à ses amis ?

> **Céline**
> Salut les amis, on se voit ce week-end ? Ça vous dit une soirée bretonne ? 16:59 ✓✓

> **Agnès**
> Salut ! Bonne idée !
> On s'organise comment ? 17:01 ✓✓

> **Céline**
> Moi, je vais acheter les ingrédients pour les crêpes salées : du saumon, de la crème, des œufs... 17:03 ✓✓

> **Laurent**
> Moi, je m'occupe des crêpes sucrées. Anne, on va acheter le chocolat, le caramel et le beurre salé cet après-midi ? 17:09 ✓✓

> **Anne**
> Ok !! Au fait, Yann et Gaël vont venir, ils sont libres finalement. Ils peuvent peut-être s'occuper de la musique ? 17:44 ✓✓

B. À présent, observez les formes verbales surlignées dans les messages, puis complétez le tableau.

LE FUTUR PROCHE

Pour **exprimer des intentions et des actions futures**, on utilise : le verbe **aller** (au présent) + **infinitif**.

je	....	
tu	**vas**	
il / elle / on	....	mang**er** des crêpes
nous	**allons**	
vous	**allez**	
ils / elles	....	

C. Comme Céline, vous décidez d'organiser une soirée à thème avec vos amis le week-end prochain. Écrivez-leur un mail pour proposer la soirée et l'organiser.

12. LA CUISINE DE NOS VILLES

A. Observez cette carte de France de la gastronomie. Connaissez-vous certains de ces plats ?

Les galettes

La quiche lorraine

Strasbourg (Nord-Est)

Rennes (Nord-Ouest)

Toulouse (Sud-Ouest)

Lyon (Sud-Est)

Le foie gras

Les quenelles

B. Essayez de retrouver la région d'origine des plats suivants. Puis, faites des recherches sur ces régions et leur gastronomie pour vérifier vos hypothèses.

les crêpes   le cassoulet   la choucroute

la tarte à la praline

Le Nord-Est : la quiche lorraine et ....
Le Nord-Ouest : les galettes et ....
Le Sud-Est : les quenelles et ....
Le Sud-Ouest : le foie gras et ....

C. Quel est le plat que vous aimeriez goûter ?

D. En groupes, présentez quelques spécialités d'une des régions de votre pays.

• L'ajiaco est un plat colombien, c'est une soupe avec du poulet...

LES QUANTITÉS

CD 2 PISTE 44

EX. 1. Sophie donne sa recette du gâteau au chocolat. Écoutez-la et associez les proportions aux ingrédients.

sucre   œufs   chocolat noir   sucre vanillé   farine   beurre

• 4 .œufs.
• Un sachet de ....
• 200 grammes de ....
• 100 grammes de ....
• 150 grammes de ....
• 100 grammes de ....

EX. 2. Complétez cette liste de courses avec les quantités suivantes.

paquet(s)   tablette(s)   grammes   litre(s)   boîte(s)   kilo(s)

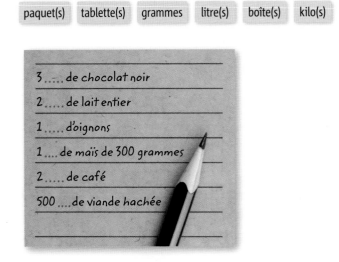

3 .... de chocolat noir
2 .... de lait entier
1 .... d'oignons
1 .... de maïs de 300 grammes
2 .... de café
500 .... de viande hachée

LE FUTUR PROCHE

EX. 3. Transformez les phrases suivantes au futur proche.

1. Cathy part au Chili cette année ?
2. Tu vas au concert samedi soir ?
3. Vous mangez à quelle heure ce soir ?
4. Tu achètes de la viande ou du poisson ?
5. Lise cuisine pour toute la famille ce week-end.

EX. 4. Présent ou futur proche ? Complétez avec la forme qui convient.

1. Nous (faire) .... les courses tous les samedis.
2. Demain, je (préparer) .... le gâteau d'anniversaire de Léo.
3. Tous les dimanches, Marc et Élodie (prendre) .... le temps de cuisiner.
4. À la maison, on (manger) .... du poisson deux fois par semaine.
5. J'ai préparé un plat exotique pour ce soir : vous (adorer) .... !

+ d'exercices : pages 193-196

LES ALIMENTS

1. Retrouvez l'intrus dans chacune des listes suivantes, comme dans l'exemple.

1. gâteau / tarte / mousse au chocolat / ~~saumon~~
2. vin / œuf / jus d'orange / café
3. vanille / curry / sel / poulet
4. crevette / pomme / saumon / poisson
5. lentilles / pomme de terre / ananas / riz

2. Sucré ou salé ? À deux, classez les aliments suivants en fonction de leur goût, sucré ou salé.

| artichauts | figues | fromage | chocolat | banane |

| poisson | canard | concombre | caramel | chantilly |

| fraises | frites | petit pois | moules |

Sucré : ....
Salé : ....

3. Retrouvez le nom des aliments puis classez-les dans la carte mentale suivante.

......
......
......
......
......
......
......
......

....

Viandes   Légumes

LES ALIMENTS

Produits de la mer   Fruits

....

4. Créez un menu complet pour une des situations suivantes.

| un repas de fête | un repas diététique |

| un anniversaire pour enfants | un repas végétarien |

LA COMMANDE AU RESTAURANT

5. Reconstituez le menu de ce restaurant.

| île flottante | cassoulet | entrecôte |

| soupe à l'oignon | salade du Sud-Ouest | salade de fruits |

FORMULE MIDI À 15€

Entrée :   .....   ou   .....

Plat principal :   .....   ou   .....

Dessert :   .....   ou   .....

PISTE 45

6. Essayez de compléter le dialogue suivant, puis vérifiez avec l'enregistrement.

- • Bonjour, vous .... ?
- ○ Bonjour monsieur, moi, je vais prendre une omelette aux champignons, s'il vous plaît.
- • Et comme .... ?
- ○ De la glace au chocolat.
- • Et pour vous, madame ?
- ○ Moi, je prends le .... à 12 euros avec comme ...., la salade et comme ...., le saumon.
- • Avec du riz ou des légumes ?
- ○ Des légumes, s'il vous plaît. Et de la glace à la fraise comme .... .
- • Et comme .... ? De l'eau, du vin ?
- ○ De l'eau.
- • .... ou .... ?
- ○ Plate.
- • C'est noté. Je vous apporte ça tout de suite.

LES QUANTITÉS

7. Associez les unités de mesure suivantes avec les ingrédients de la liste de courses.

| grammes | boîtes | litre | sachets | centilitres | bouteilles |

LISTE DE COURSES :
- 1 .... de lait   - 500 .... de riz
- 2 .... de sucre vanillé   - 3 .... de petits pois
- 4 .... d'eau   - 50 .... de crème

A. PHONÉTIQUE

DISTINGUER LES TROIS VOYELLES NASALES

CD 2 PISTE 46

1. Écoutez ces mots. Vous entendez une voyelle orale ou une voyelle nasale ?

	1	2	3	4	5	6
ORALE	X					
NASALE		X				

CD 2 PISTE 47

2. À présent, écoutez et dites si vous entendez [ɛ̃] comme *pain*, [ɑ̃] comme *orange* ou [ɔ̃] comme *citron*.

	[ɛ̃] comme *pain*	[ɑ̃] comme *orange*	[ɔ̃] comme *citron*
1		X	
2			
3			
4			
5			
6			

CD 2 PISTE 48

3. Écoutez et dites dans quel ordre vous entendez les mots.

	[ɛ̃]		[ɑ̃]		[ɔ̃]	
1	pain	1	blanc	3	bon	2
2	vin		vent		font	
3	sain		sans		sont	
4	train		temps		thon	
5	lin		lent		long	
6	grain		grand		rond	

CD 2 PISTE 49

4. À présent, dites dans quel ordre vous entendez les sons dans les phrases.

A. [ɛ̃], [ɑ̃]

		[ɛ̃]	[ɑ̃]
1	Saignante ou à point ?	2	1
2	Un verre de vin blanc.		
3	Tu manges trop de pain.		

B. [ɑ̃], [ɔ̃]

		[ɑ̃]	[ɔ̃]
1	Tu prends du jambon ?	1	2
2	Il est appétissant ce poisson.		
3	Il est très bon ce restaurant.		

CD 2 PISTE 50

5. Entraînez-vous. Écoutez et prononcez ces énoncés.

1. Mmmm, miam miam, c'est bon !
2. Mmmm, il est bon ce jambon !
3. Le matin, je prends du pain.
4. Le poisson, c'est bon avec du vin blanc.
5. Le citron, c'est excellent et c'est très sain.

B. PHONIE-GRAPHIE

LA GRAPHIE DES VOYELLES NASALES

CD 2 PISTE 51

6. Écoutez et regroupez les mots suivants par son. Soulignez dans chaque mot les graphies qui se prononcent [ɛ̃], [ɑ̃] ou [ɔ̃].

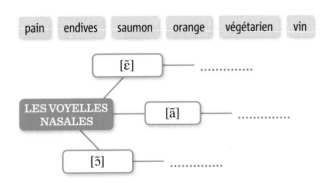

pain · endives · saumon · orange · végétarien · vin

LES VOYELLES NASALES — [ɛ̃] .... — [ɑ̃] .... — [ɔ̃] ....

C. PROSODIE

LES INTONATIONS EXPRESSIVES

CD 2 PISTE 52

7. Écoutez ces phrases prononcées deux fois et dites quelle intonation est la plus expressive.

		INTONATION NEUTRE	INTONATION EXPRESSIVE
1	C'est bon, le cassoulet.	2	1
2	La mousse au chocolat, j'adore ça.		
3	Je déteste les endives.		

Pour exprimer ses goûts, on peut :
- allonger la voyelle d'un mot : *C'est booooooooon !*
- séparer les syllabes : *J'a-dore-ça !*
- faire un accent d'insistance en début de mot : *Je **dé**teste !*

CD 2 PISTE 53

8. À présent, écoutez et interprétez ces dialogues.

1. • Tu connais cette pâtisserie ?
   ○ Oh oui ! J'adore leurs tartes au citron !
2. • Quel est ton dessert préféré ?
   ○ La mousse au chocolat. J'adore.
3. • Tu aimes le foie gras ?
   ○ Le foie gras ? Je n'aime pas : j'adore !

LES HABITUDES ALIMENTAIRES DES FRANÇAIS

Aller au marché, choisir ses produits, cuisiner, passer du temps à table et déguster de bons petits plats en famille ou entre amis... Tout cela est caractéristique de la culture française du repas.

La gastronomie française est classée au patrimoine mondial de l'Unesco depuis 2010.

Mais que se passe-t-il vraiment dans les cuisines des Français ? Que trouve-t-on dans leurs assiettes ? Et surtout, qu'aiment-ils manger ?

Voici une enquête qui révèle leurs habitudes alimentaires...

LE PETIT DÉJEUNER

83 % des Français prennent le petit déjeuner tous les matins.

BOISSON CHAUDE CONSOMMÉE AU PETIT DÉJEUNER

1

Le café

52 %

2

le thé

25 %

3

le chocolat

14 %

LES PLATS PRÉFÉRÉS DES FRANÇAIS

PLAT PRINCIPAL

1
le poulet rôti

20,3 %

2
le magret de canard

20,2 %

3
les fruits de mer

19,9 %

SOURCE : **Sondage BVA, 2015**

DESSERT

1
le fondant au chocolat

24 %

2
la mousse au chocolat

23 %

3
les crêpes

23 %

SOURCE : **TNS SOFRES, 2011**

LES PRÉFÉRENCES CULINAIRES

Les Français préfèrent…

CONSOMMER…

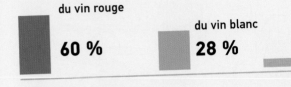

du vin rouge
60 %

du vin blanc
28 %

NSPP*

CONSOMMER…

du vin
67 %

de la bière
23 %

NSPP

CUISINER…

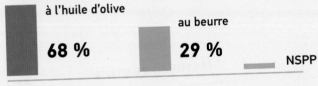

à l'huile d'olive
68 %

au beurre
29 %

NSPP

SOURCE : Sondage BVA, 2015

LA CUISINE

68 % des Français aiment cuisiner.

Qui aime cuisiner ?

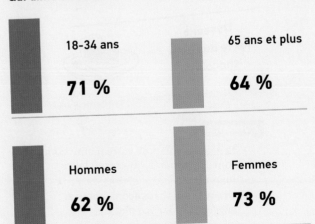

18-34 ans
71 %

65 ans et plus
64 %

Hommes
62 %

Femmes
73 %

SOURCE : Sondage BVA, 2015

NSPP : *Ne se prononce pas

13. QUEL DÉLICE !

A. Quelle image vous faites-vous de la cuisine française ?

B. Observez les plats préférés des Français. Quels plats avez-vous déjà goûté ? Quels sont ceux que vous aimez, ceux que vous n'aimez pas ?

14. HABITUDES

Observez les habitudes alimentaires des Français. Notez-vous des points communs avec votre pays ?

15. À TABLE !

Réalisez le classement des plats préférés de la classe. Pour cela, formez trois groupes (entrée, plat, dessert) et réalisez l'enquête dans la classe. Ensuite, présentez votre classement à la classe.

BEC SUCRÉ OU BEC SALÉ ?

Les Français sont plutôt…

salé
53 %

sucré
43 %

NSPP*

SOURCE : Sondage BVA, 2015

NSPP : *Ne se prononce pas

+ DE RESSOURCES SUR
espacevirtuel.emdl.fr

La Disco Soupe
Une manière de lutter contre le gaspillage alimentaire

TÂCHE 1 → LA SOIRÉE À THÈME

1. En groupes, vous allez organiser une soirée à thème. Choisissez le thème de votre soirée et faites la liste de tout ce qu'il vous faut.

2. Maintenant, vous allez vous répartir les tâches.

- Alors, qui fait quoi ?
- Moi, je vais acheter les boissons, d'accord ?
- Et nous, on va faire les courses pour le buffet. Qui s'occupe de l'animation ?

3. Présentez votre soirée à la classe. Expliquez votre concept, comment ça va se passer et ce que vous allez faire pendant cette soirée.

Vous allez découvrir le bar Coco Lolo, puis vous allez goûter à la cuisine des îles et danser au rythme de la musique antillaise !

SOUS LES COCOTIERS

SAMEDI 12 JUIN, À PARTIR DE 21H, VOUS ALLEZ VOYAGER AUX ANTILLES

CONSEILS

- Pensez aux « ingrédients » indispensables pour réussir votre soirée !
- Donnez envie en utilisant des phrases courtes et percutantes !
- Ajoutez quelques dessins, photos ou slogans et mettez de la couleur à votre présentation !

TÂCHE 2 → UN DÎNER COLORÉ

1. Vous allez composer un menu original pour un dîner. En petits groupes, choisissez une couleur et faites la liste des aliments de cette couleur.

> **COULEUR : marron**
> Champignons, dinde, châtaignes, chocolat, noix...

2. À partir de cette liste, imaginez un menu complet. Chaque membre du groupe doit avoir une copie du menu. Attention, une fois à table, vous devrez expliquer les plats aux autres !

3. En salle ! À présent, installez-vous et faites en sorte qu'il y ait au moins un représentant de chaque groupe par table. Choisissez le menu qui vous intéresse : pour cela, demandez les ingrédients des plats à la personne qui les a créés. Quel menu a remporté le plus de succès ?

MENU FORESTIER

Entrée
Soupe d'automne aux champignons

Plat Principal
Dinde aux châtaignes

Dessert
Tarte aux deux chocolats

CONSEILS

- Pensez aux plats de votre menu : comment sont-ils préparés, quels sont leurs ingrédients ?
- Trouvez des titres accrocheurs et suggestifs pour vos plats.
- Ajoutez des photos ou des dessins à votre menu pour le rendre plus appétissant.

DELF

LE DELF

Le Diplôme d'Études en Langue Française (DELF) est un diplôme délivré par le Centre International d'Études Pédagogiques (CIEP), établissement public du ministère de l'Éducation nationale français.
Le diplôme est valable à vie ; il est reconnu dans plus de 170 pays.

LE NIVEAU A1

Le niveau A1 correspond à 80 à 100 heures d'apprentissage.
Le candidat de niveau A1 est capable de :
- comprendre et utiliser des expressions familières simples sur des activités de la vie quotidienne.
- comprendre et utiliser des expressions familières simples pour satisfaire des besoins concrets (acheter quelque chose, demander des informations simples).
- se présenter ou présenter quelqu'un, poser des questions à une personne (identité, famille, lieu d'habitation, activités) et répondre à ces mêmes questions.

CONSEILS GÉNÉRAUX

- Avant l'examen, pratiquez les différentes épreuves.
- Vérifiez la durée des épreuves et gérez bien votre temps.
- Pour chaque exercice, prenez le temps de bien lire les consignes.
- N'en faites pas trop ! Il vaut mieux donner une réponse courte mais correcte.

LES ÉPREUVES

NATURE DES ÉPREUVES	DURÉE	NOTE SUR
COMPRÉHENSION DE L'ORAL (CO) Réponse à des questionnaires portant sur trois ou quatre courts documents enregistrés ayant trait à des situations de la vie quotidienne (2 écoutes). Durée maximale des documents : 3 min.	20 min. environ	25
COMPRÉHENSION DES ÉCRITS (CE) Réponse à des questionnaires de compréhension portant sur quatre ou cinq documents écrits relatifs à des situations de la vie quotidienne.	30 min.	25
PRODUCTION ÉCRITE (PE) Épreuve en deux parties : · Compléter un formulaire, une fiche, etc. · Rédiger des phrases simples (cartes postales, légendes, etc.) sur des sujets de la vie quotidienne.	30 min.	25
PRODUCTION ORALE (PO) Épreuve en trois parties : · entretien dirigé. · échange d'informations. · dialogue simulé.	5 à 7 min. (préparation : 10 min)	25
Seuil de réussite pour obtenir le diplôme : 50/100 Note minimale requise (pour chaque épreuve) : 5/25	Durée totale des épreuves : 1 h 20	Note totale : 100

EXERCICE 1 / ANNONCE À LA RADIO

CD 2 PISTE 54

Vous allez entendre 2 fois un document. Il y a 30 secondes de pause entre les 2 écoutes, puis vous avez 30 secondes pour vérifier vos réponses. Lisez d'abord les questions.

▶ Vous entendez cette publicité à la radio.

1. L'événement annoncé est...

☐ un salon d'art contemporain.
☐ un festival de jazz.
☐ une compétition sportive.

2. Quand commence l'évènement ?

....

3. L'événement a lieu...

☐ au Louvre.
☐ au Grand Palais.
☐ au jardin des Tuileries.

4. Quel pays est invité ?

☐ Le Japon.

☐ La Chine.

☐ La Thaïlande.

5. Pour réserver, il faut téléphoner au...

0 800 41 51 ....

EXERCICE 2 / DIALOGUE EN SITUATION

CD 2 PISTE 55

Vous allez entendre 2 fois un document. Il y a 30 secondes de pause entre les 2 écoutes, puis vous avez 30 secondes pour vérifier vos réponses. Lisez d'abord les questions.

▶ Vous entendez cette conversation.

1. Quelle activité propose Agathe ?

☐ un cours de dessin.
☐ un cours de cuisine.
☐ un cours de yoga.

2. Quel jour a lieu le cours ?

....

3. À quelle heure commence le cours ?

☐   ☐   ☐

4. Que doit faire Fanette ?

....

EXERCICE 3 / ANNONCE VOCALE

CD 2 PISTE 56

Vous allez entendre 2 fois un document. Il y a 30 secondes de pause entre les 2 écoutes, puis vous avez 30 secondes pour vérifier vos réponses. Lisez d'abord les questions.

▶ Vous entendez cette annonce à l'aéroport.

1. Quel est le numéro du vol ?

☐ AF8332
☐ AR6032
☐ AF6332

2. À quelle heure part l'avion ?

....

3. Où doivent se présenter les passagers ?

....

4. Quel document doivent présenter les passagers ?

☐ La carte d'identité.
☐ La carte d'embarquement.
☐ Le passeport.

CONSEILS

- Avant l'écoute, lisez attentivement les questions. Cela vous aidera à vous concentrer sur les informations importantes.

CONSEILS

- Pour chaque question, vous ne devez cocher qu'une seule case.

EXERCICE 4 / ASSOCIATION DIALOGUE-IMAGE

CD 2
PISTE 57

Vous allez entendre 2 fois 5 courts dialogues correspondant à 5 situations différentes. Il y a 15 secondes de pause après chaque dialogue. Notez, sous chaque image, le numéro du dialogue qui correspond. Regardez les images.

A. Dialogue nº : ....

B. Dialogue nº : ....

C. Dialogue nº : ....

D. Dialogue nº : ....

E. Dialogue nº : ....

F. Dialogue nº : ...

CONSEILS

• Attention, il y a 6 images et seulement 5 dialogues.
L'une des images ne correspond à aucun dialogue !

EXERCICE 1 / MESSAGE PERSONNEL

**Vous recevez ce message sur votre téléphone.
Répondez aux questions suivantes.**

> Salut ! Je te confirme le dîner samedi soir à la maison.
> Je prépare ma spécialité : la quiche au saumon !
> Paul apporte le dessert. Tu peux apporter le vin ?
> Mathieu a un nouveau jeu de cartes, c'est très
> amusant. On peut faire une partie après le dîner.
> On vous attend à 20 h !
> Bises 😄
> Elsa

1. Quel jour est le rendez-vous ?

....

2. Qu'est-ce que vous devez acheter ?

☐ Un gâteau.
☐ Une boisson.
☐ Une entrée.

3. Quelle activité vous propose Elsa ?

☐

☐

☐

4. À quelle heure devez-vous aller chez Elsa ?

....

EXERCICE 2 / INSTRUCTIONS

**Vous recevez ce mail de votre amie Laure.
Répondez aux questions suivantes.**

De : laurette@entrenous.en
Sujet : Gastronomie française !

Salut !

Vendredi soir, on va au resto avec les collègues.
Tu veux venir avec nous ? On va dans une brasserie ;
c'est l'occasion pour toi de découvrir la gastronomie
française !

Le plus facile, c'est de prendre le tramway.
Quand tu descends du tram, à l'arrêt « Comédie »,
tu dois prendre tout droit jusqu'à la rue de la Loge (il y
a une boutique de chaussures à l'angle).
Continue rue de la Loge et prends la troisième à
gauche, rue de la Croix d'or. Continue toujours
tout droit et tu arrives dans la rue Cauzit. Le resto
s'appelle « Chez copine », il se trouve au numéro 15.
Rendez-vous vendredi à 20 h !

Laure

1. Avec qui Laure vous propose-t-elle de sortir ?

....

2. Qu'est-ce que vous allez manger ?

☐

☐

☐

3. Quel type de transport en commun vous recommande
Laure ?

....

4. Qu'est-ce qu'il y a à l'angle de la rue de la Loge et de la place de la Comédie ?

☐

☐

☐

5. Dessinez sur le plan le trajet que vous devez faire à pied, selon les indications de Laure.

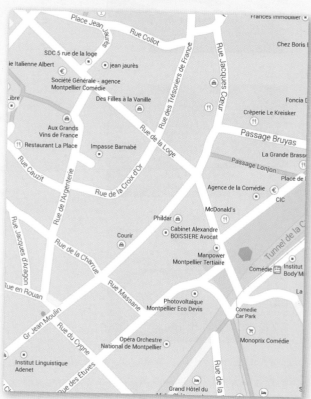

EXERCICE 3 / PETITES ANNONCES

**Vous lisez ces messages sur Internet.
Répondez aux questions suivantes.**

 Mathilde : Je cherche un appartement à louer près de la plage du 1er au 15 juillet. Quelqu'un a un bon plan ?
J'aime · hier, à 14h27

Sébastien a partagé un lien :
http://palaissportslyon.en/taekwondo

> **CHAMPIONNAT DE FRANCE
> DE TAEKWONDO**
> PALAIS DES SPORTS DE LYON
> 2 ET 3 FÉVRIER

👍 Nathalie Louvrier aime ça · il y a 3 heures

 Alyne : J'ai une place pour le concert de Brigitte ce soir. Ma sœur est malade et ne peut pas m'accompagner. Théâtre municipal 20h30. Ça intéresse quelqu'un ?
J'aime · il y a 1 heure

 Xi Liyuan : Nous cherchons un photographe pas trop cher pour notre mariage, le 6 mai.
J'aime · il y a 25 minutes

Olivia : Notre petit Timéo est né jeudi dernier. 3,2 kilos – 51 cm. Il est en pleine forme et c'est le plus beau !!!!!!!!!! :D

👍 Hervé Vilain, Thérèse Juin et 6 autres personnes aiment ça · il y a 2 minutes

1. Qui recommande un évènement sportif ?

....

2. Quel jour est né le bébé ?

....

3. L'homme se marie quand ?

☐ En février.
☐ En mai.
☐ En juillet.

4. À quelle heure est le concert ?

....

5. Mathilde veut partir en vacances pour combien de temps ?

....

CONSEILS

- Rappelez-vous : les fautes d'orthographe ne sont pas sanctionnées.

EXERCICE 4 / EXTRAIT DE PRESSE

Vous lisez cet article sur Internet.
Répondez aux questions suivantes.

Les Français aiment les produits bio* !

La consommation de produits bio augmente chaque année. Aujourd'hui, 75 % des Français achètent des produits bio. Le consommateur type de produits bio a entre 40 et 60 ans, il est diplômé et il a un bon salaire. Il achète essentiellement des œufs, du lait, des fruits et des légumes bio. Il fait ses courses au supermarché (47 %) ou directement chez le producteur (12 %). Ses motivations sont la protection de la nature, la qualité des produits et sa santé.

*fabriqués avec des méthodes naturelles, sans produits chimiques.

Vous consommez des produits bio...

tous les jours	9 %
1 fois par semaine	19 %
1 fois par mois	21 %
occasionnellement	26 %
jamais	25 %

Source : www.agencebio.org

1. Cet article parle...

☐ du travail des Français.
☐ des loisirs des Français.
☐ de l'alimentation des Français.

2. Quel âge ont les consommateurs de produits bio ?

....

3. Quels produits achètent les consommateurs de produits bio ?

☐

☐

☐

4. Beaucoup de consommateurs achètent des produits bio...

☐ au supermarché.
☐ à l'épicerie.
☐ sur Internet.

5. Combien de Français ne mangent pas de produits bio ?

....

CONSEILS

• Le texte est long et vous ne comprenez pas tout ? Pas de stress ! Concentrez-vous sur les questions et les mots que vous comprenez !

LORS DE CETTE ÉPREUVE DE PRODUCTION ÉCRITE,
VOUS DEVREZ COMPLÉTER UNE FICHE OU UN FORMULAIRE,
RÉDIGER UNE CARTE POSTALE OU UN MAIL
QUI PORTENT SUR DES SUJETS DE LA VIE QUOTIDIENNE.

QUELQUES CONSEILS POUR L'EXAMEN

Quand vous complétez une fiche ou un formulaire :
- L'examen est anonyme ! N'utilisez pas vos données personnelles (nom, prénom, téléphone, etc.).
- Si la consigne indique « vous habitez en France », vous devez donner une adresse française.

Quand vous répondez à un message sur un forum :
- N'oubliez pas de saluer votre interlocuteur au début et à la fin de votre texte.
- *Tu* ou *vous* ? Lisez bien la consigne et utilisez *tu* ou *vous* en fonction du destinataire.

EXERCICE 1 / FORMULAIRE

Vous habitez en France. Sur votre tablette, vous installez une application pour rencontrer des gens et participer à des activités. Remplissez le formulaire d'inscription.

SortezSortons.en
Trouver des gens près de chez vous pour parler, sortir, partager...

Moi
Nom :
Prénom :
Mail :
Nationalité :
Date de naissance :
Ville de résidence :

Mes activités
Profession :
Sport préféré :
Activité culturelle préférée :
Type de restaurant préféré :

Ma disponibilité
Jour de la semaine où je suis disponible :

EXERCICE 2 / MESSAGE SUR UN FORUM

Vous lisez ce message sur le forum du site Internet notreeurope.en. Vous répondez et vous présentez les habitudes alimentaires de votre pays (repas, horaires, etc.). (40 à 50 mots)

www.notreeurope.en

http://www.notreeurope.en

NOTRE EUROPE

WEBMASTER **Patrick**, 33 ans
Bonjour à tous !
Le thème de la semaine est le petit déjeuner. Que mange-t-on dans votre pays ? À quelle heure ? Et avec qui ? Parlez-nous des habitudes alimentaires de votre pays.
Merci de votre contribution !
20 JANVIER 2015 À 13H15

L'ÉPREUVE DE PRODUCTION ORALE COMPORTE TROIS PARTIES :
1. L'ENTRETIEN DIRIGÉ (VOIR EXERCICE 1)
2. L'ÉCHANGE D'INFORMATIONS (VOIR EXERCICE 2)
3. LE DIALOGUE SIMULÉ (VOIR EXERCICE 3)

QUELQUES CONSEILS POUR L'EXAMEN

Lors de l'entretien dirigé :
- L'épreuve commence dès que vous êtes face à votre examinateur ! Saluez-le, puis il commencera immédiatement à vous poser les questions de l'exercice 1.
- Soyez attentif aux questions de l'examinateur.

Lors de l'échange d'informations :
- Vous n'êtes pas obligé d'utiliser le mot de façon littérale. Vous devez conserver l'idée et poser une question sur le thème proposé.

Dans le dialogue simulé :
- Soyez actif ! Posez des questions et répondez à celles de l'examinateur !
- Choisissez *tu* ou *vous* en fonction de la situation proposée.
- Si vous ne comprenez pas quelque chose, demandez à l'examinateur de répéter.

EXERCICE 1 / ENTRETIEN DIRIGÉ

Répondez aux questions suivantes.

1. Parlez-moi de votre famille. Est-ce que vous êtes marié ? Vous avez des enfants ?

2. Parlez-moi d'une journée habituelle. Vous vous levez à quelle heure ? Vous déjeunez où ? Le soir, vous rentrez à quelle heure ?

3. Qu'est-ce que vous faites en général le week-end ? Est-ce que vous pratiquez un sport ?

EXERCICE 2 / ÉCHANGE D'INFORMATIONS

Posez des questions à partir des mots proposés.

Langue :
- Vous parlez allemand ?
- Vous parlez combien de langues ?
- Vous étudiez le français ?

LANGUE **INTERNET**

DÉJEUNER **NOM PRÉNOM**

FAMILLE **AVION**

EXERCICE 3 / DIALOGUE SIMULÉ

Jouez la situation proposée.

▶ Dans un magasin de souvenirs

Vous êtes en France dans un magasin de souvenirs.
Vous voulez acheter des cadeaux pour votre famille.
Vous posez des questions sur les prix, les couleurs,
les tailles et vous achetez deux ou trois articles.

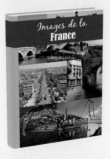

EXERCICES

ÉPELER

PISTE 1

1. A. Voici la liste des prénoms les plus donnés en France cette année. Écoutez l'émission de radio et remettez les lettres dans l'ordre pour retrouver les prénoms du classement.

LE CLASSEMENT DES PRÉNOMS

GARÇONS

1. ....
2. ....
3. Léo
4. *Gabriel*
   L-G-A-R-E-I-B
5. ....
   M-I-T-É-O
6. Enzo
7. ....
   O-I-L-U-S
8. Raphaël
9. Arthur
10. Hugo

FILLES

1. ....
2. ....
3. Chloé
4. Inès
5. Léa
6. ....
   N-A-M-O-N
7. ....
   E-J-D-A
8. ....
   E-U-O-L-S-I
9. Léna
10. Lina

Les statistiques de l'Insee pour « l'Officiel des prénoms » (Éditions First)

PISTE 2

1. B. Écoutez la suite de l'émission et placez les quatre prénoms en tête du classement dans le document ci-dessus.

Lucas   Emma   Nathan   Lola

1. C. Ces prénoms existent-ils dans votre langue ? Si oui, écrivez-les et comparez l'orthographe.

2. A. Lisez ces prénoms à voix haute et écoutez l'enregistrement pour vérifier.
PISTE 3

1. François   3. Karine   5. Corentin   7. Laurence
2. Philippe   4. Quentin   6. Lucie   8. Sophie

2. B. À présent, lisez ces affirmations et entourez l'option correcte comme dans l'exemple.

1. *f* de Florian et *ph* de Philippe ont une prononciation identique : (V)/ **F**
2. *k* de Karine, *qu* de Quentin et *c* de Corentin ont une prononciation identique : **V / F**
3. *c* devant la lettre *o,* comme dans Corentin, se prononce [s] : **V / F**
4. *c* devant *i* ou *e* comme dans Lucie et Laurence se prononce [s] : **V / F**
5. *ç* comme dans François se prononce comme la lettre *s* : **V / F**

LES NOMBRES DE 0 À 20

PISTE 4

3. Écoutez l'enregistrement et soulignez le nombre répété deux fois.

A. ⑤ - 15 - 1   E. 4 - 14 - 3
B. 8 - 6 - 18   F. 20 - 15 - 1
C. 9 - 19 - 2   G. 12 - 2 - 10
D. 7 - 16 - 17   H. 19 - 17 - 16

PISTE 5

4. A. Écoutez l'enregistrement, notez les nombres entendus. Ensuite, écrivez le résultat de l'opération en toutes lettres.

A. *1* + *3* = *4 (quatre)*   E. .... X .... = ...
B. .... + ... = ...   F. .... + ... = ...
C. .... - .... = ...   G. .... + ... = ...
D. .... - .... = ...   H. .... : .... = ...

PISTE 6

4. B. Maintenant, écoutez l'enregistrement pour vérifier vos résultats.

LES PRONOMS PERSONNELS SUJETS

5. Complétez la présentation de Clément avec les pronoms *je* ou *j'*.

Bonjour, je m'appelle Clément. ..... habite à Montpellier et ..... adore les langues. ..... cherche des étudiants anglophones et hispanophones pour un échange. ..... parle un peu allemand.
..... étudie à l'université de lettres. ..... organise aussi des rencontres entre étudiants Erasmus. ..... aime la littérature et les voyages. ..... pense vivre dans un pays hispanophone ou anglophone un jour.
Contactez-moi à l'adresse suivante : clement.bonnot@entrenous.en

LES VERBES EN –ER AU PRÉSENT

PISTE 7

6. A. Écoutez l'enregistrement. Quel verbe entendez-vous ? À quelle personne ? Complétez le tableau comme dans l'exemple.

1	*je cherche*	4	
2		5	
3		6	

6. B. À présent, donnez l'infinitif de chaque verbe.

je cherche : chercher

7. Lisez la publicité et complétez le texte avec les verbes suivants conjugués.

organiser   penser   proposer

étudier   aimer   sélectionner

ENTRE PARIS ET NOUS

DES VISITES THÉMATIQUES DE PARIS !

- Vous .... l'art et la culture ? Nous .... des visites tous les jours pour découvrir les grands musées de la capitale.
- Vous .... le français ? Le Pass Paris-Linguistique .... une visite de Paris en français.
- Vous .... venir à Paris pour la gastronomie ? L'équipe de Paris-Gourmet .... les meilleurs restaurants français spécialement pour vous !

Contactez-nous : entreparisetnous@.en

LE VERBE *S'APPELER*

8. Complétez les phrases avec le verbe *s'appeler* à la forme qui convient.

1. Vous <u>vous appelez</u> Pedro et Stephan.
2. Elles .... Sophie et Léa.
3. Je .... Mehdi.
4. Vous .... Brigitte et René.
5. Tu .... Mario.
6. Ils .... Jérôme et Michaël.
7. Elle .... Saloua.
8. Il .... Ismaël.

PISTE 8

9. Un nouvel étudiant arrive à l'université. Écoutez Rym lui présenter les autres étudiants. Reliez comme dans l'exemple les formes du verbe *s'appeler* aux prénoms correspondants.

1. Je m'appelle   **A.** Mariam et Bridget
2. Il s'appelle   **B.** Rym
3. Elle s'appelle   **C.** Dario et Francesco
4. Ils s'appellent   **D.** Juliette
5. Elles s'appellent   **E.** Frédéric

LES SALUTATIONS

PISTE 9

10. Remettez les dialogues dans l'ordre, puis écoutez l'enregistrement pour vérifier.

1. À L'UNIVERSITÉ
.... – Super, et toi ?
.... – Salut, ça va ?
.... – Ça va bien.

2. EN COURS DE FRANÇAIS
.... – Très bien, et toi ?
.... – Moi, c'est Iván.
.... – Salut, moi c'est Stephan, et toi ?
.... – Enchanté Iván. Tu vas bien ?

3. DANS UN SALON PROFESSIONNEL
.... – Bonjour, je m'appelle Bertrand Steiner, je suis commercial chez Chusard.
.... – Bonjour, Manuel Lenoir, directeur commercial de Vinlan, et vous ?
.... – Vous allez bien ?
.... – Très bien, merci.
.... – Très bien et vous ?

4. À LA BOULANGERIE
.... – À bientôt !
.... – 1, 2 et voilà 3 euros !
.... – Voilà monsieur, 3 baguettes. 3 euros s'il vous plaît.
.... – Merci monsieur. Au revoir et à bientôt !

11. Lisez les situations et cochez la bonne réponse.

1. À LA FIN DU COURS DE FRANÇAIS
- Au revoir, à lundi !
  ☐ ○ Salut monsieur !
  ☐ ○ Au revoir monsieur !

- Salut Paul, ça va ?
  ☐ ○ À plus tard Jules !
  ☐ ○ Salut Jules !

2. AU TRAVAIL
- Bonjour madame Lebrun !
  ☐ ○ Salut Marc !
  ☐ ○ Bonjour Marc !

LES ARTICLES DÉFINIS

12. Vous connaissez ces mots, ils sont dans l'unité. Écrivez devant chacun l'article défini qui convient.

1. baguette : <u>la baguette</u>   **6.** culture : ....
2. bistrot : ....   **7.** office de tourisme : ....
3. cinéma : ....   **8.** spectacle : ....
4. école : ....   **9.** monuments : ....
5. fromage : ....   **10.** université : ....

LE GENRE DES NOMS

13. A. Voici des photos de monuments célèbres. À deux, replacez les légendes sous les photos et écrivez l'article défini qui convient comme dans l'exemple. Faites des recherches si nécessaire.

pyramide du Louvre | Arc de Triomphe | opéra Garnier

Mont Saint-Michel | Champs-Élysées | Sainte-Chapelle

château de Versailles | château de Chambord

le château de Versailles
....

....

....

....

13. B. Quel est, selon vous, le monument le plus visité en France ? Faites une recherche sur Internet pour vérifier.

LE GENRE ET LE NOMBRE DES NOMS

PISTE 10

14. Écoutez l'enregistrement. Comme dans l'exemple, dites si vous entendez un singulier ou un pluriel. Ensuite, écrivez le nom au singulier et au pluriel.

	SINGULIER 👂	PLURIEL 👂	SINGULIER ✏️	PLURIEL ✏️
1		X	le cours	les cours
2	X		la classe	les classes
3				
4				
5				
6				

15. Faites une liste de ce que vous aimez dans votre pays. Aidez-vous d'un dictionnaire ou d'Internet et de la liste de Samantha dans le manuel page 26.

GASTRONOMIE	CULTURE	SPORT	SORTIES
la mousse au chocolat, ...	le cinéma, ...	le football, ...	les bars, ...

LES PRONOMS TONIQUES

16. Caroline discute avec Marie. Quel pronom tonique doit-elle utiliser pour parler...

1. d'elle (Caroline) : moi
2. d'elle et de Marie : ....
3. de Marie : ....
4. de Marie et Anissa : ....
5. d'Anissa : ....
6. de Romain : ....
7. de Romain et Anissa : ....
8. d'Anissa et Caroline : ....
9. d'Anissa, Caroline et Romain : ....

LES PRONOMS PERSONNELS ET LES PRONOMS TONIQUES

PISTE 11

17. Complétez les dialogues avec le pronom personnel ou le pronom tonique qui convient. Écoutez l'enregistrement pour vérifier.

1. EN CLASSE

• *Éléa* : Salut, je m'appelle Éléa, et toi ?
○ *Malo* : Salut, ... c'est Malo.
• *Éléa* : Et .... ? Comment .... s'appellent ?
○ *Malo* : ...., c'est Farid et ...., c'est Camille.

2. À LA BOULANGERIE

• *La boulangère* : Messieurs ?
○ *Philippe* : Alors, pour ...., un croissant et pour .... Gabriel ?
• *Gabriel* : Deux pains au chocolat, s'il vous plaît ! .... adore les pains au chocolat !

COMPRÉHENSION DES ÉCRITS

A. Le concours *Dis-moi dix mots* invite les classes de français à jouer et à mettre en scène dix mots de la langue française. Observez l'affiche du concours et répondez.

1. Qui organise ce concours ?

☐ Une école de langues
☐ Le ministère de la Culture et de la Communication
☐ Le ministère de l'Éducation nationale

2. À présent, lisez les définitions de quatre des dix mots. À quel mot correspond la photo ci-dessous ?

Bravo [bravo] *interj.* et *n. m.*
ÉTYM. 1738 ; mot italien *bravo* « bon ».
Applaudissements.

Kermesse [kɛrmɛs] *n. f.*
ÉTYM. 1391 ; flamand *kerkmisse*, proprt « messe d'église » et, par ext., « fête patronale ».
Aux Pays-Bas, en Belgique et dans le nord de la France, fête de village ou foire annuelle.

Zénitude [zenityd] *n. f.*
ÉTYM. 2000 de *zen* (ÉTYM. 1889 ; mot jap., adapt. du chinois *chan* « quiétude », du sanskrit *dhyāna* « méditation ».)
État de sérénité.

Grigri [grigri] *n. m.*
ÉTYM. 1637, *gris gris* ; *grigri*, 1643 ; *grigri* « idole représentant un diable », orig. inconnue, probablement mot d'une langue de Guinée ou du Sénégal.
Petit objet magique, porte-bonheur (ou malheur).

3. Pouvez-vous classer les mots du 2 selon leur genre ?

MOTS	NOM	
	Masculin	Féminin
bravo	X	
kermesse		
zénitude		
grigri		

COMPRÉHENSION DE L'ORAL

B. Écoutez l'enregistrement.
PISTE 12

1. Quel est le thème de cette chronique radiophonique ?

☐ L'origine des mots
☐ Le genre des mots

2. Quelles sont les langues étrangères citées ?

☐ L'anglais, le portugais et l'espagnol
☐ L'anglais, l'espagnol, l'allemand et l'italien
☐ L'anglais, l'espagnol et l'allemand

3. Écrivez à présent les mots français qui sont utilisés :

en anglais : ....
en allemand : ....

PRODUCTION ÉCRITE

C. Trouvez deux mots d'origine étrangère dans votre langue et proposez une petite définition en vous aidant d'Internet ou d'un dictionnaire.

Mot : .... (,)
ÉTYM.
1. ...
2. ...
3. ...

QUEL, QUELLE, QUELS, QUELLES

1. A. Tao, un étudiant chinois à Paris, est invité à la radio pour parler de son expérience. Lisez les questions de l'animateur et complétez-les avec *quel, quels, quelle, quelles*.

1. Tao, tu es étudiant à Paris. Tu étudies dans quelle université ?
- ☒ J'étudie à Paris 3.
- ☐ J'étudie à Paris 7.

2. Tu fais des études d'ingénieur mais tu prends des cours de langue aussi. Tu étudies .... langues ?
- ☐ Je prends des cours d'anglais et d'espagnol.
- ☐ Je prends des cours de français et d'espagnol.

.... est ton mot préféré ?
- ☐ Mon mot préféré, c'est « amour » !
- ☐ Mon mot préféré, c'est « science » !

3. .... sont tes passions ?
- ☐ J'ai deux passions : la culture et la cuisine françaises.
- ☐ J'ai deux passions : la chanson française et la littérature.

4. Et .... sont tes auteurs préférés ?
- ☐ Victor Hugo et Molière.
- ☐ Victor Hugo et Voltaire.

1. B. À présent, écoutez l'enregistrement pour répondre aux questions.
PISTE 13

LES ADJECTIFS POSSESSIFS

2. Écoutez puis complétez ces interviews de photographes amateurs avec les adjectifs possessifs qui conviennent.
PISTE 14

Dialogue 1
- Tonino, tu es étudiant en informatique mais .... passion, c'est la photo ?
- Oui.
- Et quel est .... photographe préféré ?
- Henri Cartier-Bresson. .... photos sont magnifiques.

Dialogue 2
- Sacha, vous êtes reporter photographe. Vous aimez .... métier ?
- J'adore .... métier. Les voyages, c'est .... passion !
- Quels sont .... pays préférés ?
- .... pays préférés ? Je ne sais pas mais .... continent préféré, c'est l'Amérique du sud.

3. Écoutez l'enregistrement. Entendez-vous le possessif masculin, féminin ou pluriel ?
PISTE 15

	MASCULIN (mon, ton, son)	FÉMININ (ma, ta, sa)	PLURIEL (mes, tes, ses)
1			
2			
3			
4			
5			
6			

LA NÉGATION (1) : *NE... PAS*

4. Écoutez l'enregistrement et dites si vous entendez une phrase affirmative ou négative.
PISTE 16

	AFFIRMATIVE	NÉGATIVE
1		
2		
3		
4		
5		
6		

LE VERBE *ÊTRE* AU PRÉSENT

5. Complétez ces présentations avec le verbe *être* au présent.

1. Je suis canadien et je .... architecte. Ma femme .... anglaise. Elle .... journaliste. Nous avons 2 enfants, ils .... bilingues. Nos passions .... les voyages et la photo.

2. Nous .... français et nous habitons au Pérou. Nous .... mariés. Je .... chef cuisinier. Ma femme, elle, ... professeure. Notre passion, c'.... la danse !

LES NOMBRES DE 20 À 100

6. Écoutez les dialogues et complétez ces fiches d'inscription.
PISTE 17

ATELIER D'ACCROYOGA

Fiche d'inscription

Nom : Gadel
Prénom : Chloé
Âge : 36 ans
N° de téléphone : ...

SAFARI AU KENYA

Fiche d'inscription

NOM : Sentier
Prénom : Étienne
Date de naissance :
.../.../...
N° de téléphone : ...

LES PRÉPOSITIONS ET LES NOMS DE PAYS ET DE VILLES

7. A. Complétez avec la préposition qui convient.

- ☐ **en** Belgique
- ☐ .... Canada
- ☐ .... Danemark
- ☐ .... Suède
- ☐ .... Espagne
- ☐ .... Portugal
- ☐ .... États-Unis
- ☐ .... Mexique
- ☐ .... Brésil
- ☐ .... Allemagne

7. B. À présent, écoutez l'enregistrement et cochez les pays où le groupe de musique est en concert cet été.

PISTE 18

8. Connaissez-vous bien les monuments du monde ? Répondez à ce test et vérifiez vos connaissances sur Internet si nécessaire.

 Égypte | Japon | Mexique | France

Dans quel pays se situent :

1. les pyramides de Gizeh ?
   - En Égypte.

2. les pyramides de Yucatan ?
   - ....

3. les temples Shinto ?
   - ....

4. la Pyramide du Louvre ?
   - ....

9. Terminez ces phrases en proposant d'autres pays comme dans l'exemple. Puis faites des phrases.

Le français est la langue officielle ....

A. France
B. Bénin
Le français est la langue officielle en France et au Bénin.

L'allemand est la langue officielle ....
A. ....
B. ....

Le portugais est la langue officielle ....
A. ....
B. ....

OÙ

10. Observez ces réponses. Rédigez les questions avec le pronom *où* et les verbes suivants conjugués au présent.

habiter | ~~voyager~~ | travailler

1. - Où voyage Francis cet été ?
   - Il voyage en Roumanie.
2. - .... ?
   - À l'hôpital Ste-Croix, il est médecin.
3. - .... ?
   - 6 rue des Petites Écuries, à Nantes.

LES ARTICLES INDÉFINIS

11. Écoutez. Entendez-vous *un* ou *une* ?

PISTE 19

	UN	UNE		UN	UNE
1		X	5		
2			6		
3			7		
4			8		

LES ARTICLES DÉFINIS ET INDÉFINIS

12. Complétez les phrases avec l'article défini ou indéfini qui convient, puis écoutez l'enregistrement pour vérifier.

PISTE 20

1. Les Pyrénées sont des montagnes situées en France et en Espagne.
2. .... pizza est .... spécialité italienne.
3. Le métier d'architecte est .... métier créatif. C'est .... métier de Jean Nouvel.
4. À Paris, il y a .... monuments très célèbres, comme .... tour Eiffel, ... Louvre et .... Invalides.
5. Londres est .... ville célèbre. C'est .... capitale du Royaume-Uni.
6. .... salsa est .... danse cubaine et .... tango est .... danse argentine.
7. Jean Dujardin est .... acteur très célèbre. C'est .... acteur principal de *The Artist*.

LE VERBE *AVOIR*

13. A. Voici les présentations de membres inscrits à un safari au lac Nakuru, au Kenya. Écoutez l'enregistrement pour remplir leur fiche de présentation et écrivez un petit texte comme dans l'exemple.

PISTE 21

Nom : Degen
Prénom : Thomas
Nationalité : allemand
Âge : 34
Profession : infirmier
État civil : marié, deux enfants

Il s'appelle Thomas, il est allemand, il a 34 ans, il est infirmier, il est marié et il a deux enfants.

Nom : Ribeiro
Prénom : Tania
Nationalité : ....
Âge : ....
Profession : ....
État civil : ....

Nom : Smith
Prénom : Daniel
Nationalité : ....
Âge : ....
Profession : ....
État civil : ....

13. B. À présent, présentez-vous sur le même modèle.

LE GENRE DES NATIONALITÉS

14. Indiquez l'origine de chaque danse, comme dans l'exemple. Vérifiez vos connaissances sur Internet si nécessaire.

Cuba   Japon   Sénégal   États-Unis
Espagne   Autriche   Argentine   Brésil

1. La salsa est *cubaine*.
2. Le tango est ....
3. La valse est ....
4. Le flamenco est ....
5. Le rock est ....
6. Le sabar est ....
7. La samba est ....
8. Le butô est ....

15. Écoutez l'enregistrement et dites si vous entendez l'adjectif au masculin ou au féminin.

PISTE 22

	1	2	3	4	5	6
♂						
♀						

COMPRÉHENSION DES ÉCRITS

A. Lisez cette publicité et répondez aux questions.

DESTINATION BABEL
Séjours linguistiques : langues, cultures, rencontres et découvertes !

Découvrez nos séjours linguistiques dans plus de 30 écoles labellisées, situées dans les plus belles villes du monde. Nous proposons des séjours en immersion totale, des cours de langue en groupes et des activités sportives et culturelles.

FORMULE JEUNES
L'été, nous organisons des séjours internationaux pour les jeunes à partir de 14 ans.

Au programme
Apprentissage de la langue, découverte d'un pays. Immersion dans une famille d'accueil.

FORMULE ADULTES
Nous organisons avec vous votre séjour linguistique : Quel cours de langue choisir ? Où habiter ?

Au programme
Nos formules de séjours adultes sont disponibles dans plus de 30 villes à travers le monde, toute l'année.

FORMULE PRO
Vous désirez améliorer votre niveau en langue pour votre travail ? Nous vous proposons des formations adaptées.

Au programme
Cours intensifs de 15 jours à 1 mois. Immersion en entreprise.

1. Ce document est :

☐ pour des touristes.
☐ pour des étudiants Erasmus.
☐ pour des adultes et des jeunes désireux d'apprendre une langue.

2. Quelles sont les trois formules proposées ?

1. ....   2. ....   3. ....

3. À partir de quel âge est-il possible de s'inscrire ? ....

4. Répondez par *vrai* ou par *faux*.

4. Destination Babel propose des cours individuels : **V / F**
5. La formule adulte est proposée toute l'année : **V / F**
6. La formation professionnelle propose de pratiquer la langue en entreprise : **V / F**

COMPRÉHENSION DE L'ORAL

PISTE 23

B. Patricia est professeure de français pour Destination Babel. Écoutez son interview et répondez aux questions.

1. Dans quelle ville travaille Patricia ?

☐ Paris
☐ Nancy

2. Quel âge ont les élèves en général ? Cochez les bonnes réponses.

Les jeunes : ☐ 12-13 ans   ☐ 15-16 ans   ☐ 18-22 ans
Les adultes : ☐ 21-25 ans   ☐ 21-35 ans   ☐ 21-45 ans

3. Quelles sont les nationalités des élèves en général ? Cochez les bonnes réponses.

☐ Anglais   ☐ Suédois
☐ Italiens   ☐ Chinois
☐ Allemands   ☐ Brésiliens
☐ Espagnols   ☐ Japonais
☐ Portugais   ☐ Américains

4. Quel est le numéro de téléphone de Destination Babel ?
....

PRODUCTION ÉCRITE

C. Vous voulez vous inscrire à Destination Babel. Complétez ce formulaire d'inscription.

NOM : ....   TYPE DE SÉJOUR : ....
PRÉNOM : ....   LANGUE CHOISIE : ....
ÂGE : ....   VILLE ET PAYS : ....

D. Présentez-vous en quelques mots. Qui êtes-vous ? Quelles langues parlez-vous ? Quels sont vos goûts ? Aidez-vous d'un dictionnaire et d'Internet si nécessaire.

Je m'appelle...
Je parle...
J'aime...
Je n'aime pas...

IL Y A

1. A. Écrivez des phrases avec *il y a* comme dans l'exemple.

1. Un fleuve, la Seine, et des musées célèbres, comme le Louvre ou le musée d'Orsay → *À Paris, il y a un fleuve, la Seine, et des musées célèbres, comme le Louvre ou le musée d'Orsay.*
2. (Barcelone) Un parc construit par Gaudí, le parc Güell → ....
3. (Constantine) Un très grand palais, le palais Ahmed Bey → ...
4. (New York) Une statue très célèbre : la statue de la Liberté → ....
5. (Bruxelles) Une fontaine avec une statue de petit garçon : le Manneken Pis → ....

1. B. Sur le même modèle, présentez trois villes de votre choix.

IL Y A / IL N'Y A PAS DE/D'

2. Complétez les phrases avec *il y a* ou *il n'y a pas de/d'*.

1. À Québec, *il y a* un port mais *il n'y a pas de* plage.
2. À Lyon, ... port.
3. À Lille, ... un fleuve.
4. À Alger, ... des plages et un port.
5. À Marrakech, ... une place très célèbre, la place Jemaa El-Fna.
6. À Paris, ... port mais l'été .... une plage : Paris Plage.
7. À Nantes, ... un fleuve, la Loire. .... métro, mais .... un tramway.
8. Dans le quartier du Vieux-Marly, à Djerba, ... des rues piétonnes.
9. À Toulouse, ... un fleuve, la Garonne, et .... une belle basilique : Saint-Sernin.

PISTE 24

3. Écoutez Stéphane présenter son quartier et cochez les bonnes réponses comme dans l'exemple.

Dans le quartier de Stéphane,

		IL Y A	IL N'Y A PAS
1	bars	☒	☐
2	restaurants	☐	☐
3	station de métro	☐	☐
4	arrêt de bus	☐	☐
5	cinéma	☐	☐
6	théâtre	☐	☐
7	boulangerie	☐	☐
8	boucherie	☐	☐
9	épicerie	☐	☐
10	marché	☐	☐
11	supermarché	☐	☐

4. Transformez les phrases négatives en phrases affirmatives et inversement.

1. Il y a un bar dans la rue. → *Il n'y a pas de bar dans la rue.*
2. Il y a un marché dans le centre-ville. → ....
3. Il n'y a pas d'église sur la place. → ....
4. Il y a un quartier chinois dans la ville. → ....
5. Il n'y a pas d'hôtel dans ce village. → ....
6. Il y a des brasseries dans le centre historique. → ....

EST-CE QUE ? / QU'EST-CE QUE ?

5. Complétez les dialogues avec *est-ce que* ou *qu'est-ce que*. Faites l'apostrophe si nécessaire.

1. • *Qu'est ce qu'il* y a à Montmartre ?
   ○ À Montmartre, il y a le Sacré-Cœur, la place du Tertre et des rues très animées.
   • *Est-ce qu'il* y a un bus ?
   ○ Oui, le Montmartrobus.

2. • .... on visite demain à Beyrouth ?
   ○ Les ruines roses de Byblos.
   • .... l'hôtel est bien situé ?
   ○ Oui, on est dans le quartier de Hamra ; il est très animé.

3. • .... il y a beaucoup de villes à visiter au Québec ?
   ○ Il y a Montréal, Québec, Laval...
   • Et, ... il y a à Montréal ?
   ○ Il y a beaucoup de choses à voir. C'est une très grande ville.

6. Associez les questions aux réponses qui conviennent.

1. Est-ce qu'il y a une station de métro sur la place ?
2. Qu'est-ce qu'il y a au Louvre ?
3. Est-ce qu'il y a un port à Bordeaux ?
4. Qu'est-ce vous visitez à Tunis ?
5. Qu'est-ce qu'il y a dans votre rue ?
6. Qu'est-ce qu'il y a à la Défense ?
   A. Oui, il y a un très grand port.
   B. La Medina, des palais et des mosquées.
   C. Il y a beaucoup d'œuvres d'art. C'est un très grand musée.
   D. Il y a un très grand centre commercial, des gratte-ciel et l'arche de la Défense.
   E. Non, pas sur la place mais derrière.
   F. Dans ma rue, on trouve une épicerie, une boulangerie et une école.

PISTE 25

7. Écoutez et choisissez la question qui correspond à la réponse que vous entendez.

1. ☒ Est-ce qu'il y a une librairie dans le quartier ?
   ☐ Qu'est-ce qu'il y a dans le quartier ?

2. ☐ Est-ce qu'il y a une épicerie dans votre rue ?
   ☐ Qu'est-ce qu'il y a dans votre rue ?

3. ☐ Est-ce qu'il y a un cinéma dans ton village ?
   ☐ Qu'est-ce qu'il y a dans ton village ?

4. ☐ Est-ce qu'il y a un métro à Toulouse ?
   ☐ Qu'est-ce qu'il y a comme transports à Toulouse ?

5. ☐ Est-ce qu'il y a une boucherie sur la place ?
   ☐ Qu'est-ce qu'il y a sur la place ?

LE PRONOM *ON*

8. Observez les phrases. Quels groupes de mots peuvent être remplacés par *on* ? Entourez-les.

1. Les enfants et moi
2. Toi et moi
3. Lui et son amie
4. Madame Lopez et son mari
5. Mon copain et moi
6. Karine et toi
7. Les élèves et nous

9. Transformez les phrases suivantes avec le pronom *on* ou *nous* comme dans l'exemple.

1. Nous allons au parc. → *On va au parc.*
2. On adore marcher au bord du fleuve. → ....
3. Avec Ahmed, nous voyageons au Togo cet été. → ....
4. Caroline et moi, on habite dans un petit appartement. → ....
5. Dimanche, nous allons au musée avec les enfants. → ....

LE VERBE *ALLER* ET LES VERBES EN *–ER*

10. Conjuguez les verbes au présent.

FRONTIÈRES Aujourd'hui, notre rubrique consacrée aux étrangers qui habitent en France vous présente Gabriel, un Espagnol à Strasbourg, et Anja et Guillermo, une Allemande et un Colombien à Biarritz.

Gabriel est étudiant à Strasbourg.
Gabriel, tu *aimes* (aimer) **Strasbourg ?**
▶ J'... (adorer), c'est une ville très internationale.

Tu .... **(aller) à l'université ici ?**
▶ Oui, nous ... (commencer) les cours lundi.

Et qu'est-ce que tu .... **(étudier) à Strasbourg ?**
▶ Les arts plastiques.

Strasbourg est une ville proche de l'Allemagne, tu .... **(aller) en Allemagne aussi ?**
▶ Oui, c'est pratique. Avec des amis, on ... (aller) à Berlin ce week-end. On ... (aimer) beaucoup cette ville parce qu'il y a beaucoup d'artistes et de clubs.

Anja et Guillermo .... **(habiter) à Biarritz.**
Bonjour Anja, vous ... **(aimer) Biarritz ?**
▶ Oui, nous ... (aimer) beaucoup. C'est une ville très agréable. Je ... (marcher) beaucoup au bord de la mer. Avec Guillermo, nous ... (adorer) la plage. Et c'est tout près de l'Espagne. Demain, nous ... (aller) à Saint-Sébastien ! Et mercredi, je ... (aller) à Bilbao.

Vous .... **(aller) souvent en Espagne ?**
▶ Oui, nous ... (voyager) beaucoup et comme j'... (étudier) l'espagnol, c'est bien pour moi.

11. Complétez les phrases suivantes avec le verbe *aller* au présent.

1. Stéphane et Emma *vont* au restaurant ce soir.
2. Je .... au musée voir une exposition.
3. Tu .... au cinéma avec Fred ?
4. Vous .... au Maroc pour les vacances ?
5. On .... au parc faire une promenade.
6. Nous .... à Lausanne ce week-end.

12. Complétez à présent le mail d'Anja avec les verbes suivants au présent.

être   manger   habiter   aller   aimer   avoir   visiter

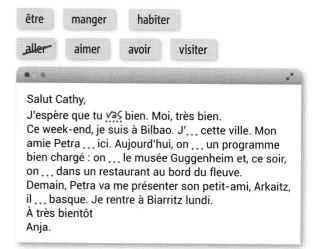

Salut Cathy,
J'espère que tu *vas* bien. Moi, très bien. Ce week-end, je suis à Bilbao. J'... cette ville. Mon amie Petra ... ici. Aujourd'hui, on ... un programme bien chargé : on ... le musée Guggenheim et, ce soir, on ... dans un restaurant au bord du fleuve. Demain, Petra va me présenter son petit-ami, Arkaitz, il ... basque. Je rentre à Biarritz lundi.
À très bientôt
Anja.

13. Complétez les phrases en conjuguant les verbes à la bonne personne, comme dans l'exemple.

1. VISITER → Mercredi, il *visite* le château de Versailles.
2. ALLER → Dimanche, je .... à Montréal.
3. HABITER → Ils .... à Bordeaux.
4. ALLER → Ce soir, on .... au théâtre.
5. ALLER → Vous,.... au musée ?
6. ALLER → Samedi, nous .... au marché.
7. ALLER → Tu .... à l'opéra ?
8. VISITER → Aujourd'hui, on .... le Quartier latin.

LES PRÉPOSITIONS ET LES MOYENS DE TRANSPORT

14. A. Votre ami Karim vous demande de l'aider à rédiger son mail. Il hésite entre plusieurs prépositions. Aidez-le à choisir la préposition correcte.

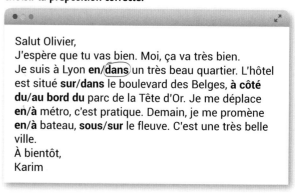

Salut Olivier,
J'espère que tu vas bien. Moi, ça va très bien. Je suis à Lyon **en/dans** un très beau quartier. L'hôtel est situé **sur/dans** le boulevard des Belges, **à côté du/au bord du** parc de la Tête d'Or. Je me déplace **en/à** métro, c'est pratique. Demain, je me promène **en/à** bateau, **sous/sur** le fleuve. C'est une très belle ville.
À bientôt,
Karim

14. B. À votre tour, comme Karim, écrivez un mail à un ami pour lui raconter votre séjour dans une ville de votre choix.

LES ARTICLES CONTRACTÉS (1)

15. Complétez les phrases avec l'article qui convient, comme dans l'exemple.

1. On va *au cinéma* pour voir un bon film.
2. Ils vont .... pour écouter un récital.
3. Nous allons .... pour les vacances.
4. Vous allez .... pour nager.
5. On va .... pour acheter des croissants.

Antilles (pl)
boulangerie (f)
opéra (m)
cinéma (m)
plage (f)

C'EST OU *IL/ELLE EST*

16. Complétez le dialogue avec *c'est* ou *il/elle est*, comme dans l'exemple.

– Où est-ce que tu habites, Leila ?
– J'habite à Majorelle, *c'est* un quartier de Marrakech.
– Ah et ce quartier, ... bien situé ?
– Oui, très bien situé.
– .... un quartier touristique ?
– Oui, il y a un jardin botanique très célèbre. .... très beau.
– Et tu aimes ton quartier ?
– Oui. .... calme.
– Quel est ton quartier préféré à Marrakech ?
– .... mon quartier. .... très agréable.

17. Répondez aux questions suivantes comme dans l'exemple.

1. Bucarest : capitale de la Roumanie ?
   Oui, c'est la capitale de la Roumanie.
2. Le quartier Montorgueil à Paris : piéton ? *Oui,*
3. Oran : ville ? *Oui,*
4. Nairobi : ville anglophone ? *Oui,*
5. Bamako : capitale du Mali ? *Oui,*

L'ACCORD DES ADJECTIFS QUALIFICATIFS

18. A. Écrivez (f) pour les adjectifs féminins, (m) pour les adjectifs masculins et (f/m) pour les adjectifs qui ont une forme unique.

1. culturelle : *(f)*
2. agréable : ....
3. petit : ....
4. tranquille : ....
5. animée : ....
6. vieux : ....
7. bruyante : ....
8. touristique : ....
9. célèbre : ....
10. bien située : ....
11. typique : ....
12. important : ....

18. B. Maintenant, comme dans l'exemple, écrivez le masculin des formes féminines du A et inversement.

Culturelle → culturel

19. Quels adjectifs peut-on utiliser pour décrire ce village et cette ville ? Écrivez-les à la forme qui convient, comme dans l'exemple. Certains adjectifs peuvent être utilisés pour les deux photos.

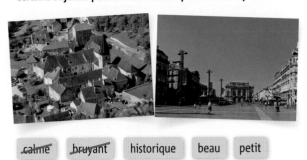

calme   bruyant   historique   beau   petit

grand   animé   culturel   typique   tranquille

– Le village est *calme*, ...
– La ville est *bruyante*, ...

 **20. Écoutez l'enregistrement. Entendez-vous l'adjectif au féminin ou au masculin ?**

PISTE 26

	1	2	3	4	5	6	7	8	9
♂									
♀	X								

LES LIEUX DE LA VILLE

21. Associez chaque mot à une image.

une gare   un monument   un hôtel

une école   une station de métro

 **22. Écoutez ces ambiances sonores. Dans quel ordre apparaissent les lieux ?**

PISTE 27

un café   un marché

un aéroport   un jardin public

1. ....   3. ....
2. ....   4. ....

COMPRÉHENSION DES ÉCRITS

A. Lisez le document et répondez aux questions.

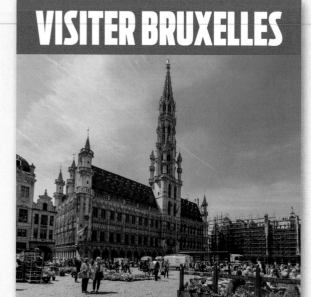

VISITER BRUXELLES

Que voir / Que faire à Bruxelles ?

Transports en commun : À Bruxelles, il y a 6 lignes de métro, 72 lignes de bus et 18 lignes de tramway. Il y a aussi un système de location de vélo : le Villo.

À voir à Bruxelles...

Le centre historique : Le quartier idéal pour découvrir Bruxelles, la Grande-Place, l'hôtel de ville gothique et le Manneken Pis.

Le quartier des Arts : Le quartier de la grande Bibliothèque royale et du palais des Congrès. Il y a aussi le jardin botanique et beaucoup de musées.

Gare du Midi : C'est la gare du Thalys. La Grand-Place et le centre historique sont accessibles à pied.

Uccle : C'est le quartier chic de Bruxelles, avec des maisons très anciennes.

Ixelles : C'est le quartier pour sortir. Il y a des clubs, des restaurants et des bars.

1. Ce document est :

☐ pour des voyageurs professionnels.
☐ pour des touristes.
☐ pour des étudiants qui viennent s'installer à Bruxelles.

2. Citez trois lieux ou monuments symboliques de Bruxelles.

1. ....   2. ....   3. ....

3. Lisez les affirmations et répondez par *vrai* ou par *faux*.

1. Il y a 5 lignes de métro à Bruxelles : **V** / **F**
2. Le Manneken Pis est dans le centre historique : **V** / **F**
3. Le jardin botanique se trouve dans le quartier des Arts : **V** / **F**
4. La gare est loin du centre-ville : **V** / **F**
5. Ixelles est un quartier très calme : **V** / **F**

4. Combien de types de transports en commun est-ce qu'il y a à Bruxelles ?

....

5. Pour chaque personne, recommandez un quartier pour trouver un hôtel.

1. Alex va à Bruxelles ce week-end pour découvrir la ville.
Quartier recommandé : ....
2. Elisa va à Bruxelles pour sortir.
Quartier recommandé : ....
3. Manuel va à Bruxelles pour le travail, il cherche un hôtel à côté de la gare.
Quartier recommandé : ....
4. Sofia va à Bruxelles pour visiter les musées.
Quartier recommandé : ....

COMPRÉHENSION DE L'ORAL

PISTE 28

B. Écoutez ces habitants de Bruxelles. Soulignez les adjectifs entendus et trouvez dans quel quartier ils habitent. Aidez-vous de la rubrique « À voir à Bruxelles...».

1. Charline : **moderne** / <u>**agréable**</u> / **bruyant** / **tranquille**
Nom du quartier : ....
2. Alexandre : **historique** / **international** / **calme** / **animé**
Nom du quartier : ....
3. Olivier : **bien desservi** / **tranquille** / **bruyant** / **agréable**
Nom du quartier : ....
4. Monique : **calme** / **bruyant** / **chic** / **populaire**
Nom du quartier : ....

PRODUCTION ÉCRITE

C. À votre tour, rédigez une petite présentation de votre ville ou d'une ville que vous aimez.

POUR / PARCE QUE

1. A. Lisez les questions et complétez les réponses avec *pour* ou *parce que*.

1. Pourquoi est-ce que tu apprends l'arabe ?
Pour travailler au Maroc et en Algérie.

2. Pourquoi est-ce que vous jouez aux échecs ?
.... nous adorons les jeux de société.

3. Pourquoi est-ce que tu vis en colocation ?
.... faire des économies.

4. Pourquoi est-ce que vous partez en excursion en montagne ?
.... j'aime les randonnées.

5. Pourquoi est-ce que vous visitez des musées ?
.... nous adorons la peinture.

6. Pourquoi est-ce que tu fais des photos ?
.... j'aime partager mes souvenirs avec mes amis et ma famille.

1. B. À présent, à vous de répondre à ces différentes questions ou à d'autres similaires.

J'apprends le français parce que / pour...

LES VERBES COMME *PRENDRE* AU PRÉSENT

2. Complétez cet article avec les verbes *comprendre, apprendre* et *prendre* au présent.

Comment apprenez-vous les langues ?

▸ Selon une enquête récente, beaucoup de Français cherchent à améliorer leur niveau en langue étrangère. Nous avons interrogé des personnes qui *apprennent* une langue étrangère. Ils partagent avec nous leurs techniques d'apprentissage.

▸ **Dorian, 19 ans, étudiant.**
Je regarde des films et des séries en version originale, je ne .... pas tout. Et avec un copain, nous .... des cours de littérature anglaise, à la fac, une fois par semaine.

▸ **Soraya, 38 ans, informaticienne.**
Je .... des cours de chinois pour le travail. C'est très difficile ! J'écoute une émission en chinois une heure par jour. Comme ça, j'.... à bien respecter les intonations et je .... maintenant quelques mots.

▸ **Alexis, 15 ans, lycéen.**
Avec mes copains, nous écoutons des chansons en anglais et en espagnol. Nous .... les paroles de nos chansons préférées et nous les chantons ! C'est motivant, c'est un bon exercice.

LA FAMILLE

3. Observez l'arbre généalogique de la famille Bourgeois et complétez les phrases ci-dessous.

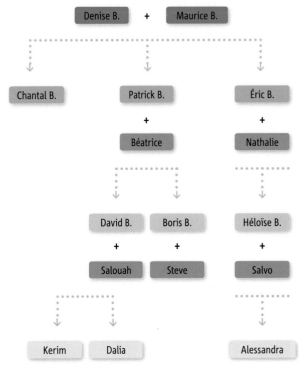

1. Kerim et Dalia sont les .... de David et Salouah.
2. Denise et Maurice sont les .... de David, Boris et Héloïse.
3. Chantal est la .... de David, Boris et Heloïse.
4. Alessandra est la .... d'Éric et Nathalie.
5. Patrick et Éric sont les .... de Chantal.
6. Dalia est la .... de Kerim.

LES ADJECTIFS DÉMONSTRATIFS

4. A. La famille Bourgeois est réunie pour les fêtes de fin d'année. Complétez ce mail avec les adjectifs démonstratifs qui conviennent et devinez qui écrit.

Chère Laurence, cher Pierre,

Comment allez-vous ? *Cette* année, je passe Noël à Aix. Toute la famille est réunie : mes deux frères, Patrick et Éric, leurs enfants et leurs petits-enfants, Kerim, Dalia et Alessandra. Ils sont adorables .... petits !
C'est notre premier Noël tous ensemble parce que Boris et Steve habitent à Los Angeles. Ils m'invitent .... été ! Je suis très contente. Ils arrivent .... soir !
Et vous ? Que faites-vous pour Noël ?
Nous vous souhaitons tous de joyeuses fêtes.

Amitiés, ...

4. B. Sur ce modèle, écrivez un petit mail à un ami pour raconter une fête de famille.

LES ARTICLES CONTRACTÉS (2)

5. Ces étudiants cherchent des personnes pour partager leurs loisirs. Lisez leurs annonces, complétez-les avec *du, de la, de l'* ou *des* et retrouvez les activités qui correspondent à chacune.

volley   musique tzigane   danse

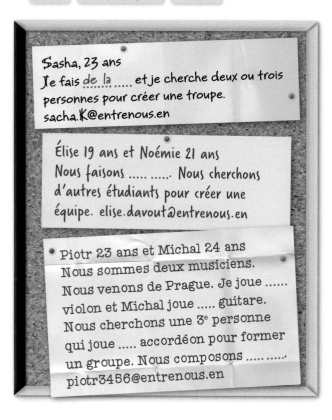

Sasha, 23 ans
Je fais *de la* ...... et je cherche deux ou trois personnes pour créer une troupe.
sacha.K@entrenous.en

Élise 19 ans et Noémie 21 ans
Nous faisons .... Nous cherchons d'autres étudiants pour créer une équipe. elise.davout@entrenous.en

• Piotr 23 ans et Michal 24 ans
Nous sommes deux musiciens.
Nous venons de Prague. Je joue ......
violon et Michal joue ..... guitare.
Nous cherchons une 3ᵉ personne
qui joue ..... accordéon pour former
un groupe. Nous composons ....
piotr3456@entrenous.en

6. Lisez cette brochure pour un centre de loisirs et complétez les phrases avec les articles contractés *du, de la, de l', des, au, aux*.

CENTRE DE LOISIRS DU MONTVERT

Notre centre offre à vos enfants des vacances sportives et créatives.

Activités pour les tout petits (de 3 à 5 ans) :
Nous offrons à vos enfants la possibilité de faire .... dessin, ... peinture et .... sculpture. Nous proposons également un atelier d'éveil musical.

Activités pour les 6-12 ans :
Dans notre centre, vos enfants peuvent jouer .... échecs, ... Scrabble et aussi faire .... théâtre, ... sports d'équipe et .... athlétisme.

Renseignements : www.centre-montvert.en

LE VERBE *ÉCRIRE* AU PRÉSENT

7. À l'occasion du Salon du livre à Paris, le supplément littéraire de *Coolture* consacre son numéro aux jeunes auteurs. Complétez l'interview avec le verbe *écrire* conjugué au présent.

Littérature

Afsar Shaffai, vous êtes iranienne, et vous *écrivez* en français. Pourquoi ?
Parce que c'est une langue universelle et que j'aime la littérature française.

Quels sont vos auteurs préférés ?
J'aime beaucoup les grands classiques de la littérature française mais j'aime aussi beaucoup Milan Kundera et Tahar Ben Jelloun. Ils .... en français comme moi.

Et en ce moment, vous .... un nouveau livre ?
Oui, j'.... un livre sur ma famille.

Est-ce que vous .... parfois dans votre langue ?
Oui, bien sûr. C'est important. Avec mon mari, nous .... des livres pour enfants en persan. Il fait les dessins et moi le texte !

Merci beaucoup Afsar. Et félicitations pour votre livre !
Merci à vous.

L'arbre et l'oiseau de Afsar Shaffai, 153 p.

L'EXPRESSION DES GOÛTS

 PISTE 29

8. A. Un journaliste réalise un reportage sur les goûts musicaux des Français. Écoutez le micro-trottoir et cochez les réponses que vous entendez.

1. **Personne 1 :** La musique classique
   ☒ Elle adore. ☐ Elle aime bien. ☐ Elle n'aime pas du tout.

2. **Personne 2 :** Le jazz
   ☐ Elle aime beaucoup. ☐ Elle aime bien. ☐ Elle déteste.

3. **Personne 3 :** La chanson française
   ☐ Elle adore. ☐ Elle aime. ☐ Elle n'aime pas trop.

4. **Personne 4 :** Le RnB
   ☐ Elle aime beaucoup. ☐ Elle aime bien. ☐ Elle déteste.

5. **Personne 5 :** Le rock
   ☐ Elle adore. ☐ Elle aime bien. ☐ Elle aime un peu.

6. **Personne 6 :** La musique électronique
   ☐ Elle préfère. ☐ Elle aime beaucoup. ☐ Elle déteste.

8. B. Et vous ? Quels types de musique écoutez-vous ?

J'écoute du rock et aussi de la pop.

LE VERBE *VENIR* AU PRÉSENT

9. Complétez ce mail avec le verbe *venir* au présent.

Salut petit frère !

J'espère que vous allez bien. Est-ce que vous <u>venez</u> à la fête des 90 ans de Mamie ? Philippe .... avec sa nouvelle femme. Baptiste et Béa .... de New York et moi, je .... avec mon copain. Comme tu sais, nous sommes en vacances, nous .... d'Avignon et nous passons par Limoges. Il y a deux places dans la voiture. Ça vous dit de venir avec nous ?

Bises

Cathy

LA PROVENANCE / L'ORIGINE

10. A. Ces personnes veulent partager leurs goûts et apprendre de nouvelles langues. Lisez leurs présentations sur le site Babeloisirs et complétez-les avec le verbe *venir + du, de la, d'*.

Celia 38 ANS

Salut, je <u>viens de la</u> Paz et je suis professeure d'espagnol. Je cherche des personnes de toutes les nationalités car j'adore découvrir des cultures différentes et apprendre des langues. J'adore faire des découvertes.

Jeff 25 ANS

Bonjour à tous. Je .... Texas et je suis étudiant en histoire de l'art. J'adore la photo et visiter des musées. Qui souhaite m'accompagner et partager ma passion avec moi ?

Despina 26 ANS

Bonjour, je .... Athènes. Je suis danseuse et je fais aussi du tennis. J'adore la randonnée et le ski. Contactez-moi !

10. B. Pour chaque personne, écrivez, comme dans l'exemple, son pays d'origine.

Celia vient de Bolivie.

10. C. À présent, dites quel adjectif correspond le mieux à ces personnes et dites pourquoi.

passionné(e)   curieux(se)   sportif(ve)

Célia a l'air curieuse parce qu'elle aime faire des découvertes.

11. A. Vous connaissez ces loisirs mais savez-vous d'où ils viennent ? Complétez les options avec *de, d', de la* ou *des* puis cochez le lieu qui, d'après vous, est le lieu d'origine de ces loisirs.

1. Le ski vient :
☐ .... Andes   ☐ .... Alpes   ☐ .... Himalaya

2. Le Scrabble vient :
☐ .... Angleterre   ☐ .... États-Unis   ☐ .... Canada

3. Le vélo vient :
☐ .... Allemagne   ☐ .... Autriche   ☐ .... Pologne

4. La photographie vient :
☐ .... Espagne   ☐ .... France   ☐ .... Belgique

5. Le violon vient :
☐ .... Italie   ☐ .... Inde   ☐ .... Maroc

6. Le théâtre vient :
☐ .... Russie   ☐ .... Grèce   ☐ .... Macédoine

PISTE 30

11. B. Écoutez l'enregistrement pour vérifier vos réponses.

LES PRÉPOSITIONS + PRONOMS TONIQUES

12. Complétez les messages avec le pronom tonique qui convient.

Salut, tu es chez <u>toi</u> ?

Oui.

Je suis avec Hicham, on va au Satellite. Tu viens avec .... ?

Non, ce soir, je retrouve Laura.

Ah, ok. Pourquoi vous ne venez pas avec .... ?

Parce qu'on se fait un dîner en tête à tête.

Bon. Et demain ? Nathan fait un dîner chez .... Il prépare des lasagnes !

Impossible ! Demain, mes parents viennent dîner chez ....

Waouh ! Monsieur cuisine ! Bon ben à + !

À +

13. Complétez ces dialogues avec le pronom tonique qui convient.

1. ● Tu t'entends bien avec ton beau-frère ?
○ Oui, je fais beaucoup de choses avec <u>lui</u>.

2. ● Tu vois souvent tes cousins ?
○ Oui, ce week-end, par exemple, je vais chez ....

3. ● Mon frère est très amoureux de sa femme ! Il fait tout pour .... !
○ Ah l'amour !

4. ● Tu pars en vacances avec ta mère ?
○ Oui, elle adore voyager avec .... !

COMPRÉHENSION DES ÉCRITS

A. Lisez cet article et répondez aux questions.

Le « Do it yourself », ou DIY, est à la mode.

Les Français sont-ils des créateurs ? 61 % des Français pratiquent le DIY ; ils créent et inventent chez eux. C'est le retour du « fait-main ».

Est-ce une nouvelle tendance ?

Cette habitude est née avec les hippies et revient à la mode. En tout cas, les nouveaux adeptes du DIY sont surtout des jeunes de 18-34 ans mais les hommes comme les femmes s'improvisent créateurs.

Mais que font-ils exactement ?

Un peu de tout ! Ils font du bricolage, de la cuisine créative, de la couture, ils donnent une nouvelle vie aux objets. Ils font de la décoration ou de la peinture, ils organisent leurs propres événements de famille (mariages, anniversaires).

Comment apprennent-ils ?

On trouve beaucoup de cours sur Internet (en France, plus de 550 000 blogs sont consacrés aux loisirs créatifs) et il existe des livres et des magazines spécialisés.

Pourquoi un tel succès ?

Parce que c'est la crise et les comportements de consommation changent. Mais, comme le sport et les loisirs classiques, les loisirs créatifs sont bons pour la santé. Réaliser, créer, inventer, c'est aussi une façon de se distraire et de se sentir bien.

1. Qu'est-ce que le DIY ?

☐ Une activité professionnelle.
☐ Une activité non-professionnelle.
☐ Une activité commerciale.

2. Qu'est-ce qu'un objet « fait-main » ?

☐ Un objet réalisé manuellement.
☐ Un objet industriel.

3. Lisez l'article et répondez par *vrai* ou *faux*.

1. Le DIY a beaucoup de succès en France : **V / F**
2. Le phénomène existe surtout chez les jeunes : **V / F**
3. Le phénomène existe surtout chez les femmes : **V / F**

4. Citez trois exemples d'activités.

1. ....   2. ....   3. ....

5. Comment sont formés les créateurs ?

☐ Ils suivent une formation spécialisée.
☐ Ils suivent des cours sur des blogs ou ils lisent des livres spécialisés.

6. Pour quelles raisons le DIY rencontre-t-il un tel succès ?

COMPRÉHENSION DE L'ORAL

PISTE 31

B. Écoutez ce reportage radiophonique et répondez aux questions suivantes.

1. Quel est le sujet principal du reportage ?

☐ Le nouveau phénomène des loisirs créatifs.
☐ Le salon « Créations et Savoir-Faire ».

2. Les impressions de Rebecca sur le salon sont...

☐ très positives.
☐ négatives.

3. Qu'est-ce qu'a fait Rebecca au salon ?

☐ Elle a participé à des ateliers créatifs.
☐ Elle a acheté des objets.

C. Écoutez à nouveau le reportage radiophonique et répondez aux questions suivantes.

1. À quels ateliers a participé Rebecca ?

☐ Un atelier de décoration et un atelier de couture.
☐ Un atelier de restauration de meubles et un atelier d'origami.
☐ Un atelier de cuisine créative et un atelier de bricolage.

2. Quels loisirs créatifs pratique Rebecca ?

☐ Le bricolage et la cuisine créative.
☐ Le bricolage et la décoration.

3. Que fait le mari de Rebecca ?

☐ Du bricolage.
☐ De la cuisine créative.

PRODUCTION ÉCRITE

D. Vous pratiquez un loisir créatif et vous partagez votre passion sur un forum. Présentez ce loisir.

1. Quel loisir pratiquez-vous ? Quand ? Choisissez un des loisirs proposés sur cette page ou faites une recherche sur Internet.

L'HEURE

1. Écoutez puis complétez ces messages vocaux.

PISTE 32

1. Bonjour et bienvenue chez Bleu Télécom. Nos conseillers sont à votre disposition de _7h30_ à .... en semaine et de .... à .... le week-end. Pour plus d'informations, connectez-vous sur notre site Internet bleutelecom@emdl.en.

2. Bonjour et bienvenue au service clients de Voyage Express. Nous sommes ouverts du lundi au jeudi de .... à .... et de .... à ..... Le vendredi, nous sommes ouverts le matin, de .... à ..... Merci de votre appel.

L'HEURE ET LES MOMENTS DE LA JOURNÉE

2. Complétez cet article avec les informations suivantes. Faites des recherches sur Internet si nécessaire.

9 h à 17 h   le soir   vers 16 h

le midi   le week-end   le matin

entre 17 h et 18 h

ACTUALITÉ

Les Québécois ne dînent pas, ils soupent.

Au Québec, les repas n'ont pas les mêmes noms qu'en France. _Le matin_, quand ils se lèvent, les Québécois prennent le déjeuner. ...., ils font une pause d'une heure pour prendre le dîner ou le lunch. Et ...., ils prennent le souper. Les Québécois soupent tôt, comme

les Anglo-saxons, ..., c'est différent, les Québécois prennent un brunch. C'est une véritable tradition du dimanche matin. Ce repas se prend vers 10 h. Les Québécois travaillent en général de ..... Le vendredi, ils sortent souvent du travail plus tôt, ...

LES VERBES PRONOMINAUX AU PRÉSENT

3. A. Lisez la rédaction de Matteo et conjuguez les verbes pronominaux au présent.

> **MES HABITUDES**
> Du lundi au vendredi, ma sœur et moi, nous .... (se lever) à 7h. Je préfère le week-end parce qu'on .... (se réveiller) plus tard.
> D'abord, je prends mon petit déjeuner et après, je .... (se doucher). Ma sœur .... (se doucher) avant le petit déjeuner. Ensuite, nous .... (se préparer) : nous .... (s'habiller) et finalement, nous .... (se brosser les dents). De temps en temps, nous .... (s'amuser) un peu avant de partir au collège : nous jouons ou nous regardons la télé.

3. B. À votre tour, écrivez un petit texte pour décrire vos habitudes matinales.

Je me réveille vers 8 heures et je me prépare un café. Ensuite,...

4. Complétez l'interview de Sami, jeune cuisinier, avec les verbes pronominaux qui conviennent, puis écoutez l'enregistrement pour vérifier.

PISTE 33

se réveiller   se coucher (x 2)   se reposer   se lever

- • Bonsoir Sami.
- ○ Bonsoir Laurent.
- • Vous commencez le travail à 16 h et vous terminez à minuit. Vous _vous couchez_ à quelle heure ?
- ○ Entre deux heures et trois heures du matin.
- • Et vous .... à quelle heure ?
- ○ Vers midi en général.
- • Vous travaillez beaucoup. Vous .... quand ?
- ○ Je me repose un week-end sur deux et j'ai des vacances en été.
- • Vous aimez ce rythme ?
- ○ Oui mais c'est un peu compliqué avec ma copine. On n'a pas le même rythme : Elle, elle .... à 7 h et elle .... à 23 h alors...
- • C'est difficile, non ?
- ○ Oui, mais c'est une question d'habitude !

L'INTENSITÉ

5. A. Lisez ces activités et leurs fréquences et dites si pour vous, c'est *trop*, *beaucoup*, *assez* ou *peu*.

Manger au restaurant tous les midis, c'est trop !

- • Lire un livre par semaine.
- • Faire du sport trois fois par semaine.
- • Aller au cinéma une fois par mois.
- • Se connecter à Internet trois fois par jour.

5. B. Maintenant, faites des phrases pour décrire vos habitudes.

Je mange au restaurant une fois par semaine.

L'INTERROGATION

6. Myriam est journaliste et elle présente son métier à des étudiants. Complétez les questions avec le mot interrogatif qui convient puis associez les questions et les réponses pour reconstituer l'interview.

quelles — comment — qu'est-ce que

combien — quelles

1. *Quelles* études sont nécessaires pour être journaliste ?
2. .... d'heures travaillez-vous par jour ?
3. .... commencent vos journées ?
4. Et .... vous faites après cette réunion ?
5. Selon vous, ... sont les qualités d'un bon journaliste ?

   A. Par le rituel matinal : une réunion.
   B. En général, après cette réunion, nous partons faire nos interviews ou nous écrivons nos articles.
   C. Il y a plusieurs possibilités, mais c'est bien d'étudier dans une école de journalisme.
   D. Un bon journaliste aime écrire et communiquer.
   E. Nous travaillons beaucoup, de 8h à 20-21h.

LES ADVERBES DE FRÉQUENCE

PISTE 34

7. A. Écoutez le micro-trottoir sur les habitudes culturelles des Français et notez les réponses de la personne interrogée.

1. **Vous allez au cinéma :**
   ☐ très souvent. ☒ rarement. ☐ jamais.

2. **Vous visitez des musées :**
   ☐ souvent. ☐ de temps en temps. ☐ jamais.

3. **Vous faites du sport :**
   ☐ souvent. ☐ rarement. ☐ jamais.

4. **Vous voyagez à l'étranger :**
   ☐ très souvent. ☐ de temps en temps. ☐ rarement.

7. B. À votre tour, répondez au questionnaire puis rédigez un petit texte.

Je vais au cinéma de temps en temps...

LE VERBE *FAIRE* AU PRÉSENT

8. Voici quelques expressions avec le verbe *faire*. À l'aide d'un dictionnaire ou d'Internet, associez ces expressions à leur définition et conjuguez le verbe *faire*.

faire la fête — faire le ménage — faire la sieste

faire la grasse matinée — faire du bruit

1. Je sors beaucoup, je dors peu : *je fais la fête.*
2. Vous écoutez de la musique très fort : ....
3. Les jeunes enfants dorment une heure à l'école : ....
4. Tu ranges et tu nettoies ta maison le samedi : ....
5. On dort jusqu'à midi ou plus le week-end : ....

LES VERBES COMME *SORTIR*

PISTE 35

9. Écoutez l'enregistrement et dites si vous entendez les verbes à la 3e personne du singulier ou du pluriel.

		SINGULIER	PLURIEL
1.	sortir	☐	☒
2.	dormir	☐	☐
3.	partir	☐	☐
4.	vivre	☐	☐
5.	suivre	☐	☐

CARACTÉRISER UNE PERSONNE

10. Retrouvez les adjectifs qui correspondent aux noms proposés et complétez la grille.

HORIZONTAL
1. l'originalité : ....
2. l'étourderie : ....
3. la sensibilité : ....
4. la curiosité : ....

VERTICAL
5. le courage : *courageux*
6. la nervosité : ....

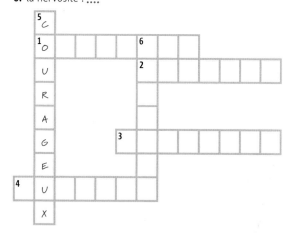

DÉCRIRE UNE PERSONNE

11. Observez ces photos d'une agence de casting et complétez les fiches avec les adjectifs suivants.

marron — blonds — bruns — courts — longs — bleus

PRÉNOM : Johanna
TAILLE : 1,73
YEUX : ....
CHEVEUX : .... et ....

PRÉNOM : Isabelle
TAILLE : 1,82
YEUX : *Bleus*
CHEVEUX : .... et ....

L'HABITUDE

12. Observez le programme de ce cinéma et dites quels événements sont exceptionnels et lesquels sont habituels.

CINE'TTITUDE SALLE DE CINÉMA

LES LUNDIS VOYAGEURS
Lundi 3 octobre :
> *Rome, ville ouverte* de Roberto Rossellini.
....

LES MARDIS AVANT-PREMIÈRE
Mardi 11 octobre :
> *Une nouvelle amie*, le tout nouveau film de François Ozon.
....

LES VENDREDIS DÉCOUVERTE
Cette semaine : *Chante ton bac d'abord* de David André.
> Vendredi 7 octobre, projection en présence de l'équipe du film.
....

LES WEEK-ENDS COURTS
Comme tous les week-ends, retrouvez notre sélection de courts métrages.

1. Événements habituels : *Les lundis voyageurs, ...*

2. Événements exceptionnels : *Lundi 3 octobre : ....*

LE PASSÉ COMPOSÉ (1) : *AVOIR*

PISTE 36

13. Présent ou passé composé ? Écoutez les séries ; dans quel ordre entendez-vous les phrases ?

		PRÉSENT	PASSÉ COMPOSÉ
1	regarder	2	1
2	travailler		
3	adorer		
4	participer		
5	voyager		

14. A. Associez un personnage de BD de la première colonne à un verbe de la deuxième puis à un élément de la troisième colonne. Pour cela, aidez-vous d'Internet ou d'un dictionnaire.

PERSONNAGE	VERBE	COMPLÉMENT
1. Corto Maltese	• sauver	○ sur la Lune
2. Tintin	• inventer	○ le perroquet de la maison
3. Gaston Lagaffe	• marcher	○ sur tous les continents
4. Le chat du Rabbin	• voyager	○ le Marsupilami
5. Spirou	• manger	○ des machines très drôles

14. B. À présent, faites des phrases au passé composé.

Corto Maltese a voyagé sur tous les continents.

---

15. Complétez le post du blog de Catherine avec les verbes conjugués au passé composé.

dimanche 12 novembre

UNE SEMAINE HORRIBLE

J'ai __eu__ (avoir) une semaine horrible !
D'abord, mes horaires : d'habitude, je travaille de 10 h à 18 h, mais cette semaine j'.... (terminer) à 19 h tous les soirs. Ensuite, mardi soir, dans la rue, j'.... (rencontrer) mon ex et sa nouvelle copine. Puis, mercredi, Sam .... (oublier) d'acheter les places de concert alors, jeudi soir, on .... (ne pas assister) au concert de Daft Punk. Et pour finir, vendredi, mes collègues de bureau .... (ne rien faire) de la matinée et, en plus, nous .... (avoir) des problèmes avec notre chef.
Je suis contente d'être ENFIN en week-end !

LA NÉGATION

16. A. Victor a rédigé sa liste des choses à faire absolument dans la vie. Quelles sont les choses que vous avez déjà faites, jamais faites ou pas encore faites et que vous pensez faire ?

déjà fait	pas encore fait	jamais fait

- Visiter une des sept merveilles du monde
- Acheter une maison ou un appartement
- Avoir un enfant
- Dîner dans un restaurant gastronomique
- Pratiquer un sport extrême
- Apprendre le japonais
- Écrire un livre

16. B. À présent, rédigez des phrases comme dans l'exemple puis créez votre propre liste.

Pratiquer un sport extrême : jamais fait
Je n'ai jamais pratiqué de sport extrême, mais j'ai déjà visité le Taj Mahal...

COMPRÉHENSION DES ÉCRITS

A. Lisez l'article et répondez aux questions.

L'ORGANISATION DU TEMPS SCOLAIRE

Depuis la rentrée 2014, les enfants n'ont plus 144 jours d'école par an mais 180. La semaine n'est plus de 4 jours mais de 5 jours (avec une demi-journée le mercredi matin) mais le nombre d'heures de cours par semaine n'a pas changé (24 heures).

La nouvelle organisation du temps scolaire est la suivante :

- une semaine de 9 demi-journées (incluant le mercredi matin)
- 5 h 30 de cours par jour avec :
    - 3 h 30 de cours le matin
    - une pause déjeuner d'1 h 30 minimum
    - des activités périscolaires*
      (des ateliers d'1 h, après les cours)

* les activités périscolaires sont des ateliers artistiques, sportifs ou culturels proposés aux élèves.

1. Le nombre de jours d'école par an :

☐ a augmenté.   ☐ a diminué.

2. Le nombre d'heures de cours par semaine :

☐ a changé.   ☐ n'a pas changé.

B. Théo commence l'école à 8 h 30. Il a deux heures de pause déjeuner. Le mardi et le jeudi, il suit des ateliers périscolaires. D'abord le judo (1 h), puis des cours de photographie (1 h). Complétez son emploi du temps.

	Lundi	Mardi	Mercredi	Jeudi	Vendredi
8 h 30					
9 h					
10 h					
11 h					
12 h					
13 h					
14 h					
15 h					
16 h					
17 h					
18 h					

 COMPRÉHENSION DE L'ORAL

PISTE 37

C. L'école d'Elisa et Tom propose des activités périscolaires.

1. Écoutez l'interview et entourez les activités qu'elle propose.

musique   judo   cuisine   karaté

chorale   natation   danse   dessin

théâtre   informatique   volley-ball   football

2. Ensuite, retrouvez les activités pratiquées par Elisa et Tom.

ACTIVITÉS D'ELISA	ACTIVITÉS DE TOM
chorale	

3. Réécoutez l'interview et répondez aux questions suivantes.

1. À quelle fréquence suivent-ils une activité périscolaire ?
☐ Tous les jours.
☐ Deux fois par semaine.
☐ Une fois par semaine.

2. Quels jours de la semaine ? ....

3. De quelle heure à quelle heure ? ....

4. Les activités périscolaires sont animées par :
☐ des professeurs.
☐ des animateurs.

 **PRODUCTION ÉCRITE**

D. Rédigez un petit texte sur le rythme scolaire des écoliers dans votre pays (les horaires et les activités).

LES EXPRESSIONS DE TEMPS (1)

1. Remplacez les dates écrites entre parenthèses par les expressions de temps suivantes.

~~aujourd'hui~~   la semaine dernière   samedi prochain

mercredi prochain   le mois dernier

Chers membres,

Je vous écris aujourd'hui (22 novembre 2014) pour préparer la fête de notre association.

.... (29 novembre 2014), notre association célèbre ses 10 ans. .... (octobre 2014), nous avons commencé à préparer l'événement. Nous avons invité les anciens présidents et les anciens bénévoles. .... (du 10 au 15 novembre 2014), j'ai déjà reçu des réponses positives.

Je vous propose une réunion .... (le 26 novembre 2014) pour organiser les derniers préparatifs.

Très cordialement,

Sylvain Géraud

LE PASSÉ COMPOSÉ (1) : AVEC *AVOIR*

2. A. Complétez le brouillon du discours du directeur de l'association *Des enfants et des lettres* à l'aide des verbes suivants au passé composé.

~~commencer~~   aider   former

apprendre   travailler

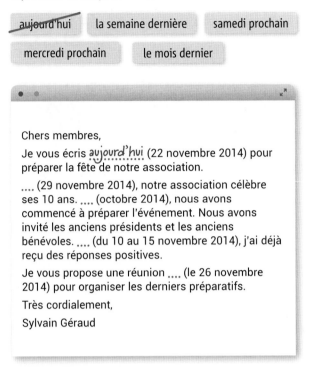

Mesdames, messieurs,

Je suis très heureux d'être ici avec vous pour fêter les dix ans de notre association. Elle a commencé avec 3 membres. Aujourd'hui, nous sommes plus de 100. Nous .... une véritable équipe. Un grand merci à vous tous ! Vous .... avec toute votre énergie pour obtenir ce succès.

Ensemble, nous .... des milliers d'enfants. Avec nous, ils .... à lire et à écrire. Nous sommes très heureux !

Je suis très fier de vous.

2. B. Quel est l'objectif de cette association ?

☐ Donner à manger aux enfants pauvres.
☐ Apprendre à lire et à écrire aux enfants.
☐ S'occuper des enfants malades.

3. Complétez le mail que cette association envoie au directeur d'une école avec les verbes conjugués au passé composé.

Monsieur,

J'ai reçu (recevoir) aujourd'hui Maëllis Ribeiro, une nouvelle candidate. Elle n'a jamais travaillé (ne jamais travailler) pour nous, mais elle est très motivée. Elle .... (vivre) à l'étranger et elle .... (être) animatrice. Elle .... (enseigner) le français à des enfants étrangers également. De plus, elle .... (être) bénévole dans des associations donc elle connaît bien le monde associatif.

Bien cordialement,

Alice Haddou

LES PRONOMS RELATIFS *QUI / QUE*

4. Complétez les phrases avec le pronom relatif qui convient et cochez la définition correcte, comme dans l'exemple.

1. Un baby-sitter :
☐ C'est une personne qui garde les enfants.
☐ C'est une personne que les enfants gardent.

2. Un bon bricoleur :
☐ C'est une personne .... sait bien jardiner.
☐ C'est une personne .... sait monter les meubles.

3. Un bénévole :
☐ C'est une personne .... aide gratuitement les gens en difficulté.
☐ C'est une personne .... les associations aident gratuitement.

4. Une association humanitaire :
☐ C'est une organisation .... les hommes protègent.
☐ C'est une organisation .... protège les hommes.

5. Complétez les devinettes avec le pronom relatif *qui* ou *que* et répondez. Aidez-vous du livre et d'Internet.

Catherine Deneuve   ~~L'Abbé Pierre~~   Coluche

Jacques-Yves Cousteau   Amélie Nothomb

1. C'est un prêtre qui a fondé l'association *Emmaüs* et .... tous les Français respectent, c'est l'Abbé Pierre.
2. C'est un humoriste .... a fondé l'association *Les Restos du cœur*, une association .... offre des repas aux pauvres, c'est ....
3. C'est une actrice .... a joué dans plus de 120 films et .... les grands réalisateurs adorent, c'est ....
4. Elle a écrit 23 livres .... ont eu beaucoup de succès. C'est une écrivaine .... tous les Français connaissent parce qu'elle donne beaucoup d'interviews, c'est ....
5. C'est un marin .... a navigué sur toutes les mers avec son bateau La Calypso et .... l'ONU a nommé conseiller, c'est ....

LES EXPRESSIONS DE TEMPS (2)

6. Complétez le texte suivant avec les expressions de temps qui conviennent.

en   ~~depuis~~   dans les années   aujourd'hui   de ... à

Les grandes étapes de l'histoire des associations humanitaires en France

IL EXISTE UN TRÈS GRAND NOMBRE D'ASSOCIATIONS EN FRANCE, SURTOUT DEPUIS 1901, ANNÉE DE LA CRÉATION DE LA LOI DE LIBERTÉ D'ASSOCIATION.

▸ *Depuis* la Seconde Guerre mondiale (1939-1945), des associations, comme la *Croix-Rouge* (créée .... 1863) ont survécu.

▸ À la fin de la Seconde Guerre mondiale, deux associations sont nées : *le Secours Populaire* et *les Petits frères des pauvres*.

Elles existent encore.

▸ .... 70, le mouvement associatif a été très fort.

▸ .... 1970 .... 2000, les associations humanitaires se sont développées de plus en plus.

▸ ...., on compte plus d'un million d'associations humanitaires en France.

PISTE 38

7. A. L'association *Les Restos du cœur* aide les personnes défavorisées. Écoutez le reportage et associez les dates aux événements.

1. septembre 1985
2. juin 1986
3. hiver 85-86
4. dans les années 90
5. 1989

A. Premiers concerts des *Enfoirés*
B. Ouverture des premiers *Restos bébés du cœur*
C. Mort de Coluche
D. Première campagne d'hiver des *Restos du cœur*
E. Création de l'association *Les Restos du cœur*

PISTE 39

7. B. À présent, complétez le texte avec les expressions de temps suivantes et écoutez l'enregistrement pour vérifier.

en (x 3)   de ... à   après   depuis

En septembre 1985, Coluche annonce à la radio la création de son association *Les Restos du cœur*.

.... novembre 85, plus de 5 000 bénévoles distribuent 8,5 millions de repas.

.... l'accident mortel de Coluche, ... juin 1986, l'association évolue. Tous les ans, ... 1989, de célèbres chanteurs francophones solidaires se réunissent pour faire des concerts : c'est « La tournée des Enfoirés ». .... 1985 .... 2013, l'association a permis de distribuer 130 millions de repas.

Et ce n'est pas fini !

LE PASSÉ COMPOSÉ (2)

8. Complétez l'interview de Samir avec les verbes conjugués au passé composé.

PORTRAIT

TOUS LES MOIS, NOUS RÉALISONS LE PORTRAIT D'UN PROFESSIONNEL. CE MOIS-CI, NOUS RENCONTRONS SAMIR. IL EST TUNISIEN ET IL EST INGÉNIEUR INFORMATICIEN. VOICI SON PARCOURS.

Samir, vous êtes tunisien, vous *êtes né* (naître) dans quelle ville ?

Je .... (naître) à Carthage. Je .... (arriver) en France pour faire mes études d'ingénieur.

Vous .... (venir) en France seulement pour le travail ?

Non pas seulement. Je .... (venir) aussi pour vivre avec ma femme qui est française.

Comment est-ce que vous .... (devenir) ingénieur ?

Après mes études, je .... (partir)

faire un stage en Angleterre ensuite, je .... (revenir) en France et je .... (trouver) rapidement un nouveau travail.

Incroyable ! Vous retournez en Tunisie parfois ?

Oui souvent. Mes parents .... (rester) là-bas.

Un conseil pour les jeunes qui cherchent du travail ?

Être curieux, ouvert et ne pas avoir peur de voyager.

9. A. Lisez ce témoignage posté sur un site d'échange de services et complétez-le avec les verbes suivants au passé composé.

venir   décider   retrouver   appeler

Agathe 38 ANS

Mon mari et moi, nous travaillons beaucoup et nous sommes très stressés. Ensemble, nous .... de faire du sport. Nous .... Sébastien, et il .... chez nous une fois par semaine pendant six mois. Nous .... la forme grâce à lui. C'est un excellent professionnel !

9. B. Vous aussi, vous avez testé un service. Rédigez votre témoignage sur le service de votre choix.

10. Lisez cette biographie du chanteur Bernard Lavilliers et complétez les phrases à l'aide des verbes suivants au passé composé.

travailler   ~~naître~~   revenir   écrire
sortir   partir   être

Bernard Lavilliers *est né* le 7 octobre 1946 à Saint-Étienne. De 1962 à 1965, il .... dans la manufacture de son père. Pendant cette période, il .... ses premières chansons. En 1965, Bernard Lavillers .... au Brésil. Il .... en France en 1987. Son premier disque, *Les poètes*, ... en 1972. Ça .... le début d'une longue carrière de plus de 40 ans.

11. Complétez les messages avec les verbes conjugués au passé composé.

> Salut Manu, alors, ton entretien, ça **s'est passé** (se passer) comment ?

> Horrible ! Je .... (se réveiller) avec une demi-heure de retard...

> Non !!! C'est vrai ?

> Oui ! Je .... (se préparer) très vite mais je .... (arriver) avec 10 min de retard.

> Mais tu .... (se coucher) tard hier soir ?

> À minuit. Mais je .... (s'endormir) à 2 h à cause du stress.

> Oh, mon pauvre

LE PASSÉ COMPOSÉ (3)

12. Lisez les parcours de ces professionnels et conjuguez les verbes au passé composé. Faites l'apostrophe si nécessaire.

Ibrahim Baqir 31 ANS

J'ai **vécu** (vivre) au Maroc jusqu'à l'âge de 21 ans. Je .... (commencer) à faire des études de physique et, ensuite, je .... (se spécialiser) en électronique. Quand je .... (arriver) en France, je .... (s'inscrire) à l'université technologique de Compiègne. Je .... (terminer) mes études il y a 6 mois.

Sangita 33 ANS

Je .... (étudier) la biologie à New Delhi et puis je .... (décider) de faire des études de médecine. Ensuite, je .... (partir) à Bruxelles pour faire un stage dans un hôpital. Là-bas, je .... (s'intéresser) à la recherche contre les maladies infantiles. Je .... (s'occuper) de deux enfants malades pendant six mois.

 PISTE 40

13. Étienne a 46 ans. Il réalise aujourd'hui son bilan de compétences. Écoutez son entretien et remettez les phrases dans l'ordre chronologique.

.... Il est parti au Canada et a suivi une formation de gestion hôtelière.

.... Il a travaillé pendant un an dans un bar en Espagne.

1 Il a travaillé dans le restaurant de son père comme aide cuisinier.

.... Il est revenu en France, s'est inscrit à un cours de maçonnerie et il est devenu maçon.

.... Il s'est retrouvé sans travail pendant deux ans.

.... Il a créé son entreprise de maçonnerie. Et puis il y a eu la crise.

LES EXPRESSIONS DE TEMPS (3)

14. Lisez ces témoignages et complétez-les avec *depuis* ou *il y a*.

Mathias 39 ANS, CHEF D'ENTREPRISE

« J'ai créé mon entreprise **il y a** trois ans. J'ai suivi une formation de gestion hôtelière et, ... trois ans, je cuisine à domicile. »

Aurore 37 ANS, CONSEILLÈRE EN COMMUNICATION

« Je travaille comme conseillère .... cinq ans. .... 7 ans, j'ai décidé de changer de travail. Je me suis inscrite à une formation de communication culturelle et maintenant je travaille pour plusieurs artistes. »

Antonia 31 ANS, GUIDE TOURISTIQUE

« Je suis guide touristique .... deux ans. Je suis arrivée au Canada .... quatre ans et je me suis inscrite à une formation de guide touristique. Aujourd'hui, je travaille dans tout le pays ! »

LES VERBES *CONNAÎTRE* ET *SAVOIR* AU PRÉSENT

15. Complétez ces petites annonces avec les verbes *connaître* et *savoir* au présent.

> Adam, 26 ans, étudiant.
> Je cherche un travail dans la restauration pour financer mes études. Je **connais** bien le métier de serveur et je .... cuisiner. Vous .... un bar, un restaurant qui cherche un serveur ou un cuisinier ? Contactez-moi.
> adam.loubovski@entrenous-uni-en

> Katarina, 21 ans, étudiante.
> Je suis allemande et je me propose comme baby-sitter. Je .... les enfants (j'ai deux petits frères) et je .... m'occuper d'eux. Vous avez des enfants, ou vous .... des personnes qui ont des enfants ? Écrivez-moi !
> kati.scheiber@entenous-uni.en

> Emilio et Jenny, 24 et 26 ans, étudiants. Nous sommes frère et sœur. Emilio, mon frère, ... bien l'informatique et moi je .... bien le design informatique. Vous ne .... pas qui contacter pour créer votre site Internet ? Écrivez-nous.
> jenny.flores@entrenous-uni.en

COMPRÉHENSION DES ÉCRITS

A. Lisez cet article et répondez aux questions.

MÉTIERS D'AVENIR : QUELLES SONT LES PROFESSIONS DE DEMAIN ?

VOUS CONNAISSEZ PEUT-ÊTRE UN RÉGULATEUR NUMÉRIQUE OU UN ÉCOTOXICOLOGUE ? NON ? NORMAL. CE SONT LES PROFESSIONS DU FUTUR.

NOTRE SOCIÉTÉ CHANGE, NOS BESOINS AUSSI. LES NOUVEAUX MÉTIERS SE DÉVELOPPENT SURTOUT DANS LES SECTEURS DE L'ÉCOLOGIE ET DU NUMÉRIQUE. VOICI QUATRE PROFESSIONS EN PLEINE ÉVOLUTION.

Régulateur numérique
C'est un cyber-médecin. Psychologue, il contrôle les addictions à Internet.

Compétences : Savoir écouter, analyser et décider.

Formation : Diplôme de psychologie.

Écotoxicologue
Il étudie la toxicité des produits de différentes industries pour protéger l'écosystème.

Compétences : Bien connaître les sciences. Être pragmatique et savoir travailler en équipe.

Formation : Doctorat en toxicologie.

Community manager
Il intervient sur les réseaux sociaux (Facebook, Twitter…) pour faire la promotion ou défendre la réputation d'une marque.

Compétences : Savoir écouter, être sociable, pragmatique et bien organisé.

Formation : Diplôme de journalisme ou de marketing.

Chimiste vert
Il développe des procédés chimiques qui utilisent le plus possible des produits naturels.

Compétences : Bien connaître le domaine des énergies naturelles.

Formation : Diplôme d'ingénieur ou master en économie de l'environnement.

---

1. Lisez le texte d'introduction et répondez par *vrai* ou *faux*.

1. Les métiers du futur apparaissent parce que la société change : **V / F**

2. Les métiers du futur sont des métiers du secteur industriel : **V / F**

2. Lisez à présent la présentation des quatre métiers.

1. Quels métiers font partie du secteur de l'écologie ? ....

2. Quels métiers font partie du secteur du numérique ? ....

3. David a fait des études de marketing. Il a le sens de l'organisation et il connaît beaucoup de monde. Quel métier lui recommandez-vous ?

COMPRÉHENSION DE L'ORAL

PISTE 41

B. Nathalie Sianko est responsable diversité. Elle parle de son métier dans une émission.

1. Écoutez l'enregistrement une première fois.

1. Depuis combien de temps le métier de responsable diversité existe-t-il ?
☐ Depuis cinq ans.
☐ Depuis dix ans.
☐ Depuis quinze ans.

2. Quelle définition correspond au métier de responsable diversité ?
☐ Encourager la diversité des employés dans les entreprises.
☐ Aider les personnes à changer de profession.

2. Écoutez l'enregistrement une deuxième fois.

1. Qu'est-ce qu'une entreprise qui respecte la diversité ?
☐ Une entreprise qui emploie des personnes avec plusieurs compétences.
☐ Une entreprise qui emploie des hommes, des femmes de tous âges et aussi d'origine étrangère.

2. Comment intervient un responsable diversité en entreprise ?
☐ Il anime des formations et des conférences.
☐ Il dialogue individuellement avec les employés.

3. Citez deux qualités nécessaires pour être responsable diversité.

1. .... 2. ....

PRODUCTION ÉCRITE

C. Vous souhaitez changer de métier. Rédigez un petit texte qui raconte les étapes importantes de votre parcours professionnel et personnel.

LES VERBES *VOULOIR* ET *POUVOIR*

1. Complétez cet article avec les verbes *vouloir* et *pouvoir* conjugués au présent.

NOTRE COUP DE CŒUR DE LA SEMAINE

Notre vote : ★ ★ ★ ★ ★   **Votre vote :** ★ ★ ★ ★ ☆

LE CAFÉ SHOP DE STELLA – www.lecafeshop.en
publié le 8 février

Vous *voulez* faire du shopping et vous détendre en même temps ? Visitez *Le café shop de Stella*. Cette jeune créatrice de 26 ans a ouvert un café où on ... aussi acheter des vêtements, des bijoux et d'autres objets.

« J'ai toujours détesté faire du shopping. Dans mon café, les clients ... faire leurs achats tranquillement, essayer des vêtements et s'ils ... seulement prendre un verre, ils sont aussi les bienvenus. Je ... aussi discuter directement avec eux et connaître leur avis sur mes créations ».

Vous êtes tentés ? N'hésitez pas à venir.
Vous ... également découvrir les créations de Stella sur son site Internet : www.lecafeshop.en

L'ACCORD DES ADJECTIFS DE COULEUR

2. A. Regardez les vêtements que Judith a achetés pour l'été et complétez les légendes.

MON PANIER

Panam
Robe d'été
bleue.
60 €

ÉTHIQUE
Chemise
.... à manches courtes.
45 €

Mme Chic
Pantalon
....
40 €

Sᵗ Trop
Sandales
....
65 €

2. B. Et vous ? Quels sont les quatre derniers vêtements que vous avez achetés ? De quelle couleur sont-ils ?

J'ai acheté une chemise verte...

LES VÊTEMENTS ET ACCESSOIRES

3. A. Écrivez pour chaque situation quels vêtements peuvent porter Coralie et Maxime.

une jupe | une petite robe | un T-shirt | un costume
un pantalon d'été | une chemise | des sandales
un short | des chaussures à talon | des baskets
une veste pour femme | des chaussures

Pour un mariage :
1. Coralie : ....
2. Maxime : ....

Pour une soirée en été
3. Coralie : ....
4. Maxime : ....

3. B. Et vous ? Que portez-vous dans ces situations ?

4. Complétez ces mots fléchés avec les vêtements et les accessoires qui conviennent.

HORIZONTAL
1. Elles sont toujours deux ; l'été, elles ne sont pas indispensables.
2. Il se porte seulement quand il fait chaud.

VERTICAL
3. Elle se porte autour du cou quand il fait froid.
4. Elle peut être longue, courte ou mini.
5. Il protège les oreilles du froid et se met sur la tête.
6. Il existe pour hommes et pour femmes.

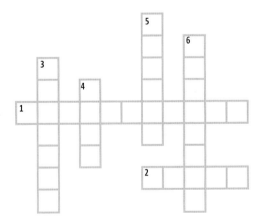

L'INTERROGATION (3)

PISTE 42

5. Voici une série d'échanges entre clients et vendeurs. Associez les questions aux réponses qui conviennent, puis écoutez l'enregistrement pour vérifier.

1. - Désirez-vous voir autre chose ?
2. - Bonjour, je peux vous aider ?
3. - Est-ce que vous avez ce pull en rouge ?
4. - Excusez-moi, il coûte combien ce pantalon ?
5. - Vous acceptez les chèques ?

    A. - Il coûte 79 euros. Vous voulez l'essayer ?
    B. - En rouge ? Non, je l'ai seulement en vert et en noir.
    C. - Oui, je cherche une chemise blanche.
    D. - Non merci, ce sera tout.
    E. - Non, désolé monsieur, mais nous acceptons les cartes bleues.

6. Lisez ces questions et dites si elles sont posées par un client (C) ou un vendeur (V). Ensuite, proposez deux autres formes interrogatives, comme dans l'exemple.

1. Vous avez des pulls 100 % laine ? → *(C)*
    – Est-ce que vous avez des pulls 100 % laine ?
    – Avez-vous des pulls 100 % laine ?
2. Voulez-vous le voir en noir ? → ....
3. Est-ce que vous avez cette chemise en XL ? → ....
4. Ce pantalon, il est soldé aussi ? → ....

LES VALEURS DU PRONOM *ON*

7. Répondez, comme dans l'exemple, aux questions suivantes.

1. Qu'est-ce qu'on porte en hiver à la Réunion ? (T-shirts/bermudas/tongs)
    En hiver, à la Réunion, on porte des T-shirts, des bermudas et des tongs.
2. Quels accessoires sont nécessaires à Montréal en janvier ? (bonnets/écharpes/gants)
3. Qu'est-ce qu'on emporte dans sa valise quand on part à Dubrovnik en août ? (maillot de bain/lunettes de soleil)
4. On porte quelle tenue dans votre pays en février ?

8. Quelle est la valeur du pronom *on* dans ces phrases ? Il a la valeur de *nous* (N) ou la valeur générale (G) ?

		N	G
1	En janvier, on peut profiter des soldes.	☐	☐
2	Avec Manon, on va à Paris une semaine.	☐	☐
3	Dans cette boutique, on trouve tout le nécessaire pour la randonnée.	☐	☐
4	C'est un magasin où on va régulièrement.	☐	☐
5	Qu'est-ce qu'on offre à Solène pour son mariage ?	☐	☐
6	Est-ce qu'on fait les soldes en janvier dans votre pays aussi ?	☐	☐

LE LEXIQUE DU CORPS

9. Associez chaque expression à sa définition. Aidez-vous d'Internet si nécessaire.

1. Baisser les bras.
2. Trouver chaussure à son pied.
3. Aller quelque part les yeux fermés.
4. Le bouche-à-oreille.

    A. Aller quelque part en toute confiance.
    B. Mode de transmission orale.
    C. Abandonner, être découragé.
    D. Trouver ce qui convient.

LE PRONOM RELATIF *OÙ*

10. Transformez les deux phrases indépendantes en une seule avec le pronom *où*, comme dans l'exemple.

1. Cette boutique est ouverte depuis la semaine dernière. Dans cette boutique on trouve tout pour se déguiser. → *Cette boutique, où on trouve tout pour se déguiser, est ouverte depuis la semaine dernière.*
2. J'ai trouvé un site Internet. Sur le site, on peut acheter les vêtements avec 20 % de réduction.
3. C'est un grand magasin. Dans ce grand magasin, il y a un rayon créateurs.
4. C'est une boutique *vintage*. Dans cette boutique, il y a des sacs, des lunettes et des chaussures des années 30.

11. Complétez cet article avec les pronoms relatifs *qui*, *que* et *où*.

PARIS, la ville _où_ les femmes peuvent porter un pantalon depuis le 31 janvier 2013

À Paris, la ville .... toutes les modes sont autorisées, les femmes .... portent un pantalon peuvent enfin se promener tranquillement !
Une loi .... interdit le pantalon féminin et .... personne ne respecte depuis bien longtemps, a été abrogée* le 31 janvier. Coco Chanel et Yves Saint-Laurent, ... ont imposé le pantalon dans la mode féminine, peuvent reposer en paix.

*abroger : terme juridique qui est utilisé pour dire qu'on annule une loi.

L'IMPÉRATIF

12. Transformez les phrases suivantes à l'impératif.

1. Voulez-vous essayer ce pull ? → *Essayez ce pull.*
2. Je vous conseille de prendre le rouge ! → ....
3. Je te déconseille d'acheter cette jupe. → ....
4. Je vous recommande de sentir ce parfum. → ....
5. Pouvez-vous faire votre code, s'il vous plaît ? → ....

13. Lisez ces messages publicitaires et conjuguez les verbes à l'impératif, comme dans l'exemple.

PARFUM FAUVE

1. (Découvrir) votre nature. Sauvage. Parfum pour hommes. Fauve.
   → *Découvrez votre nature...*

TEXTILE NATURE

2. (Se détendre). (Faire un tour) dans notre rayon ZEN. Textile Nature, Paris.
   → ....

L'ARTISAN DE GRASSE

3. (Libérer) vos envies. Rosée d'été. Parfum pour femmes. L'Artisan de Grasse, Paris.
   → ....

MISS LIBERTÉ

4. (Ne pas laisser) les autres décider pour vous. Miss liberté. Créateur pour jeunes.
   → ....

CHOUCHOU

5. (Se surprendre). (S'offrir) un bijou !
   → ....

GUY LOUIS

6. Parapluie Guy Louis, (ne jamais se promener) sans lui.
   → ....

LA MÉTÉO

14. Traduisez ces expressions dans votre langue. Aidez-vous d'Internet si nécessaire. Ensuite, dites de quelle ville il s'agit, comme dans l'exemple.

1. Il fait un froid de canard. → ....
2. Il pleut des cordes. → ....
3. Il fait un soleil de plomb. → ....
4. Il fait une chaleur d'enfer. → ....

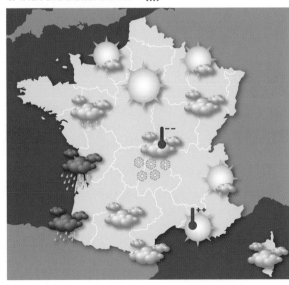

À Clermont-Ferrand, il fait un froid de canard !

COMPRÉHENSION DES ÉCRITS

A. Lisez cet article et répondez aux questions.

LA MODE EN FRANCE : ÉVOLUTION

Après la Première Guerre mondiale, les femmes commencent à travailler. Elles cherchent des tenues confortables. Les femmes montrent leurs jambes pour la première fois, les robes montent au-dessus des genoux et les premiers pantalons féminins apparaissent. Coco Chanel crée la petite robe noire en 1926. Après le krach de 1929, les tenues plus conventionnelles reviennent jusqu'à la fin de la Seconde Guerre mondiale.

Dans les années 50, la mode est élégante et féminine mais stricte. Chanel introduit son petit tailleur en 1954. Les années 60 sont marquées par le goût de la liberté. Les femmes sont devenues actives. La mini-jupe, venue d'Angleterre, arrive en France dans les années 60 et les jeunes filles commencent à porter le jean. Pendant les années 80, les créateurs exposent pour la première fois leurs œuvres dans les musées. La mode devient un art. Aujourd'hui, la mode recycle toutes les tendances précédentes.

1. Citez trois événements historiques qui ont marqué la mode.

2. Quelles sont les deux décennies marquées par l'émancipation des femmes ?

3. Citez deux vêtements emblématiques de l'émancipation des femmes.

4. Quel vêtement à la mode en Angleterre est adopté en France dans les années 60.

B. Lisez à nouveau l'article et répondez par *vrai* (V) ou *faux* (F).

1. La petite robe noire apparaît dans les années 20 : **V / F**

2. Le premier pantalon féminin apparaît après la Seconde Guerre mondiale : **V / F**

3. La mode est reconnue comme un art dans les années 80 : **V / F**

COMPRÉHENSION DE L'ORAL

 C. Écoutez cette chronique radiophonique et répondez aux questions.
PISTE 43

1. Quel est le thème de la chronique de Vincent ?

- ☐ Comment s'habiller chic et pas cher.
- ☐ Comment s'habiller éthique.
- ☐ Comment s'habiller écologique.
- ☐ Comment s'habiller « Made in France ».

2. Associez chaque expression à la définition qui convient.

1. S'habiller éthique
2. Une marque transparente
3. Des textiles naturels
4. Un label
5. Des vêtements retouchés

A. Une marque qui authentifie un produit.
B. Des textiles fabriqués à partir de matière végétale.
C. De vieux vêtements modifiés.
D. S'habiller sans polluer la planète.
E. Une marque qui informe bien les clients.

PRODUCTION ÉCRITE

D. Est-ce qu'il existe un vêtement ou un accessoire emblématique dans votre pays ? Faites une recherche sur Internet, décrivez-le et racontez son histoire.

LES ARTICLES PARTITIFS

1. Commandez votre petit déjeuner à l'hôtel. Complétez cette fiche avec les articles partitifs qui conviennent et faites votre choix.

> Nom :   Prénom :
>
> Numéro de chambre : **312**
>
> **
>
> **Comme boisson chaude, vous souhaitez :**
> ☐ _du_ café noir   ☐ ... thé vert
> ☐ ... café au lait   ☐ ... lait
> ☐ ... thé noir   ☐ ... chocolat
>
> **Comme jus de fruits, vous souhaitez :**
> ☐ ... jus d'orange   ☐ ... jus d'ananas
>
> **Pour manger, vous souhaitez :**
> ☐ ... céréales   ☐ ... tartines
> ☐ ... croissants   ☐ ... œufs
>
> **Comme accompagnement, vous souhaitez :**
> ☐ ... confiture   ☐ ... beurre
> ☐ ... pâte à tartiner   ☐ ... miel

2. A. Écoutez cette chronique sur les végans et cochez les aliments qu'ils mangent.

PISTE 44

☐ de la viande   ☐ des fruits
☐ du poisson   ☐ des œufs
☐ des céréales   ☐ des produits laitiers
☐ des légumes   ☐ du lait végétal

2. B. À présent, écrivez un petit texte pour décrire l'alimentation des vegans.

Les vegans ne mangent pas de produits d'origine animale : ils ne mangent pas... mais ils mangent...

3. Connaissez-vous la ratatouille ? Lisez cette recette et complétez-la avec les articles qui conviennent.

| la | les (x 2) | de | des (x 5) | de l' (x 2) | du |

CUISINE

La ratatouille est un plat traditionnel du Sud de la France. Il n'y a pas .... recette officielle mais il y a toujours .... mêmes légumes :

Il y a .... tomates, ... poivrons (rouges ou verts), ... aubergines, ... courgettes, ... oignons et .... ail. Elle se cuisine toujours avec .... huile d'olive.

Il y a plusieurs façons de préparer la ratatouille :
On cuit .... ingrédients séparément ou tous ensemble.
On peut mettre aussi .... vin blanc pour la cuisson.
.... ratatouille se mange froide ou chaude, seule ou accompagnée d'une viande.

LES PRONOMS COMPLÉMENTS D'OBJET DIRECT

4. Quels sont vos goûts ? Répondez aux questions comme dans l'exemple.

1. Comment est-ce que vous préférez le poisson ?
Au four ? À la poêle ? En soupe ?
→ *Le poisson, je le préfère au four.*

2. Comment est-ce que vous consommez les légumes ?
Seuls ? Avec du poisson ? Avec de la viande ?
→ ....

3. Comment est-ce que vous mangez les œufs ?
En omelette ? Pochés ? Durs ?
→ ....

4. Comment est-ce que vous cuisinez le riz ?
À l'eau ? À la vapeur ? À la poêle ?
→ ....

5. Quelle cuisson préférez-vous pour la viande ?
Saignante ? À point ? Bien cuite ?
→ ....

6. Comment est-ce que vous aimez la soupe ?
Avec du pain ? Avec du fromage ? Nature ?
→ ....

5. A. Lisez les dialogues et complétez-les avec le pronom COD qui convient.

1. ● Et comme plat principal, que désirez-vous ?

2. ○ Je vais prendre le magret. Vous .... servez avec quelle garniture ?
● Des pommes de terre ou des légumes.
○ Très bien, je vais .... prendre avec des pommes de terre.

3. ● Le plat du jour, c'est un steak avec une purée de légumes.
○ Parfait. Je vais prendre le plat du jour alors.
● La viande, vous .... aimez comment ?
○ Je .... aime saignante.

4. ● Les pommes de terre vous .... voulez à la vapeur ou frites ?
○ À la vapeur.
● Et l'eau, vous .... voulez plate ou gazeuse ?
○ Gazeuse, s'il vous plaît.

5. B. À présent, écrivez un petit dialogue sur le même modèle que ceux de A avec des plats typiques de votre pays.

– *Et comme plat principal, que désirez-vous ?*

L'OBLIGATION PERSONNELLE

6. A. Complétez ces recommandations du gouvernement en conjuguant le verbe ***devoir*** au présent.

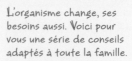

L'organisme change, ses besoins aussi. Voici pour vous une série de conseils adaptés à toute la famille.

■ **Les bébés et les jeunes enfants (de 6 mois à 3 ans).**
À cet âge, les besoins en énergie sont très importants. On ne … pas réduire les graisses pendant cette période.

■ **Les enfants de 3 à 11 ans.**
C'est une période de croissance où l'enfant … consommer beaucoup de protéines et de produits laitiers. Vous … aussi surveiller sa consommation de sucre car les produits sucrés favorisent la prise de poids.

■ **Les adolescents.**
C'est une période délicate. Le corps change. Les adolescents ont des besoins spécifiques. Ils … absolument varier leurs repas.

■ **Les plus de 50 ans.**
Bien manger permet de retarder l'arrivée de problèmes de santé. Pour cela, les plus de 50 ans … limiter les matières grasses et la consommation d'alcool et de sel.

■ **Pour nous tous.**
Bien se nourrir est essentiel pour une vie saine mais nous ne … pas oublier que manger est également un plaisir !

6. B. Lisez ces conseils pour bien manger et reformulez-les à l'impératif, comme dans l'exemple.

1. Ne pas réduire les graisses pour les enfants de moins de trois ans (vous) : *Ne réduisez pas les graisses pour les enfants de moins de trois ans.*

2. Surveiller la consommation de sucre des enfants de 3 à 11 ans (vous) : ….

3. Varier les repas (tu) : ….

4. Limiter la consommation d'alcool et de sel (vous) : ….

5. Ne pas oublier que manger est un plaisir (nous) : ….

LES ADVERBES DE QUANTITÉ

7. Lisez les habitudes de Nathan qui a seize ans. Selon vous, est-ce ***trop***, ***pas assez*** ou ***peu*** ? Donnez votre opinion comme dans l'exemple.

1. Nathan fait du sport deux fois par mois.
Nathan ne fait pas *assez de* sport.

2. Il mange de la viande trois fois par semaine.
Il mange …. viande.

3. Il boit cinq cafés par jour.
Il boit …. café.

4. Il mange des pâtes tous les jours.
Il ne varie pas …. ses repas.

PISTE 45

8. Écoutez l'interview de cet artisan boulanger et associez, comme dans l'exemple, les adverbes de quantité aux mots.

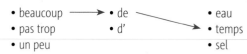

- beaucoup ⟶ • de ⟶ • eau
- pas trop • d' • temps
- un peu • sel

L'OBLIGATION IMPERSONNELLE

9. Lisez ces conseils pour bien manger et reformulez-les comme dans l'exemple.

1. Fruits et légumes, au moins 5 par jour (manger) → *Il faut manger au moins 5 fruits et légumes par jour.*

2. Produits laitiers : au moins 3 par jour (consommer) → ….

3. Féculents, à chaque repas (prévoir) → ….

4. Viande, poisson ou œufs 1 à 2 fois par jour (cuisiner) → ….

5. Produits sucrés, sel, matières grasses : à limiter (limiter) → …

6. Eau à volonté (boire) → ….

L'OBLIGATION PERSONNELLE ET IMPERSONNELLE

10. Lisez ce texte et écrivez les verbes à la forme qui convient (***devoir*** + infinitif / ***il faut*** + infinitif).

LA RESTAURATION SCOLAIRE

La restauration scolaire *doit* répondre à une double obligation : maintenir l'équilibre alimentaire et informer les parents. L'alimentation …. être équilibrée et variée. Pour préserver l'équilibre alimentaire, …. absolument respecter les principes suivants :

- Un repas …. obligatoirement contenir un plat principal avec une garniture et un produit laitier.
- …. servir des portions équilibrées en fonction de l'âge des enfants.
- L'école ne sert pas de goûter. Les parents sont responsables de la nourriture qu'ils donnent à leurs enfants. Ils …. respecter leur équilibre alimentaire (les fruits ou les barres de céréales sont recommandées).

LA COMMANDE AU RESTAURANT

PISTE 46

11. Remettez ce dialogue dans l'ordre et écoutez l'enregistrement pour vérifier.

…. Messieurs-dames, vous avez choisi ?

…. Et comme boisson, qu'est-ce que vous allez prendre ?

…. Oui, nous allons prendre le menu à 15 euros. Quel est le plat du jour ?

…. Du poulet basquaise.

…. Alors un plat du jour, s'il vous plaît.

…. De l'eau et une bouteille de vin rouge.

LES QUANTITÉS

12. Complétez cette liste de courses avec les quantités suivantes.

| boîte | grammes | kilo | tranches | ~~plaquette~~ |
| tablette | bouteilles | litres | pot |

1 plaquette de beurre
6 .... de jambon
2 .... de lait
2 .... d'eau gazeuse
1 .... de confiture

1 .... de thon
150 .... de fromage râpé
1 .... de chocolat
1 .... de sucre

 13. Écoutez l'enregistrement et complétez les phrases avec les quantités.

PISTE 47

1. En France, on mange 50 _kilos_ de viande de bœuf par seconde, cela représente 55 .... de viande de bœuf par jour et par personne.
2. La France a une consommation annuelle de 44 .... de vin par habitant, soit 60 .....
3. On consomme 15 .... de camembert par seconde.
4. On consomme 4 millions de .... de chocolat par jour, cela représente .... de chocolat par personne par an.

LE FUTUR PROCHE

14. Lisez cet article et complétez-le avec les verbes suivants au futur proche.

| ~~devoir~~ | devenir | trouver | pouvoir | être |

ACTUALITÉ

Allons-nous devoir manger des insectes ?

Pour satisfaire les besoins de la population mondiale, la production de viande _va devoir_ doubler.

La viande ... un produit de luxe. Imaginons : bientôt, on ... des rayons « insectes » dans nos supermarchés. Mais rassurez-vous, les insectes ... sous forme de saucisses ou de burger. Vous ... les consommer sans devoir les cuisiner.

 15. Complétez les dialogues suivants avec les verbes conjugués au futur proche. Ensuite, écoutez pour vérifier vos réponses.

PISTE 48

1. Dans une épicerie. Dialogue entre le vendeur et la cliente.

| ~~prendre~~ | avoir | faire |

- Bonjour madame Giroux, comment allez-vous ?
- Très bien merci.
- Alors, qu'est-ce que vous _allez prendre_ aujourd'hui ?
- De la farine et des œufs. Je .... un gâteau pour l'anniversaire de mon petit-fils.
- C'est bien ça. Il .... quel âge ?
- 12 ans.

2. Dans une boucherie. Dialogue entre le boucher et le client.

| se régaler | préparer | prendre |

- Monsieur, qu'est-ce que je vous sers ?
- Je .... un bœuf bourguignon. Qu'est-ce que vous me conseillez ?
- Je vous conseille ce morceau de bœuf. Avec ça, vous .....
- Très bien. Je .... du jambon également.

16. Florent organise la soirée d'anniversaire de Judith. Complétez son mail avec le verbe qui convient, conjugué au futur proche.

| organiser | ~~avoir~~ | passer |
| commander | cuisiner | apporter |

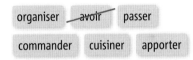

Salut les amis !

Comme vous le savez, Judith _va avoir_ 30 ans samedi prochain. Avec Satyen, Patrice et Clara, on prépare une petite surprise :

Judith .... l'après-midi chez ses parents. Nous .... une petite fête chez elle. Satyen .... un repas indien. Patrice et moi, nous .... du champagne et Clara .... un gâteau à la pâtisserie préférée de Judith.
Ça vous dit de venir ?

Florent

COMPRÉHENSION DES ÉCRITS

A. Lisez cet article et répondez aux questions.

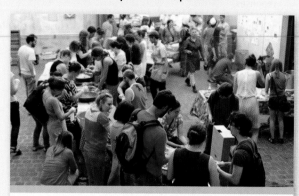

DISCO SOUPE
LA FÊTE DES LÉGUMES REJETÉS PAR LA SOCIÉTÉ

Depuis mars 2012, la Disco Soupe organise des événements dans une quinzaine de villes en France. Cette association lutte contre le gaspillage alimentaire.

En effet, en France, entre 10 et 15 millions de tonnes* de produits comestibles terminent à la poubelle chaque année. Le principe de la Disco Soupe est simple : les membres de l'association (ils sont environ 200) récupèrent des fruits et des légumes rejetés (souvent pour des raisons esthétiques) ou invendus.

Ils invitent ensuite les volontaires à préparer des soupes, des salades et des jus de fruit. Tout est redistribué au public qui paye la somme qu'il veut. C'est l'occasion de sensibiliser la population au problème du gaspillage alimentaire, mais aussi au rythme de vie trop rapide et aux problèmes écologiques.

Selon les organisateurs, « la Disco Soupe va bientôt envahir le monde » ! En effet, entre janvier et juin 2014, 180 Disco Soupe ont été organisées dans 86 villes et 10 pays différents.

* une tonne = 1 000 kg.

1. Contre quel problème lutte la Disco Soupe ?

☐ Contre la faim dans le monde.
☐ Contre le gaspillage alimentaire.
☐ Contre les légumes industriels.
☐ Contre l'agriculture polluante.

2. Qu'est-ce que le gaspillage alimentaire ?

☐ La surconsommation d'aliments.
☐ La culture industrielle des fruits et légumes.
☐ Le fait de jeter des produits comestibles.
☐ Le fait de ne pas manger assez de fruits et légumes.

3. Que font les membres de l'association ?

☐ Ils vendent des soupes, des salades et des jus de fruits avec les produits bio.
☐ Ils récupèrent les produits gaspillés et invitent les volontaires à préparer des soupes, des salades et des jus de fruits.

B. Lisez à nouveau l'article et répondez aux affirmations par *vrai* ou *faux*.

1. La Disco Soupe est une organisation humanitaire : **V / F**
2. La Disco Soupe compte environ 200 membres : **V / F**
3. Les fruits et légumes récoltés sont rejetés : **V / F**
4. La Disco Soupe existe seulement en France : **V / F**

COMPRÉHENSION DE L'ORAL

PISTE 49

C. Écoutez cette chronique d'une émission sur les problèmes de société.

1. Maintenant, répondez aux questions.

1. À quelle occasion a été réalisée cette chronique ?
☐ Pour la journée de mobilisation contre la faim dans le monde.
☐ Pour la journée nationale de lutte contre le gaspillage alimentaire.
☐ Pour la journée nationale contre la pauvreté infantile.

2. Combien de kilos de nourriture sont jetés par an et par foyer ?
☐ Entre 6 et 15 kg.
☐ Entre 20 et 30 kg.
☐ Entre 20 et 50 kg.

3. Quel est l'objectif de la chronique ?
☐ Nous informer sur les conséquences du gaspillage alimentaire.
☐ Nous donner des conseils pour éviter de gaspiller la nourriture.
☐ Nous sensibiliser à la faim dans le monde.

2. Écoutez à nouveau l'enregistrement et répondez par *vrai* ou *faux*.

1. Il faut faire attention au gaspillage alimentaire quand on fait les courses : **V / F**
2. Il est préférable de planifier ses repas à l'avance pour moins gaspiller : **V / F**
3. Si on cuisine en trop grande quantité, on ne peut plus éviter le gaspillage : **V / F**

3. Quels conseils sont donnés par la chroniqueuse pour cuisiner les restes de nourriture ?

PRODUCTION ÉCRITE

D. Vous participez à la journée anti-gaspillage. Quelles sont vos astuces pour éviter le gaspillage alimentaire ? Rédigez cinq conseils.

Suivez mes conseils pour éviter le gaspillage :
- Achetez les produits frais en petites quantités...

GRAMMAIRE

LES ARTICLES

LES ARTICLES DÉFINIS page 24

	MASCULIN	FÉMININ
SINGULIER	le / l'*	la / l'*
PLURIEL	les	

* Devant un nom commençant par une voyelle ou un **h** muet, **le** et **la** → **l'**.
Ex. : **l'**art / **l'**idée / **l'**école / **l'**hôtel, etc.

On utilise **l'article défini** :
• pour parler d'une personne ou d'une chose unique.
Ex. : C'est **le** président de la République.
• pour parler d'une personne ou d'une chose déterminée.
Ex. : C'est **l'**Arc de Triomphe des Champs-Élysées.
• pour parler d'une personne ou d'une chose déjà connue.
Ex. : C'est **le** bus 31.
• pour parler de quelque chose de général.
Ex. : **le** football / **la** mode / **les** concerts
• pour parler des goûts.
Ex. : J'aime **les** croissants.
• avec les noms de pays.
Ex. : **la** France / **l'**Italie / **le** Brésil / **les** États-Unis

LES ARTICLES INDÉFINIS page 42

	MASCULIN	FÉMININ
SINGULIER	un	une
PLURIEL	des	

On utilise **l'article indéfini** pour parler :
• de quelqu'un ou de quelque chose pas encore connu.
Ex. : C'est **un** copain de Fred. (on parle de lui pour la première fois)
• de quelqu'un ou de quelque chose parmi un ensemble.
Ex. : C'est **une** chanteuse canadienne. (elle n'est pas unique, il y a beaucoup de chanteuses canadiennes)

⚠ **un / une** = 1
Ex. : Il a deux enfants, **un** garçon (= 1) et **une** fille (= 1).

À la **forme négative, un, une, des** → **pas de (d')**
Ex. : - Vous avez **une** voiture ? - Non, je n'ai **pas de** voiture.
Ex. : - Vous avez **des** enfants ? - Non, nous n'avons **pas d'**enfants.

LA DIFFÉRENCE ENTRE LES ARTICLES DÉFINIS ET LES ARTICLES INDÉFINIS

• À Paris, il y a **des** musées intéressants. (combien ? Quels musées ? On ne sait pas)
• **Le** musée du Louvre est à Paris. (on parle de quelque chose de précis, d'unique)

LES ARTICLES PARTITIFS page 144

	MASCULIN	FÉMININ
SINGULIER	du / de l'*	de la / de l'*
PLURIEL	des	

* Devant une voyelle ou un **h** muet, **du** et **de la** → **de l'**.
Ex. : **de l'**eau / **de l'**huile

On utilise **l'article partitif** pour parler :
• de quelque chose sans indiquer la quantité.
Ex. : Tu as **de l'**argent ?
• d'une partie de quelque chose qu'on ne peut pas compter.
Ex. : Le matin, je mange **du** pain avec **de la** confiture et je prends **du** café.

À la **forme négative, du, de la, de l', des** → **pas de (d')**
Ex. : Le matin, je mange **du** pain mais je ne prends **pas de** café.
Ex. : - Tu as **de** l'argent ?
 - Non, je n'ai **pas d'**argent. Tu peux payer pour moi ?
Ex. : Je ne mets **pas d'**huile dans ma recette, c'est plus léger.

LES ARTICLES CONTRACTÉS pages 57 et 72

Quand les prépositions **à** et **de** sont suivies des articles définis **le** et **les**, il faut faire la contraction.
• **à + le = au**
Ex. : On va **au** cinéma ?
• **à + les = aux**
Ex. : Je vais **aux** toilettes.

• Devant un mot féminin commençant par une consonne : **à la**.
Ex. : On va **à la** boulangerie.
• Devant une voyelle ou un **h** muet : **à l'**.
Ex. : Je vais **à l'**école. / Il est **à l'**hôpital.

• **de + le = du**
Ex. : C'est le fils **du** boulanger. / Il arrive **du** Brésil.
• **de + les = des**
Ex. : J'aime l'odeur **des** roses. / Vous venez **des** États-Unis ?
• Devant un mot féminin commençant par une consonne : **de la**.
Ex. : Donne-moi les clés **de la** voiture, s'il te plaît.
• Devant une voyelle ou un **h** muet : **de l'**.
Ex. : Voilà l'adresse **de l'**hôtel. / C'est un professeur **de l'**université.

LE NOM COMMUN

LE GENRE ET LE NOMBRE page 26

Les noms communs ont toujours **un genre** (masculin ou féminin) et **un nombre** (singulier ou pluriel).
Ils sont toujours précédés d'un déterminant.
Ex. : **un** livre / **le** livre / **mon** livre

LE GENRE

Il est arbitraire.
Ex. : *le* taxi / *la* voiture / *le* monument

Souvent, on ajoute un *-e* pour former le féminin mais pas toujours !
Ex. : *un* ami → *une* ami*e*

Quelquefois, la terminaison permet de connaître le genre du mot :
Féminins :
- noms terminés en *-sion*, *-tion* et en *-xion*.
Ex. : *une* na*tion* / *la* pas*sion*
- noms terminés en *-té* et en *-ette*.
Ex. : *une* universi*té* / *une* baguette
Masculins :
- noms terminés en *-eau*, *-teur* et en *-isme*.
Ex. : *un* tableau / *le* directeur / *le* tourisme

⚠ Les noms terminés en *-e* ont la même forme au masculin et au féminin.
Ex. : *un* élève → *une* élève

LE NOMBRE

Le genre des noms communs est indiqué dans le dictionnaire.
(*n.m.* = nom masculin / *n.f.* = nom féminin)

- En général, on ajoute un *-s* pour former le pluriel, mais pas toujours !
Ex. : *la* boutique → *les* boutique*s*
- Les noms terminés en *-s*, *-x*, *-z* ne changent pas au pluriel.
Ex. : *le* bus → *les* bus
- Les noms terminés en *-eau* ont un pluriel en *-x*.
Ex. : *le* tabl*eau* → *les* tabl*eaux*
- Les noms terminés en *-al* ont en général un pluriel en *-aux*.
Ex. : *le* journ*al* → *les* journ*aux*

LES ADJECTIFS

LES ADJECTIFS QUALIFICATIFS

L'adjectif qualificatif sert à donner des informations sur le mot qu'il accompagne. Il le qualifie, le précise.
Comparez : *Une voiture* → *Une voiture **japonaise rouge**.*
L'adjectif qualificatif **s'accorde en genre** (masculin/féminin) **et en nombre** (singulier/pluriel) avec le nom qu'il accompagne.

LA FORMATION DU FÉMININ   page `59`

En général, l'adjectif féminin = masculin + *e* :
Ex. : *joli* → *joli**e*** ; *japonais* → *japonais**e***

Mais il y a d'autres règles pour former le féminin :
- La terminaison en *-ien* devient *-ienne*.
Ex. : *ital**ien*** → *ital**ienne***
- La terminaison en *-on* devient *-onne*.
Ex. : *bret**on*** → *bret**onne***
- La terminaison en *-er* devient *-ère*.
Ex. : *infirm**ier*** → *infirm**ière***

- La terminaison en *-eux* devient *-euse*.
Ex. : *merveill**eux*** → *merveill**euse***
- La terminaison en *-eur* devient *-euse* ou *-ice*.
Ex. : *chant**eur*** → *chant**euse*** ; *act**eur*** → *act**rice***

Si l'adjectif masculin se termine en *-e* = pas de changement :
Ex. : *calm**e*** = *calm**e***

Lorsqu'un adjectif qui désigne une couleur est un nom, il reste invariable :
Ex. : *des yeux **marron** / des yeux **noisette** / des chaussettes **orange***

LA FORMATION DU PLURIEL

En général, pluriel = singulier + *s*.
Ex. : *animée* → *animée**s*** / *sympathique* → *sympathique**s***

Beaucoup d'adjectifs pluriels sont différents du singulier.
Ex. : *be**au*** → *be**aux*** / *génér**al*** → *génér**aux***

Si l'adjectif singulier se termine par un *-s* ou par un *-x*, le pluriel est identique.
Ex. : *gri**s*** = *gri**s*** / *heureu**x*** = *heureu**x***

LA PLACE DE L'ADJECTIF   page `59`

En général, l'adjectif est **après** le nom.
Sont toujours après le nom :
- tous les adjectifs de nationalité, de couleur, de forme.
Ex. : *une fille **brune** / un manga **japonais***
- les adjectifs longs.
Ex. : *une maison **sympathique** / un ami **intelligent***
Quelques adjectifs courts et fréquents sont **avant** le nom :
Ex. : *une **belle** maison / un **petit** livre / une **bonne** idée...*

LES ADJECTIFS INTERROGATIFS   page `38`

	MASCULIN	FÉMININ
SINGULIER	Quel	Quelle
PLURIEL	Quels	Quelles

On les utilise pour poser une question sur quelqu'un ou sur quelque chose :
- *Quel* (+ nom masc. sg.)
Ex. : *Tu as dîné avec **quel** ami hier soir ?*
- *Quelle* (+ nom fém. sg.)
Ex. : *Il est **quelle** heure ?*
- *Quels* (+ nom mas. pl.)
Ex. : *Tu aimes **quels** films ?*
- *Quelles* (+ nom fém. pl.)
Ex. : *Vous prenez **quelles** chaussures ? Les noires ou les bleues ?*

LES ADJECTIFS DÉMONSTRATIFS   page `71`

	MASCULIN	FÉMININ
SINGULIER	ce / cet*	cette
PLURIEL	ces	

**Ce* devient *cet* devant une voyelle ou un *h* muet.
Ex. : ***Cet** hôtel est très beau.*

On utilise l'adjectif démonstratif pour :
- montrer quelqu'un ou quelque chose.
Ex. : *Regarde **cette** fille !*
- parler d'un moment proche.
Ex. : *On sort **cet** après-midi ou **ce** soir ?*

LES ADJECTIFS POSSESSIFS

		SINGULIER		PLURIEL	
		MASCULIN	FÉMININ	MASCULIN ET FÉMININ	
UN POSSESSEUR	moi toi lui / elle vous (politesse)	mon ton son	ma ta sa	mes tes ses	ami / cuisine / amis
PLUSIEURS POSSESSEURS	nous vous eux / elles	notre votre leur	métier	nos vos leurs	amis

⚠ Quand un nom féminin commence par une voyelle ou un *h* muet, on utilise : **mon/ton/son.**
Ex. : ***Mon** amie Juliette est photographe.*

On l'utilise pour exprimer :
- la possession.
Ex. : *C'est **mon** vélo.*
- la relation d'appartenance et de proximité.
Ex. : *C'est **mon** frère.*

LES PRONOMS

LES PRONOMS PERSONNELS

SUJETS	COMPLÉMENTS RÉFLÉCHIS	COMPLÉMENTS D'OBJET DIRECT	TONIQUES
je / j'	me / m'	me / m'	moi
tu	te / t'	te / t'	toi
il / elle / on	se / s'	le / la / l'	lui / elle
nous	nous	nous	nous
vous	vous	vous	vous
ils / elles	se / s'	les	eux / elles

LES PRONOMS PERSONNELS SUJETS page 22

SINGULIER	PLURIEL
je tu il / elle / on	nous vous ils / elles

Les pronoms sujets sont obligatoires devant les verbes conjugués.
Ex. : ***Elles** parlent chinois.*

Je devient *j'* devant une voyelle ou un *h* muet.
Ex. : ***J'**adore le foot. / **J'**habite à Paris.*

Il y a deux types de *vous* :
- un *vous* pluriel.
Ex. : *Paul, Alice ! **Vous** aimez le chocolat ?*
- un *vous* singulier (le *vous* de politesse).
Ex. : *Pardon, madame. **Vous** êtes française ?*

Tu ou *vous* ?
On utilise :
tu → pour la famille, les amis proches, les enfants...
vous → pour quelqu'un d'inconnu ou de pas bien connu.

LE PRONOM *ON* page 56

On est toujours singulier.
Ex. : ***On** mange à 20 h.*

Les valeurs de *on* :
- Le pronom sujet *on* = *nous*. On l'utilise très souvent, surtout à l'oral.
Ex. : *Marion, Hugo et moi, **on** habite tous les trois rue de la Gare.*
- Le pronom sujet *on* = *les gens en général*. page 131
Ex. : *En France, **on** achète beaucoup sur Internet.*
→ *Les gens achètent beaucoup sur Internet.*
- Le pronom sujet *on* = *quelqu'un*.
Ex. : *- **On** a téléphoné pour toi ce matin.*
   - Qui ?
   - Je ne sais pas. Quelqu'un.

LES PRONOMS COMPLÉMENTS D'OBJET DIRECT (COD) page 145

SUJETS	COMPLÉMENTS D'OBJET DIRECT
je	me / m'
tu	te / t'
il / elle	le / la / l'
nous	nous
vous	vous
ils / elles	les

- Les pronoms *me*, *te*, *nous*, *vous* remplacent toujours des personnes.
Ex. : *Tu **m'**aimes ?*
- Les pronoms *l'*, *le*, *la*, *les* peuvent remplacer des personnes ou des choses.
Ex. : *- Tu veux du sucre dans ton **café** ?*
   *- Non, merci. Je **le** prends sans sucre.*
- Ils remplacent un nom précédé d'un article défini, adjectif possessif ou adjectif démonstratif.
Ex. : *- Tu connais **la** copine d'Éric ? / **ma** copine ? / **cette** fille ?*
   *- Oui, je **la** connais.*

⚠ Le pronom COD est placé avant le verbe sauf à l'impératif affirmatif.
Ex. : *Oh, lis-**le**, c'est très bien !*

LES PRONOMS TONIQUES

PAGE 27

PRONOMS SUJETS	PRONOMS TONIQUES
je / j'	*moi*
tu	*toi*
il / elle	*lui / elle*
nous	*nous*
vous	*vous*
ils / elles	*eux / elles*

On utilise le pronom tonique pour :
• renforcer le sujet.
Ex. : **Moi**, j'adore danser. Et **toi** ?
• se présenter ou identifier quelqu'un.
Ex. : Bonjour, c'est **moi**, Tania.

⚠ Le pronom tonique ne remplace pas le pronom sujet.
Ex. : Lui, **il** aime le sport.

Les prépositions et les pronoms toniques : page 75
Les prépositions (**à**, **avec**, **sans**, **chez**, **pour**, etc.) sont souvent
utilisées avec les pronoms toniques.
- Tu habites **chez** tes parents ?
- Non, je n'habite pas **chez eux**.

- Alors, tu habites **avec** qui ? **Avec** ta copine ?
- Oui, j'habite **avec elle**.

- Vous partez **avec** Sonia ?
- Oui, on part **avec elle**.

- **À** qui sont ces lunettes ?
- **À moi**.

LES PRONOMS RELATIFS
Les pronoms relatifs permettent de relier deux phrases.
Ex. : Tu connais cette fille ? Elle entre dans la boulangerie.
→ Tu connais cette fille **qui** entre dans la boulangerie ?

QUI
page 113

Le pronom relatif **qui** représente quelqu'un ou quelque chose ;
il est toujours <u>sujet du verbe</u>.
Ex. : Stromae est un chanteur belge. **Il** est très célèbre en France.
→ Stromae est un **chanteur qui** est très célèbre en France.

QUE
Le pronom relatif **que** représente quelqu'un ou quelque chose ;
il est toujours <u>complément d'objet direct</u> (COD) du verbe.
Le COD répond à la question : **Qui ? Quoi ?**
Ex. : Stromae est un chanteur. J'adore ce chanteur !
→ Stromae est un chanteur **que** j'adore !

⚠ Devant une voyelle ou un **h** muet, **que** devient **qu'** mais **qui**
reste toujours **qui**.
Ex. : C'est une ville **qu'**elle aime beaucoup et **qui** est au bord de la mer.

OÙ
page 131

Le pronom relatif **où** représente toujours quelque chose.
Il peut s'agir :
• d'un lieu (c'est le cas le plus fréquent).
Ex. : Venise est la ville **où** Casanova est né. Vous connaissez la
région d'**où** il vient ?
• d'un moment.
Ex. : Le vendredi, c'est le jour **où** je finis mon travail à 16 h.
Tu te souviens ? C'est l'année **où** il a fait si froid !

LES NOMBRES

DE 0 À 1000
pages 20 et 40

0	zéro	22	vingt-deux
1	un	23	vingt-trois...
2	deux	30	trente
3	trois	31	trente et un
4	quatre	32	trente-deux
5	cinq	33	trente-trois...
6	six	40	quarante
7	sept	50	cinquante
8	huit	60	soixante
9	neuf	70	soixante-dix
10	dix	71	soixante et onze
11	onze	72	soixante-douze...
12	douze	77	soixante-dix-sept...
13	treize	80	quatre-vingts
14	quatorze	81	quatre-vingt-un
15	quinze	82	quatre-vingt-deux
16	seize	83	quatre-vingt-trois...
17	dix-sept	90	quatre-vingt-dix
18	dix-huit	91	quatre-vingt-onze...
19	dix-neuf	97	quatre-vingt-dix-sept
20	vingt	98	quatre-vingt-dix-huit...
21	vingt et un	100	cent
		1 000	mille

Les nombres sont en général invariables.
Ex. : **quatre** copains / **douze** ans / **cinquante** euros...

Cinq, six, huit, dix :
• nombre + nom commençant par une voyelle = liaison.
Ex. : Il a di**x**‿*ans*. [dizã]
• nombre + nom commençant par une consonne = pas de liaison.
Ex. : Il a di**x**#*mois*. [dimwa]

LA FORMATION DES NOMBRES
La conjonction **et** apparaît entre les dizaines et 1 (un)
ou 11 (onze) :
• 21 = vingt **et** un / 31 = trente **et** un / 41 = quarante **et** un.
• 61 = soixante **et** onze, etc. sauf 81 = quatre-vingt-un
et 91 = quatre-vingt-onze.

Un trait d'union (-) apparaît entre les dizaines et les unités
(autres que 1 et 11) :
• 22 = vingt-deux / 29 = vingt-neuf / 70 = soixante-dix, etc.

- les dizaines **70** et **90**, **soixante-dix** et **quatre-vingt-dix**, sont formées sur la dizaine d'avant et donc ajoutent 11, 12, 13, etc. au lieu de 1, 2, 3.
Ex. : *91 = quatre-vingt-onze*
- 80 prend **s** final quand il n'est pas suivi d'un autre nombre.
Ex. : *80 = quatre-vingt**s** / 83 = quatre-vingt-trois*

LE VERBE

LE PRÉSENT DE L'INDICATIF

LE VERBE *ÊTRE*   page 39

je **suis**	nous **sommes**
tu **es**	vous **êtes**
il / elle / on **est**	ils / elles **sont**

On utilise le verbe *être* :
- pour dire ou demander qui on est.
Ex. : - *Qui **êtes**-vous ?*
    - *Je **suis** Hélène Brunet.*
- pour indiquer la nationalité, la profession / pour décrire.
Ex. : *Ils **sont** italiens. / Je **suis** étudiant. / Vous **êtes** très gentille !*
- pour indiquer où on se trouve dans le temps ou dans l'espace.
Ex. : *Aujourd'hui, nous **sommes** le 12 mars.*
Ex. : *Devine où je **suis** ? À Paris !*

On utilise aussi le verbe *être* pour former   page 115
le passé composé.
Ex. : *Ils **sont** arrivés à huit heures et ils **sont** partis à minuit.*

LE VERBE *AVOIR*   page 43

j'**ai**	nous **avons**
tu **as**	vous **avez**
il / elle / on **a**	ils / elles **ont**

On utilise le verbe *avoir* pour indiquer :
- la possession d'un objet.
Ex. : *Ils **ont** une voiture bleue.*
- un lien (famille, proximité...).
Ex. : *J'**ai** deux frères. / Elle **a** des voisins très sympas.*
- l'âge.
Ex. : *Il **a** vingt ans.*

⚠ Attention : ***avoir*** + les cheveux, les yeux...
Ex. : *Il **a** les cheveux blonds. / Il **a** les yeux verts.*

On utilise aussi le verbe *avoir* pour former   page 100
le passé composé.
Ex. : - *Vous **avez** dîné ?*
    - *Oui, j'**ai** mangé chez mes parents.*

LES VERBES À UNE BASE PHONÉTIQUE

La plupart des verbes en **-er** sont à une base phonétique.

Formation des verbes en **–er** :
Radical + **-e, -es, -e, -ons, -ez, -ent**.
Les terminaisons sont régulières.

REGARDER	ÉCOUTER
je regard-**e**	j'écout-**e**
tu regard-**es**	tu écout-**es**
il / elle / on regard-**e**	il / elle / on écout-**e**
nous regard-**ons**	nous écout-**ons**
vous regard-**ez**	vous écout-**ez**
ils / elles regard-**ent**	ils / elles écout-**ent**

Pour conserver la prononciation, certains verbes subissent une modification orthographique :

MANGER	COMMENCER
je mange	je commence
tu manges	tu commences
il / elle / on mange	il / elle / on commence
nous mang**e**ons	nous commen**ç**ons
vous mangez	vous commencez
ils / elles mangent	ils / elles commencent

LES VERBES À DEUX BASES PHONÉTIQUES

Certains verbes en **-er** sont à deux bases phonétiques :

ACHETER	RÉPÉTER
j'**achèt**-e	je **répèt**-e
tu **achèt**-es	tu **répèt**-es
il / elle / on **achèt**-e	il / elle / on **répèt**-e
nous **achet**-ons	nous **répét**-ons
vous **achet**-ez	vous **répét**-ez
ils / elles **achèt**-ent	ils / elles **répèt**-ent

ESSAYER	APPELER
j'**essai**-e	j'**appell**-e
tu **essai**-es	tu **appell**-es
il / elle / on **essai**-e	il / elle / on **appell**-e
nous **essay**-ons	nous **appel**-ons
vous **essay**-ez	vous **appel**-ez
ils / elles **essai**-ent	ils / elles **appell**-ent

LES VERBES À TROIS BASES PHONÉTIQUES

Certains verbes sont à trois bases phonétiques :

VENIR	PRENDRE
je **vien**-s	je **prend**-s
tu **vien**-s	tu **prend**-s
il / elle / on **vien**-t	il / elle / on **prend**
nous **ven**-ons	nous **pren**-ons
vous **ven**-ez	vous **pren**-ez
ils / elles **vienn**-ent	ils / elles **prenn**-ent

DEVOIR	POUVOIR
je **doi**-s	je **peu**-x
tu **doi**-s	tu **peu**-x
il / elle / on **doi**-t	il / elle / on **peu**-t
nous **dev**-ons	nous **pouv**-ons
vous **dev**-ez	vous **pouv**-ez
ils / elles **doiv**-ent	ils / elles **peuv**-ent

VOULOIR
je **veu**-x
tu **veu**-x
il / elle / on **veu**-t
nous **voul**-ons
vous **voul**-ez
ils / elles **veul**-ent

LES VERBES IRRÉGULIERS

ALLER	
je **vais**	nous **allons**
tu **vas**	vous **allez**
il / elle / on **va**	ils / elles **vont**

FAIRE	
je **fais**	nous **faisons**
tu **fais**	vous **faites**
il / elle / on **fait**	ils / elles **font**

DIRE	
je **dis**	nous **disons**
tu **dis**	vous **dites**
il / elle / on **dit**	ils / elles **disent**

LES VERBES PRONOMINAUX   page **97**

je	**me**	couch-**e**
tu	**te**	couch-**es**
il / elle / on	**se**	couch-**e**
nous	**nous**	couch-**ons**
vous	**vous**	couch-**ez**
ils / elles	**se**	couch-**ent**

Me / *te* / *se* deviennent *m'* / *t'* / *s'* devant une voyelle ou un *h* muet.
Ex. : *Il s'habille toujours en noir.*

je	**m'**	amus-**e**
tu	**t'**	amus-**es**
il / elle / on	**s'**	amus-**e**
nous	**nous**	amus-**ons**
vous	**vous**	amus-**ez**
ils / elles	**s'**	amus-**ent**

Ex. : *Le matin, Clara s'amuse avec son chien.*

⚠️ *Nous nous amusons, vous vous amusez.*

LES VERBES *SAVOIR* ET *CONNAÎTRE*   page **117**
Faites attention à la construction :
• *savoir* + quelque chose ou *savoir* + infinitif = idée d'avoir appris quelque chose.
Ex. : - *Tu sais la nouvelle ?*
    - *Oui, on m'a tout raconté.*
Ex. : *Elle sait jouer du piano.*
⚠️ *savoir* + quelqu'un = impossible !

• *connaître* + quelqu'un ou + quelque chose : un mot, un fait, un lieu...
Ex. : *Tu connais Alex ? Vous connaissez cette chanson ?*
⚠️ *connaître* + infinitif = impossible !

LE PASSÉ COMPOSÉ

Le passé composé exprime une action ou un fait terminé dans le passé. Il se construit avec les verbes *avoir* ou *être* au présent + le participe passé du verbe.

LE PASSÉ COMPOSÉ AVEC L'AUXILIAIRE *AVOIR*   page **100**

Presque tous les verbes se conjuguent avec l'auxiliaire *avoir* au présent + participe passé.
Ex. : *Hier, j'ai travaillé et le soir, j'ai regardé un film.*

⚠️ Avec l'auxiliaire *avoir*, on n'accorde pas le sujet et le participe passé.
Ex. : *Hier, il a dîné au restaurant. / Hier, ils ont dîné au restaurant.*

LE PASSÉ COMPOSÉ AVEC L'AUXILIAIRE *ÊTRE*   page **115**

Nous avons vu en **unité 4** qu'en général : passé composé = auxiliaire *avoir* + **participe passé**.

⚠️ Certains verbes, peu nombreux mais très fréquents, se conjuguent avec : auxiliaire *être* + *participe passé*.

Quels verbes ?
• Quinze verbes qui indiquent un changement de lieu ou d'état :

arriver / partir	passer
monter / descendre	retourner
aller / (re)venir	rester
tomber	naître / mourir
sortir / (r)entrer	apparaître

• **Tous** les verbes pronominaux : *se lever, se coucher, se dépêcher, se rencontrer...*

⚠️ Faites attention à la place du pronom réfléchi. À la forme négative, le *ne* se place immédiatement après le sujet.
Ex. : *Nous nous sommes dépêchés.* → *Nous ne nous sommes pas dépêchés.*
Ex. : *Ils se sont levés très tard.* → *Ils ne se sont pas levés très tard.*

GRAMMAIRE

⚠ Avec l'auxiliaire **être**, on accorde le sujet et le participe au passé.
Ex. : **Ils** se sont rencontré**s** à l'université.
Ex. : **Elle** est passé**e** chez Victor hier et ils sont allé**s** au cinéma.

LE PARTICIPE PASSÉ : FORME page **100**

Les verbes en **-er** forment leur participe passé en **-é**.
Ex. : Il est all**é** / Il a mang**é**...

Pour les autres verbes, vérifiez dans votre précis de conjugaison **page 210**. La terminaison peut être :
- en **-i**.
Ex. : Il a fin**i**. / Il est part**i**.
- en **-is**.
Ex. : Il a pr**is**. / Il a compr**is**.
- en **-it**.
Ex. : Il a d**it**. / Il a écr**it**.
- en **-ert**.
Ex. : Il a off**ert**. / Il a ouv**ert**.
- en **-u**.
Ex. : Il a v**u**. / Il a l**u**. / Il a voul**u**.

⚠ Il y a des verbes irréguliers.

avoir → il a **eu**	naître → il est **né**
être → il a **été**	vivre → il a **vécu**
faire → il a **fait**	mourir → il est **mort**

LE FUTUR PROCHE page **148**

FORMATION

Il se construit avec le verbe **aller** au présent + **infinitif**.
Ex. : - Qu'est-ce que **vous allez faire** à Noël ?
    - On **va aller** au soleil, peut-être aux Antilles.

EMPLOIS

On utilise le futur proche :
- pour une action qui va se réaliser immédiatement.
Ex. : Attention ! Tu **vas tomber**.
- pour une action qui va se réaliser bientôt.
Ex. : On **va se marier** le mois prochain.
- pour une action future mais presque certaine, programmée.
Ex. : Leur bébé **va naître** en mai.

LA NÉGATION

En français, la négation des verbes est exprimée par deux particules.
ne... pas / ne... jamais / ne... rien / ne... plus

PLACE DE LA NÉGATION AU PRÉSENT

Dans les temps simples, ces deux mots se placent autour du verbe.
Ex. : Je **ne** mange **pas** de légumes.
Ex. : Tu **ne** viens **jamais** avec nous à la plage.
Ex. : Il **ne** voyage **plus** en avion, il a peur.

LA NÉGATION AU PASSÉ COMPOSÉ

ne + auxiliaire + **pas / jamais / rien** + participe passé
Ex. : Il **n'a jamais** visité la Chine.
Ex. : Hier, je **n'ai rien** fait.

LA NÉGATION page **101**

ne... pas encore / ne... jamais / ne... rien

⚠ On ne peut pas avoir en même temps **pas** et une autre négation : **rien, jamais, plus**...
Ex. : Il **ne** part **pas** en vacances cet été.
Ex. : Il **ne** part **jamais** en vacances l'été. Il déteste la chaleur.

DÉJÀ →	**ne / n'... pas encore** : action réalisée plus tard
	ne / n'... jamais : action non réalisée

Les deux négations encadrent le verbe :
- Question avec **déjà** (action déjà réalisée) → **ne... pas encore**. L'action n'a pas été réalisée mais elle va se réaliser.
Ex. : - Tu connais **déjà** le directeur ?
    - Non, je **ne** le connais **pas encore**.
- Question avec **quelquefois, souvent, déjà** → **ne... jamais** (= 0 fois).
Ex. : - Tu vas **souvent** à la piscine ?
    - Non, je **ne** vais **jamais** à la piscine.
- Question avec **quelque chose** → **ne... rien** (= quantité 0).
Ex. : - Tu vois **quelque chose** ? - Non, je **ne** vois **rien**.

LES ADVERBES

LES ADVERBES DE FRÉQUENCE page **98**

+

- **Toujours**
Ex. : Je bois **toujours** du café le matin. Tous les matins.
- **Parfois / de temps en temps / souvent / quelquefois**
Ex. : Je bois **parfois** du café.
Ex. : Je bois **de temps en temps** du café, le week-end par exemple.
Ex. : Je bois **souvent** du café, j'aime bien ça.
- **Rarement**
Ex. : Je bois **rarement** du café, une ou deux fois par mois.
- **Jamais**
Ex. : Je **ne** bois **jamais** de café, je déteste ça !

−

LES ADVERBES D'INTENSITÉ page **146**

+

- **Trop**
Ex. : Jules est **trop** timide.
- **Très**
Ex. : Elle est **très** efficace.
- **Assez**
Ex. : Cette quiche est **assez** cuite.
- **Plutôt**
Ex. : Il est **plutôt** stricte.
- **Un peu**
Ex. : Marcel est **un peu** fatigué aujourd'hui, il va faire une sieste.
- **Peu**
Ex. : Marcel regarde **peu** la télévision.

−

LES ADVERBES DE QUANTITÉ page 146

QUANTITÉ ZÉRO

• Avec **pas de** (**d'**).
Ex. : *Je ne mets **pas de** sucre dans mon café.*
Ex. : *Elle ne boit **pas d'**alcool.*

QUANTITÉ RELATIVE

• **Trop de** + nom (sans article)
Ex. : *Elle a mangé **trop de** chocolat et elle a été malade toute la nuit !*
• **Beaucoup de** + nom (sans article)
Ex. : *Il a mis **beaucoup de** sucre dans son café.*
• **Assez de** + nom (sans article)
Ex. : *Il y a **assez de** sel ! Stop ! Ça suffit !*
• **Un peu de** + nom (sans article) → en petite quantité + valeur positive
Ex. : *Elle boit très peu mais, de temps en temps, elle boit **un peu de** champagne.*
• **peu de...** ou **ne... pas beaucoup de...** + nom (sans article)
Ex. : *Je mange **peu de** viande.* → *Je **ne mange pas beaucoup de** viande.*

QUANTITÉ TOTALE

• **Tout le...**, **toute la...**, **tous les...**, **toutes les...** + nom
Ex. : *Tu as mangé **tous les** chocolats ? La boîte est vide !*

LES CONTENANTS page 148

un litre **d'**huile	un pot **de** yaourt
une bouteille **de** vin	un kilo **de** bananes
une boîte **de** thon	un morceau **de** fromage
un paquet **de** chips	une tranche **de** pain

L'EXPRESSION DE L'OBLIGATION page 146

L'OBLIGATION PERSONNELLE

Le verbe *devoir* :
Il exprime une obligation **personnelle**.
• Le verbe ***devoir*** peut être suivi d'un infinitif.
Ex. : *Vous **devez partir** à quelle heure ?*
Ex. : *Tu **dois faire** attention quand tu traverses la rue !*

• À la forme négative, il exprime une interdiction :
Ex. : *Tu **ne dois pas** traverser la rue tout seul !*
• Mais quand il est suivi d'un nom ou d'un nombre, il signifie : avoir une dette envers quelqu'un, avoir quelque chose à payer à quelqu'un.
Ex. : *- Je vous **dois** de l'argent ?*
   *- Oui, vous me **devez** 500 euros.*

L'impératif :
On utilise aussi **l'impératif** pour exprimer **l'ordre** ou la **défense**.
Ex. : ***Répondez !*** → *Vous devez répondre !*
Ex. : ***Ne fumez pas*** *à l'intérieur !* → *Vous ne devez pas fumer à l'intérieur !*

IMPÉRATIF AFFIRMATIF	IMPÉRATIF NÉGATIF
mange mangeons mangez	ne mange pas ne mangeons pas ne mangez pas
attends attendons attendez	n'attends pas n'attendons pas n'attendez pas
entraîne-toi entraînons-nous entraînez-vous	ne t'entraîne pas ne nous entraînons pas ne vous entraînez pas

À l'impératif, il n'y a pas de pronom sujet.
Le **-s** de la 2ᵉ personne du singulier des verbes en **-er** disparaît.
⚠ À la forme affirmative : *lève-**toi** !*
   À la forme négative : *ne **te** lève pas !*

L'OBLIGATION IMPERSONNELLE

Le verbe impersonnel *il faut...* :
Il faut exprime une nécessité ou une obligation générale ou impersonnelle.
Il faut peut être suivi :
• d'un nom.
Ex. : *Pour bien travailler, **il faut** du silence, du calme.*
• d'un infinitif.
Ex. : *On dit souvent qu'**il faut** souffrir pour être beau.*

⚠ À la **forme négative**, ***il faut*** exprime **l'interdiction**, **la défense**.
Ex. : ***Il ne faut pas*** *téléphoner quand on conduit.*

⚠ On peut aussi utiliser ***on*** + le verbe ***devoir*** pour exprimer l'obligation impersonnelle.
Ex. : ***On doit*** *se taire pendant les cours.*
Ex. : ***On ne doit pas*** *téléphoner quand on conduit.*

LES PRÉPOSITIONS

QUELQUES PRÉPOSITIONS DE LIEU page 57

• **À** et **en**.
→ le lieu où on va.
Ex. : *Je vais **à** Paris. / On va **en** Argentine.*
→ le lieu où on est.
Ex. : *On habite **en** France. / Les enfants sont **à** l'école.*

GRAMMAIRE

- **De** = le lieu d'où on vient (de provenance, d'origine)

Ex. : *Helena vient de Toronto. / Les oranges viennent d'Espagne.*

- **Chez** + nom de personne / pronom

Ex. : *- Tu viens dîner chez moi ?*

   - Non, impossible, je dîne chez ma mère !

- **Dans** + idée d'espace fermé

Ex. : *dans la rue (fermée par des maisons ou des immeubles).*

- **Sur** + idée d'espace ouvert

Ex. : *sur le trottoir / sur la route / sur la place / sur le quai...*

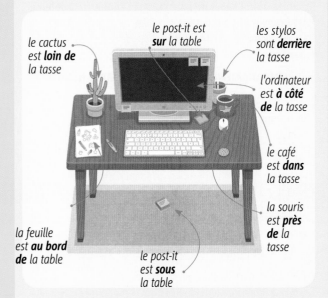

le cactus est **loin de** la tasse

le post-it est **sur** la table

les stylos sont **derrière** la tasse

l'ordinateur est **à côté de** la tasse

le café est **dans** la tasse

la souris est **près de** la tasse

la feuille est **au bord de** la table

le post-it est **sous** la table

LES PRÉPOSITIONS ET LES MOYENS DE TRANSPORT

page 57

Espace ouvert + **à** : *à pied / à vélo.*

Espace fermé + **en** : *en métro / en bus / en voiture / en avion...*

Ex. : *Le lundi et le mardi, je vais au collège à vélo et le jeudi et le vendredi, en bus.*

⚠ *Je voyage en avion.* (moyen de transport)

Je suis dans l'avion. (= à l'intérieur de)

LA PROVENANCE/L'ORIGINE

page 74

Vous avez déjà vu :

- que presque tous les pays ont un article : **l', le, la** ou **les**.

Ex. : *l'Angleterre / le Brésil / la France / les États-Unis*

- que les prépositions **au, aux, à** et **en** indiquent la destination (l'endroit où on va) ou la situation (l'endroit où on est).

Ex. : *Je vais au Brésil / aux États-Unis / en Colombie / à Cuba.*

Pour exprimer la provenance (l'endroit d'où on vient), on utilise **de, du** ou **des** :

- nom féminin ou commençant par une voyelle : **de**.

Ex. : *Elle vient de Jordanie ou d'Irak ?*

- nom masculin singulier : **du**.

Ex. : *Elle vient du Liban.*

- nom pluriel : **des**.

Ex. : *Son copain vient des États-Unis.*

- nom sans article : **de**.

Ex. : *Ils voyagent beaucoup. / Ils arrivent de Madagascar.*

LA PHRASE INTERROGATIVE

QU'EST-CE QUE / EST-CE QUE

page 55

- **Qu'est-ce que... ?**

→ La réponse est ouverte.

Ex. : *- Qu'est-ce que tu fais demain ?*

   - Demain ? Je vais à la fête de Caro.

- **Est-ce que... ?**

→ La réponse est fermée : **oui, non, un peu, je ne sais pas**...

Ex. : *- Est-ce que vous parlez français ?*

   - Oui, un peu.

POUR / PARCE QUE

page 70

À la question **Pourquoi ?** on peut avoir deux réponses :

- une réponse qui exprime le **but** : **pour** + infinitif.

Ex. : *Il habite chez elle pour faire des économies et pour être moins seul.*

- une réponse qui exprime une **cause** : **parce que**...

Ex. : *J'habite en colocation parce que c'est moins cher.*

⚠ On ne commence pas une phrase avec **parce que**.

GRAMMAIRE DE LA COMMUNICATION

SALUER, S'EXCUSER, REMERCIER

SALUER

- **Quand on arrive**.
Ex. : *Bonjour ! Bonjour, monsieur. Bonjour, madame.*
Ex. : *Comment allez-vous ? Vous allez bien ?*
- **Quand on part**.
Ex. : *Au revoir ! Passez une bonne journée !*
- **Le soir**.
Ex. : *Bonsoir ! Passez une bonne soirée !*
Ex. : *Salut ! Ça va ?* (attention : avec les amis très proches seulement)
- **S'excuser**.
Ex. : *Pardon ! Excusez-moi !*
Ex. : *Oh ! Excusez-moi, je suis désolé(e) !*
- **Remercier**.
Ex. : *Merci. Merci beaucoup. C'est très gentil ! Je vous remercie beaucoup.*

DEMANDER ET DONNER DES INFORMATIONS

	DEMANDER	RÉPONDRE
SUR L'IDENTITÉ	*Comment vous appelez-vous ?* *Quel est ton nom ?*	*Je m'appelle* Sonia Legrand. Ben Crown.
SUR L'ORIGINE	*Quelle est votre (ta) nationalité ?* *Vous venez / Tu viens d'où ?*	*Je suis* grecque. *Je viens* de Grèce.
SUR LA PROFESSION, L'ACTIVITÉ	*Quelle est votre profession ?* *Qu'est-ce que vous faites dans la vie ?* *Qu'est-ce que vous étudiez ?*	*Je suis* ingénieur/ professeur... *Je travaille* dans l'informatique. *J'étudie* la musique.
SUR L'ADRESSE	*Où habitez-vous ?* *Tu habites où ?* *Quelle est votre adresse ?*	*J'habite* à Lyon.
SUR LES COORDONNÉES	*Quel est votre numéro de portable ?* *Vous avez une adresse mail ?*	*C'est le* 06 55 68 99 00. *Oui.* vanegot@freee.fr.
SUR L'ÂGE	*Quel âge avez-vous / as-tu ?*	*J'ai* 21 ans.

DONNER SON AVIS SUR QUELQU'UN OU QUELQUE CHOSE

- Sur quelqu'un.
Ex. : *Il est très sympa. Je trouve qu'il est sympa.*
- Sur quelque chose.
Ex. : *Ce film est bien / est super / n'est pas terrible / est nul !*

PARLER DE SES GOÛTS

- Aimer.
Ex. : *J'**adore** les maths ! / J'**aime beaucoup** le foot. / J'**aime bien** le français.*
- Ne pas aimer.
Ex. : *Je **n'aime pas beaucoup** Théo. / Je **n'aime pas** la danse. / Je **n'aime pas du tout** le fromage.*
- Détester.
Ex. : *Je **déteste** les films policiers. / J'**ai horreur** de la pluie !*

C'EST, CE SONT / IL EST, ILS SONT...   page **58**

Pour identifier quelqu'un ou quelque chose :
- **c'est** + nom/pronom (singulier).
Ex. : ***C'est*** Teddy, mon voisin. / ***C'est*** notre nouvelle voiture.
- **ce sont** + nom/pronom (pluriel).
Ex. : ***Ce sont*** les parents de Louisa ? / ***Ce sont*** des Irlandais.

Pour préciser, décrire, qualifier quelqu'un ou quelque chose :
- **il est / elle est** + adjectif ou nom de profession.
Ex. : ***Elle est*** sympathique. / ***Il est*** danseur.
- **ils sont / elles sont** + adjectif ou nom de profession.
Ex. : ***Ils sont*** irlandais. / ***Ils sont*** charmants.

⚠️ **Un** *Irlandais* = nom / *il est irlandais* = adjectif.

NUANCER SES PROPOS   page **72**

🙂 MOI AUSSI / 🙁 MOI NON PLUS

Dans les deux cas, on partage l'opinion de l'autre mais :
- **si la phrase est affirmative**, on répond **moi aussi**.
Ex. : - *J'aime le jardinage. Et toi ?*
    - *Oui, **moi aussi**, j'adore ça.*
- **si la phrase est négative**, on répond **moi non plus**.
Ex. : - *Je ne connais pas le Japon. Et toi ?*
    - ***Moi non plus**.*

🙁 PAS MOI / 🙂 MOI SI

Dans les deux cas, on ne partage pas l'opinion de l'autre mais :
- **si la phrase est affirmative**, on répond **pas moi**.
Ex. : - *J'adore les randonnées.*
    - ***Pas moi** ! Je déteste ça !*
- **si la phrase est négative**, on répond **moi si**.
Ex. : - *Je n'aime pas bricoler. Et toi ?*
    - ***Moi si**. (= j'aime bien bricoler)*

GRAMMAIRE

SE SITUER ET SITUER QUELQUE CHOSE DANS L'ESPACE

DEMANDER	RÉPONDRE
Tu vas où ? *Tu habites où ?* *Tu es où ?* *Tu viens d'où ?*	*Je vais au cinéma.* *J'habite à Paris. Je vis à Paris.* *Je suis dans ma chambre.* *Je viens d'Irlande.*
Où est la gare, s'il vous plaît ? *Excusez-moi, je cherche la gare.*	*C'est avenue Jean Jaurès.* *Elle se trouve rue Jean Jaurès.* *C'est tout droit.* *C'est à gauche.* *C'est à droite.*
C'est loin d'ici ?	*Oui, c'est assez loin.* *Non, pas très loin.* *Non, c'est tout près.*
Elle est où, ta banque ?	*Elle est dans la rue du Louvre.* (espace fermé = dans) *Elle est sur la place de la Victoire.* (espace ouvert = sur) *Elle est juste à côté de chez moi.*
Tu as vu mes clés ?	*Oui, elles sont ici/là.* (= pas loin) *Elles sont là-bas.* (= plus loin) *Elles sont sur la table.* *Elles sont dans ton sac.*

INFORMER SUR L'HEURE, LE MOMENT, LA FRÉQUENCE

DEMANDER	RÉPONDRE
Quelle heure est-il ? *Vous avez l'heure, s'il vous plaît ?*	*Il est six heures et quart.* *Oui. Il est onze heures vingt.*
Le film commence à quelle heure ?	*Il commence à 20 h 15.*
On est quel jour ? *Vous travaillez quels jours ?*	*Aujourd'hui, on est lundi* *Aujourd'hui, c'est lundi.* *Je travaille du lundi au vendredi.*
Ton copain part quand ?	*Il part le 1er avril, dans l'après-midi.*
Tu fais souvent du jogging ?	*Oui, de temps en temps.* *Oui. Deux fois par semaine, le mardi et le jeudi.* *Non, pas souvent.* *Non, jamais.*

SITUER DANS LE TEMPS page 93

• La journée.
Le matin, à midi, l'après-midi, le soir.

• Les jours de la semaine :
Lundi, mardi, mercredi, jeudi, vendredi, samedi, dimanche.

• Les mois de l'année :
Janvier, février, mars, avril, mai, juin, juillet, août, septembre, octobre, novembre, décembre.

• Les saisons :
Le printemps, l'été, l'automne, l'hiver.

Ex. : *Au printemps, le beau temps revient.*
En été, il fait beau et chaud.
En automne, les feuilles tombent et il pleut.
En hiver, il fait froid et les jours sont courts.

L'EXPRESSION DE L'HABITUDE page 97

LE MATIN, L'APRÈS-MIDI, LE SOIR

Le matin, je me lève à huit heures. → tous les matins

DIMANCHE ≠ LE DIMANCHE page 100

*Qu'est-ce que tu fais **dimanche** ?* → dimanche prochain
*Qu'est-ce tu as fait **dimanche** ?* → dimanche dernier
*Qu'est-ce que tu fais **le dimanche** ?* → tous les dimanches

LES MARQUEURS TEMPORELS page 112

• Du passé.
Hier, avant-hier, la semaine dernière, le mois dernier, l'année dernière, il y a dix ans.
• Du présent.
Aujourd'hui, cette semaine, ce mois-ci, cette année.
• Du futur.
Demain, après-demain, la semaine prochaine, le mois prochain, l'année prochaine, dans dix ans.

LES ARTICULATEURS LOGIQUES page 100

D'abord, ensuite, après, enfin, finalement aident à comprendre la chronologie, l'ordre des actions.
Ex. : - *Qu'est-ce que vous avez fait hier ?*
- ***D'abord**, j'ai pris mon petit déjeuner. **Ensuite**, j'ai rangé ma chambre. **Après**, j'ai fait des courses... Et **finalement**, j'ai regardé un film à la télévision.*

LES EXPRESSIONS DE TEMPS PAGE 112

• Pour parler d'un moment dans le passé : ***Hier, il y a trois jours, la semaine dernière, l'année dernière**.*
Ex. : ***Aujourd'hui**, il fait beau mais **hier** il a plu sans arrêt !*
Ex. : ***L'année dernière**, nous sommes allés en vacances en Grèce.*

• Pour parler d'une date particulière : ***en*** + année.
Ex. : *Nous nous sommes rencontrés **en** 2010.*

- Pour exprimer une période : ***dans les années 20, dans les années 30***.

Ex. : ***Dans les années 20***, *on dansait le charleston.*

- Pour parler d'un intervalle de temps entre deux dates : ***de... à***.

Ex. : *Ils ont vécu à Beyrouth **de** 2005 **à** 2009.*

- Pour exprimer une idée de durée dans le passé : ***pendant***.

Ex. : *Elle a habité à Lyon **pendant** cinq ans.*

DEPUIS ET *IL Y A*

- Avec ***il y a***, on évoque un moment dans le passé.

Ex. : *Ils se sont mariés **il y a** dix ans.* (on évoque un moment, le jour de leur mariage)

- Avec ***depuis***, on évoque une durée.

Ex. : *Ils sont mariés **depuis** dix ans.* (l'action ou le fait continue dans le présent : ils sont toujours mariés)

CONJUGAISON

VERBES AUXILIAIRES

	PRÉSENT		PASSÉ COMPOSÉ	IMPÉRATIF
ÊTRE **(ÉTÉ)**	je suis tu es il / elle / on est nous sommes vous êtes ils / elles sont	[sɥi] [ɛ] [ɛ] [sɔm] [zɛt] [sɔ̃]	j'ai été tu as été il / elle / on a été nous avons été vous avez été ils / elles ont été	sois soyons soyez
AVOIR **(EU)**	j'ai tu as il / elle / on a nous avons vous avez ils / elles ont	[ɛ] [a] [a] [avɔ̃] [ave] [zɔ̃]	j'ai eu tu as eu il / elle / on a eu nous avons eu vous avez eu ils / elles ont eu	aie ayons ayez

Être est le verbe auxiliaire aux temps composés de tous les verbes pronominaux : *se lever, se taire*, etc. et de certains autres verbes : *venir, arriver, partir*, etc.

Avoir indique la possession. C'est aussi le principal verbe auxiliaire aux temps composés : *j'ai parlé, j'ai été, j'ai fait...*

VERBES PRONOMINAUX

	PRÉSENT		PASSÉ COMPOSÉ	IMPÉRATIF
SE COUCHER* **(COUCHÉ)**	je me couche tu te couches il / elle / on se couche nous nous couchons [kuʃɔ̃] vous vous couchez ils / elles se couchent	[kuʃ] [kuʃ] [kuʃ] [kuʃe] [kuʃ]	je me suis couché(e) tu t'es couché(e) il / elle / on s'est couché(e) nous nous sommes couché(e)s vous vous êtes couché(e)(s) ils / elles se sont couché(e)s	couche-toi couchons-nous couchez-vous
SE LEVER* **(LEVÉ)**	je me lève tu te lèves il / elle / on se lève nous nous levons vous vous levez ils / elles se lèvent	[lɛv] [lɛv] [lɛv] [ləvɔ̃] [ləve] [lɛv]	je me suis levé(e) tu t'es levé(e) il / elle / on s'est levé(e) nous nous sommes levé(e)s vous vous êtes levé(e)(s) ils / elles se sont levé(e)s	lève-toi levons-nous levez-vous
S'APPELER* **(APPELÉ)**	je m'appelle tu t'appelles il / elle / on s'appelle nous nous appelons [apəlɔ̃] vous vous appelez [apəle] ils / elles s'appellent	[apɛl] [apɛl] [apɛl] [apɛl]	je me suis appelé(e) tu t'es appelé(e) il / elle / on s'est appelé(e) nous nous sommes appelé(e)s vous vous êtes appelé(e)(s) ils / elles se sont appelé(e)s	– – –

La plupart des verbes en *-eler* doublent leur *l* aux mêmes personnes et aux mêmes temps que le verbe *s'appeler*.

VERBES IMPERSONNELS

Ces verbes ne se conjuguent qu'à la troisième personne du singulier et avec le pronom sujet *il*.

	PRÉSENT		PASSÉ COMPOSÉ	IMPÉRATIF
FALLOIR **(FALLU)**	il faut	[fo]	il a fallu	–
PLEUVOIR **(PLU)**	il pleut	[plø]	il a plu	–

La plupart des verbes qui se réfèrent aux phénomènes météorologiques sont impersonnels : *il neige, il vente...*

Les participes passés figurent entre parenthèses ou sous l'infinitif.
L'astérisque * à côté de l'infinitif indique que ce verbe se conjugue avec l'auxiliaire ÊTRE.
Les différentes couleurs indiquent le nombre de bases phonétiques de chaque verbe.

VERBES EN -*ER* (PREMIER GROUPE)

	PRÉSENT		PASSÉ COMPOSÉ	IMPÉRATIF
PARLER (PARLÉ)	je parle tu parles il / elle / on parle nous parlons vous parlez ils / elles parlent	[paʀl] [paʀl] [paʀl] [paʀlɔ̃] [paʀle] [paʀl]	j'ai parlé tu as parlé il / elle / on a parlé nous avons parlé vous avez parlé ils / elles ont parlé	parle parlons parlez

Les trois personnes du singulier et la 3ᵉ personne du pluriel se prononcent [paʀl] au présent de l'indicatif. Cette règle s'applique à tous les verbes en -*er*.
Aller est le seul verbe en -*er* qui ne suit pas ce modèle.

CONJUGAISONS PARTICULIÈRES DE CERTAINS VERBES EN -*ER*

	PRÉSENT		PASSÉ COMPOSÉ	IMPÉRATIF
ALLER (ALLÉ)	je vais tu vas il / elle / on va nous allons vous allez ils / elles vont	[ve] [va] [va] [alɔ̃] [ale] [vɔ̃]	je suis allé(e) tu es allé(e) il / elle / on est allé(e) nous sommes allé(e)s vous êtes allé(e)(s) ils / elles sont allé(e)s	va allons allez
COMMENCER (COMMENCÉ)	je commence tu commences il / elle / on commence nous commençons vous commencez ils / elles commencent	[komɑ̃s] [komɑ̃s] [komɑ̃s] [komɑ̃sɔ̃] [komɑ̃se] [komɑ̃s]	j'ai commencé tu as commencé il / elle / on a commencé nous avons commencé vous avez commencé ils / elles ont commencé	commence commençons commencez
MANGER (MANGÉ)	je mange tu manges il / elle / on mange nous mangeons vous mangez ils / elles mangent	[mɑ̃ʒ] [mɑ̃ʒ] [mɑ̃ʒ] [mɑ̃ʒɔ̃] [mɑ̃ʒe] [mɑ̃ʒ]	j'ai mangé tu as mangé il / elle / on a mangé nous avons mangé vous avez mangé ils / elles ont mangé	mange mangeons mangez
APPELER (APPELÉ)	j'appelle tu appelles il / elle / on appelle nous appelons vous appelez ils / elles appellent	[apɛl] [apɛl] [apɛl] [apəlɔ̃] [apəle] [apɛl]	j'ai appelé tu as appelé il / elle / on a appelé nous avons appelé vous avez appelé ils / elles ont appelé	appelle appelons appelez
ACHETER (ACHETÉ)	j'achète tu achètes il / elle / on achète nous achetons vous achetez ils / elles achètent	[aʃɛt] [aʃɛt] [aʃɛt] [aʃətɔ̃] [aʃəte] [aʃɛt]	j'ai acheté tu as acheté il / elle / on a acheté nous avons acheté vous avez acheté ils / elles ont acheté	achète achetons achetez
PRÉFÉRER (PRÉFÉRÉ)	je préfère tu préfères il / elle / on préfère nous préférons vous préférez ils / elles préfèrent	[pʀefɛʀ] [pʀefɛʀ] [pʀefɛʀ] [pʀefeʀɔ̃] [pʀefeʀe] [pʀefɛʀ]	j'ai préféré tu as préféré il / elle / on a préféré nous avons préféré vous avez préféré ils / elles ont préféré	préfère préférons préférez

Dans sa fonction de semi-auxiliaire, ***aller*** + infinitif permet d'exprimer un futur proche.

Le ***c*** de tous les verbes en -*cer* devient ***ç*** devant ***a*** et ***o*** pour maintenir la prononciation [s].

Devant ***a*** et ***o***, on place un ***e*** pour maintenir la prononciation [ʒ] dans tous les verbes en -*ger*.

La plupart des verbes en -*eler* doublent leur ***l*** aux mêmes personnes et aux mêmes temps que le verbe ***appeler***.

Les différentes couleurs indiquent le nombre de bases phonétiques de chaque verbe.

AUTRES VERBES

	PRÉSENT		PASSÉ COMPOSÉ	IMPÉRATIF
CHOISIR (CHOISI)	je choisis tu choisis il / elle / on choisit	[ʃwazi] [ʃwazi] [ʃwazi]	j'ai choisi tu as choisi il / elle / on a choisi	choisis
	nous choisissons vous choisissez ils / elles choisissent	[ʃwazisɔ̃] [ʃwazise] [ʃwazis]	nous avons choisi vous avez choisi ils / elles ont choisi	choisissons choisissez
CROIRE (CRU)	je crois tu crois il / elle / on croit	[kʀwa] [kʀwa] [kʀwa]	j'ai cru tu as cru il / elle / on a cru	crois
	nous croyons vous croyez	[kʀwajɔ̃] [kʀwaje]	nous avons cru vous avez cru	croyons croyez
	ils / elles croient	[kʀwa]	ils / elles ont cru	
CONNAÎTRE (CONNU)	je connais tu connais il / elle / on connaît	[konɛ] [konɛ] [konɛ]	j'ai connu tu as connu il / elle / on a connu	connais
	nous connaissons vous connaissez ils / elles connaissent	[konɛsɔ̃] [konɛse] [konɛs]	nous avons connu vous avez connu ils / elles ont connu	connaissons connaissez
DIRE (DIT)	je dis tu dis il / elle / on dit nous disons vous dites ils / elles disent	[di] [di] [di] [disɔ̃] [dit] [diz]	j'ai dit tu as dit il / elle / on a dit nous avons dit vous avez dit ils / elles ont dit	dis disons dites
FAIRE (FAIT)	je fais tu fais il / elle / on fait nous faisons vous faites ils / elles font	[fɛ] [fɛ] [fɛ] [fəzɔ̃] [fɛt] [fɔ̃]	j'ai fait tu as fait il / elle / on a fait nous avons fait vous avez fait ils / elles ont fait	fais faisons faites
ÉCRIRE (ÉCRIT)	j'écris tu écris il / elle / on écrit	[ekʀi] [ekʀi] [ekʀi]	j'ai écrit tu as écrit il / elle / on a écrit	écris
	nous écrivons vous écrivez ils / elles écrivent	[ekʀivɔ̃] [ekʀive] [ekʀiv]	nous avons écrit vous avez écrit ils / elles ont écrit	écrivons écrivez
SAVOIR (SU)	je sais tu sais il / elle / on sait	[sɛ] [sɛ] [sɛ]	j'ai su tu as su il / elle / on a su	sache
	nous savons vous savez ils / elles savent	[savɔ̃] [save] [sav]	nous avons su vous avez su ils / elles ont su	sachons sachez
PARTIR* (PARTI)	je pars tu pars il / elle / on part	[paʀ] [paʀ] [paʀ]	je suis parti(e) tu es parti(e) il / elle / on est parti(e)	pars
	nous partons vous partez ils / elles partent	[paʀtɔ̃] [paʀte] [paʀt]	nous sommes parti(e)s vous êtes parti(e)(s) ils / elles sont parti(e)s	partons partez

Les verbes *finir, grandir, maigrir...* se conjuguent sur ce modèle.

Tous les verbes en *-aître* se conjuguent sur ce modèle.

Les différentes couleurs indiquent le nombre de bases phonétiques de chaque verbe.

	je sors tu sors il / elle / on sort	[sɔʀ] [sɔʀ] [sɔʀ]	je suis sorti(e) tu es sorti(e) il / elle / on est sorti(e)	sors
SORTIR* **(SORTI)**	nous sortons vous sortez ils / elles sortent	[sɔʀtɔ̃] [sɔʀte] [sɔʀt]	nous sommes sorti(e)s vous êtes sorti(e)(s) ils /elles sont sorti(e)s	sortons sortez
	je vis tu vis il / elle / on vit	[vi] [vi] [vi]	j'ai vécu tu as vécu il / elle / on a vécu	vis
VIVRE **(VÉCU)**	nous vivons vous vivez ils / elles vivent	[vivɔ̃] [vive] [viv]	nous avons vécu vous avez vécu ils / elles ont vécu	vivons vivez
	je prends tu prends il / elle / on prend	[pʀɑ̃] [pʀɑ̃] [pʀɑ̃]	j'ai pris tu as pris il / elle / on a pris	prends
PRENDRE **(PRIS)**	nous prenons vous prenez	[pʀənɔ̃] [pʀəne]	nous avons pris vous avez pris ils / elles ont pris	prenons prenez
	ils / elles prennent	[pʀɛn]		
	je viens tu viens il / elle / on vient	[vjɛ̃] [vjɛ̃] [vjɛ̃]	je suis venu(e) tu es venu(e) il / elle / on est venu(e)	viens
VENIR* **(VENU)**	nous venons vous venez	[vənɔ̃] [vəne]	nous sommes venu(e)s vous êtes venu(e)(s) ils / elles sont venu(e)s	venons venez
	ils / elles viennent	[vjɛn]		
	je peux tu peux il / elle / on peut	[pø] [pø] [pø]	j'ai pu tu as pu il / elle / on a pu	-
POUVOIR **(PU)**	nous pouvons vous pouvez	[puvɔ̃] [puve]	nous avons pu vous avez pu	-
	ils / elles peuvent	[pœv]	ils / elles ont pu	-
	je veux tu veux il / elle / on veut	[vø] [vø] [vø]	j'ai voulu tu as voulu il / elle / on a voulu	veuille
VOULOIR **(VOULU)**	nous voulons vous voulez	[vulɔ̃] [vule]	nous avons voulu vous avez voulu ils / elles ont voulu	- veuillez
	ils / elles veulent	[vœl]		
	je dois tu dois il / elle / on doit	[dwa] [dwa] [dwa]	j'ai dû tu as dû il / elle / on a dû	-
DEVOIR **(DÛ)**	nous devons vous devez	[devɔ̃] [deve]	nous avons dû vous avez dû	-
	ils / elles doivent	[dwav]	ils / elles ont dû	-

Dans les questions avec inversion verbe-sujet, on utilise la forme ancienne de la 1re personne du singulier : **Puis**-*je vous renseigner ?*

Les différentes couleurs indiquent le nombre de bases phonétiques de chaque verbe.

LIVRE DE L'ÉLÈVE - UNITÉ 1

Piste 1 — 1B

1. Et voici le plan de la ville, bonne visite !
2. • Tu descends où, toi ?
○ À Miromesnil.
3. Garçon, l'addition s'il vous plaît.
4. Taxi !
5. Bonjour, une baguette s'il vous plaît.

Piste 2 — 3A

A comme Agathe	J comme Jade	S comme Sophie
B comme Baptiste	K comme Karine	T comme Thierry
C comme Céline	L comme Lucie	U comme Ulric
D comme David	M comme Maxime	V comme Valérie
E comme Emery	N comme Nicolas	W comme Willy
F comme François	O comme Océane	X comme Xavier
G comme Gabriel	P comme Patrick	Y comme Yasmina
H comme Hélène	Q comme Quentin	Z comme Zoé
I comme Inès	R comme Raphaël	

Piste 3 — 3B

1. J-A-D-E
2. Z-O-E accent aigu
3. H-E accent aigu-L-E accent grave-N-E
4. W-I-deux L-Y

Piste 4 — 4B

un	huit	quinze
deux	neuf	seize
trois	dix	dix-sept
quatre	onze	dix-huit
cinq	douze	dix-neuf
six	treize	vingt
sept	quatorze	

Piste 5 — 4C

• Bon, avec deux étoiles, deux cœurs ou deux dollars, on gagne de 5 à 10 000 euros. On peut gratter cinq numéros. Quel est ton numéro fétiche ?
○ Moi, c'est le neuf, on gratte le neuf ?
• D'accord, ohhh, rien ! Ça ne correspond pas. À moi, je gratte le quatre ?
○ Ok, le quatre... Un cœur ! Génial !
• Le 18 !
○ Allez, le 18, non... Pfff, rien. Alors le six ?
• D'accord, le six, ahhhrrr, on n'a pas de chance !!!
○ Un dernier, et le dix ?
• Je gratte le dix, tu es sûr ?
○ Oui, gratte !
• Le dix, ouuuiiii, on a un cœur !
○ Et avec deux cœurs au total, on gagne 100 euros !
• On a gagné ! C'est notre jour de chance !

Piste 6 — 5A

1. • La réservation est au nom de... ?
○ Madame Evrard.
• Vous pouvez épeler s'il vous plaît ?
○ Bien sûr, E-V-R-A-R-D.
• E-V-R-A-R-D. Merci madame.
2. • Vous avez réservé à quel nom, s'il vous plaît ?
○ Au nom de monsieur et madame Jaffré.
• Ça s'écrit comment ?
○ Ah oui ! J-A-deux F-R-E accent aigu.
• J-A-deux F-R-E accent aigu. Très bien, merci.
3. • Il me reste une chambre de libre. Votre nom, s'il vous plaît ?
○ Monsieur Mobouss.
• Vous pouvez épeler s'il vous plaît ?

○ Oui : M-O-B-O-U-deux S.
• M-O-B-O-U-deux S, merci monsieur.
4. • Vous réservez à quel nom, s'il vous plaît ?
○ Au nom de mademoiselle Serrano.
• Ça s'écrit comment ?
○ Euh... ça s'écrit S-E-deux R-A-N-O.
• S-E-deux R-A-N-O, parfait ! Merci, mademoiselle.

Piste 7 — 5B

1. Bonsoir, pouvez-vous me donner la clé de la chambre de monsieur Lambert, la chambre 12 s'il vous plaît.
2. Bonjour, je suis monsieur Mobouss. S'il vous plaît, la clé numéro 6.
3. Bonjour, je suis monsieur Boulet et j'occupe la chambre 2. Vous me donnez ma clé, s'il vous plaît ?
4. Bonsoir ! Vous pouvez me donner la clé de la chambre numéro 10, s'il vous plaît ? Je suis mademoiselle Serrano.
5. Bonsoir, la clé des Jaffré s'il vous plaît, la clé numéro 9.
6. Bonjour ! Vous allez bien ? Je suis dans la chambre 11 : madame Lopez. Je peux avoir ma clé s'il vous plaît ?
7. Bonsoir, je crois que j'ai la chambre 7... Madame Evrard, oui, c'est ça, la 7.
8. Bonsoir, la clé numéro 4, c'est pour moi... Madame Morin.

Piste 8 — 8C

Dialogue 1

• Bonjour, je m'appelle Léa Bertho, directrice de Donane.
○ Moi, c'est Anouk Ducellier, directrice de Lactol.
• Enchantée ! Vous allez bien ?
○ Ça va bien, merci.

Dialogue 2

• Ça va, Paul ?
○ Oui monsieur ? Et vous ?
• Ça va très bien, merci.
○ Passe le bonjour à ton père, d'accord ?
• D'accord, à bientôt, monsieur.
○ Au revoir.

Piste 9 — 10A

1. Je ne comprends pas.
2. Comment ça s'écrit ?
3. Vous pouvez parler plus lentement, s'il vous plaît ?
4. Comment ça se prononce ?
5. Qu'est-ce que ça veut dire ?
6. Vous pouvez répéter, s'il vous plaît ?

Piste 10 — EX. 5

1. Et toi, tu aimes le shopping ?
2. Bonjour, monsieur, vous allez bien ?
3. Nous parlons français. Et vous, vous parlez français ?
4. • Madame, vous habitez à Marseille ?
○ Oui, vous aussi ?
5. Elles adorent le football !

Piste 11 — LEXIQUE — 4

1. Mon numéro de téléphone ? 04 10 02 20 13.
2. Voilà le numéro de téléphone d'Agathe : 01 15 17 04 11.
3. Mon numéro de téléphone est le 05 14 12 09 18.
4. 06 08 16 12 10, voilà le numéro de téléphone de Pierre.

Piste 12 — PROSODIE — 1

la France	ça va bien
le cinéma	vous allez bien ?
l'office de tourisme	bonne nuit
à plus tard	
l'art	
ça va	

Piste 13 — PROSODIE — 2

la France / les Français
ça va / ça va bien
dix / dix-sept
je parle / nous parlons
la tour / la tour Eiffel

Piste 14 — PROSODIE — 3

salut / ça va ?
à bientôt / à plus tard
bonjour / enchanté / vous allez bien ?
j'aime la France / j'aime le français / j'aime le cinéma

Piste 15 — PROSODIE — 4

les boutiques, les élèves, nous visitons, nous étudions, vous aimez, vous parlez, ils regardent, ils adorent

Piste 16 — PROSODIE — 5

1. Ils parlent français. Ils_aiment le français.
2. Nous_aimons les voyages. Nous visitons la France.
3. Les_étudiants aiment les langues.
4. Vous visitez Paris ? Vous_aimez la ville ?

Piste 17 — PHONÉTIQUE — 6

1. le restaurant / les restaurants
2. les théâtres / les théâtres
3. les festivals / le festival
4. le concert / le concert
5. les musées / le musée

Piste 18 — PHONÉTIQUE — 7

1. le Français / les Français
2. les cafés / le café
3. les restaurants / le restaurant
4. le concert / les concerts

Piste 19 — PHONIE-GRAPHIE — 9

Aimer : j'aime, tu aimes, il/elle aime, ils/elles aiment.
Parler : je parle, tu parles, il/elle parle, ils/elles parlent.

UNITÉ 2

Piste 20 — 1C

Bonjour, moi c'est Anke, Anke Fisher. J'ai 20 ans et je suis célibataire. J'habite à Paris parce que je suis en échange Erasmus. Je suis étudiante en art. Ce que j'aime à Paris, c'est la culture et les musées.

Piste 21 — 5A

Vous désirez changer de métier ? Vous ne savez pas quel métier est fait pour vous ? Vous n'êtes pas seul ! Faites notre test d'orientation, découvrez votre secteur d'activité et trouvez votre nouveau métier. Mon emploi, le spécialiste de l'emploi !

Piste 22 — EX. 1

1. Dix plus deux, fois deux, égal vingt-quatre.
2. Trois fois trois égal neuf.
3. Soixante plus dix égal soixante-dix.
4. Vingt fois quatre, plus douze, égal quatre-vingt-douze.
5. Trente fois deux, plus quatorze, égal soixante-quatorze.
6. Neuf fois trois égal vingt-sept.
7. Cinq fois sept égal trente-cinq.
8. Trois fois neuf, plus trois, égal trente.
9. Vingt fois quatre, plus huit, égal quatre-vingt-huit.
10. Vingt fois deux, plus trois, égal quarante-trois.

Piste 23 — LEXIQUE — 4

100, 92, 79, 91, 77, 86, 75, 70, 81, 93, 87.

Piste 24 — PHONÉTIQUE — 1

1. une Française, un Français
2. une Italienne, un Italien
3. une Belge, un Belge
4. une Marocaine, un Marocain
5. une Allemande, un Allemand
6. une Espagnole, un Espagnol

Piste 25 — PHONÉTIQUE — 2

1. anglaise
2. allemand
3. canadien
4. brésilienne
5. roumaine

Piste 26 — PHONÉTIQUE — 3

1. Elle est chinoise, il est chinois.
2. Elle est française, il est français.
3. Elle est italienne, il est italien.
4. Elle est allemande, il est allemand.
5. Elle est marocaine, il est marocain.

Piste 27 — PHONIE-GRAPHIE — 1

1. Maria est portugaise.
2. Ulrika est allemande.
3. Akamaru est japonais.
4. Saga est suédoise.
5. Abas est congolais.
6. Peter est allemand.

Piste 28 — PHONIE-GRAPHIE — 2

1. Lorenzo est italien.
2. Satya est indienne.
3. John est américain.
4. Meryem est marocaine.

Piste 29 — PROSODIE — 3

1. J'habite en Espagne.
2. Je ne suis pas créatif.
3. Enchanté, Paul, 47 ans.
4. Je n'aime pas le sport mais j'adore la photo.

Piste 30 — PROSODIE — 3

Deux groupes de mots :
Il s'appelle Emmanuel.
Sa petite amie est américaine.

Trois groupes de mots :
Cet été, je voyage en Afrique.
Moi c'est Marc, je suis photographe et j'ai trente-trois ans.

Quatre groupes de mots :
Je ne suis pas créatif mais je suis communicatif.

Cinq groupes de mots :
Zéro six, soixante, quatre-vingt deux, soixante et onze, quatre-vingt dix-sept.

UNITÉ 3

Piste 31 — 3B

- Où tu habites, toi, Pierre ?
- Moi ? J'habite dans le Sud de Marseille.
- Ah bon ! C'est super, près de la plage, alors ?
- Oui ; il y a même plusieurs plages.
- Et tu habites près du port ?
- Non, pas vraiment, moi je suis plutôt à côté du palais de justice.
- Ah d'accord. Eh bien, dis donc, c'est bien chic comme endroit, c'est génial

comme quartier, non ?
○ Oui, c'est un quartier agréable et très vivant ; et, juste à côté de chez moi, y'a un cinéma et un très grand marché. Et pour aller au centre, il y a une station de métro tout près. Tu sais, près de la place Castellane...

Piste 32— 4D

Mon centre-ville est sympa. Pour sortir, il est super parce qu'il y a des cafés et des restaurants. Il y a aussi des magasins pour faire du shopping mais comme c'est un petit centre-ville, il n'y a pas de supermarché. Il est aussi culturel, il y a un musée et un opéra mais il n'y a pas de cinéma, c'est dommage.

Piste 33 — EX. 1

Villefranche-de-Conflent est une cité médiévale fortifiée. Il y a des commerces, des cafés, des restaurants. Pour les touristes, il y a aussi des hôtels et un camping. Il y a une pharmacie, mais il n'y a pas de médecin. Il y a une école primaire mais il n'y pas de collège parce que le village est petit.

Piste 34 — PHONÉTIQUE — A1

a.
1. sé, seu   **2.** leu, lé   **3.** keu, ké   **4.** mé, meu

b.
1. sort, sœur   **2.** meurt, mort   **3.** cœur, corps   **4.** flore, fleur

Piste 35 — PHONÉTIQUE — A2

1. les quartiers
2. au port
3. l'immeuble
4. les musées
5. le cœur

Piste 36 — PHONÉTIQUE — A3

[Œ] [E]
1. Le vieux marché.
2. C'est un quartier silencieux.
3. Il y a deux fleuristes dans le quartier.

[O] [Œ]
1. Au bord du fleuve.
2. L'immeuble au nord.
3. Il y a un beau château dans le vieux-centre.

[E] [O] [Œ]
1. Les beaux immeubles.
2. Le marché aux fleurs.
3. Je vais au musée des Beaux-Arts.
4. Il y a un fleuriste à côté du métro.

Piste 37 — PHONIE-GRAPHIE — B4

port, musée, marché, hôpital, immeuble, palais, bateaux, Seine, tour Eiffel

Piste 38 — PROSODIE — C5

1. Il y a une station de métro ?
2. Il n'y a pas de fleuriste dans le quartier.
3. L'hôtel est près de la plage ?
4. Sur la place, il y a une fontaine ?
5. Il y a beaucoup de restaurants.

Piste 39 — PROSODIE — C6

1. ● Tu vas au travail à pied ?
○ Non, je vais au travail en métro.
2. ● Marseille, c'est au bord de la mer ?
○ Oui, c'est au bord de la mer.
3. ● Il y a de beaux immeubles dans ton quartier ?
○ Oui, j'habite dans le Vieux-Bordeaux.
4. ● On peut faire du vélo près du fleuve ?
○ Oui, au bord du fleuve.

5. ● Il y a un métro à Montpellier ?
○ Non, mais il y a un tramway.

UNITÉ 4

Piste 40 — 4C

1. Le hip-hop.
2. La salsa.
3. La musique africaine.

Piste 41 — 6B

● **Journaliste** : L'École Zen de Bordeaux propose beaucoup de cours originaux. Nous sommes allés interroger des personnes à la sortie de leurs ateliers pour connaître les raisons du succès de l'école. Bonjour mademoiselle, comment vous appelez-vous ?
○ **Anna** : Anna.
● **Journaliste** : Pourquoi prenez-vous des cours de chant ?
○ **Anna** : Pour le plaisir. Je me sens bien quand je chante !
● **Journaliste** : Bonjour monsieur, comment vous appelez-vous ?
◼ **Louis** : Louis.
● **Journaliste** : Vous prenez des cours de rire, c'est original, non ?
◼ **Louis** : Oui, je vais à l'atelier du rire pour partager ma bonne humeur et me relaxer.
● **Journaliste** : Bonjour, vous pouvez vous présenter ?
- **Sophie** : Moi, c'est Sophie et lui, c'est mon mari Stéphane.
● **Journaliste** : Pourquoi avez-vous choisi l'atelier relaxation ?
- **Sophie** : Parce que nous adorons la culture thaïlandaise et les disciplines orientales.

Piste 42 — LEXIQUE — 5

1. ● J'aime la musique électronique, et toi Anne ?
○ Pas moi, j'aime la musique hip hop.
2. ● J'adore cette exposition, et toi Marc ?
○ Pas moi, je déteste.
3. ● On va faire du shopping, Julie ?
○ Oh non, je déteste ça, je préfère les balades.
4. ● Les filles, on va au cinéma ?
○ Super. À quelle heure on part ?
5. ● Pierre, tu aimes le bricolage ?
○ Un peu, mais je préfère le jardinage.
6. ● Monsieur Legrand, vous aimez le sport ?
○ Oui, beaucoup, je fais de la natation et je joue au tennis.

Piste 43 — PHONÉTIQUE — 1

1. Il vient, ils viennent, ils viennent.
2. Elle prend, elle prend, elles prennent.
3. Elle prévient, elle prévient, elles préviennent.
4. Il apprend, ils apprennent, ils apprennent.
5. Elle revient, elle revient, elles reviennent.
6. Il comprend, ils comprennent, ils comprennent.

Piste 44 — PHONÉTIQUE — 2

1. Natation   **3.** Danse   **5.** Piscine
2. Personne   **4.** Dessin

Piste 45 — PHONÉTIQUE — 4

1. bonne / bon
2. une personne / une colocation
3. saine / sain
4. ils viennent / il vient
5. panne / pan
6. chez Jeanne / une chambre

Piste 46 — PHONÉTIQUE — 5

[En] [*]
1. Elles prennent des cours de dessin.
2. Il vient de Vienne.

[an][2]
3. Anna apprend l'allemand.

4. Mes enfants adorent le piano.

[On][7]
5. Je suis passionné de natation.
6. J'aime rencontrer de nouvelles personnes.

Piste 47 — PROSODIE — 6

1. C'est mon ami.
2. C'est pour leurs amis.
3. C'est ton grand ami.
4. Mon premier ami.

Piste 48 — PROSODIE — 7

1. C'est mon chanteur préféré. / C'est mon_acteur préféré.
2. Un grand sportif. / Un grand_artiste.
3. Il habite chez ses parents. / Il habite chez_une amie.

Piste 49 — PROSODIE — 8

1. Ils viennent avec leurs_amis italiens.
2. C'est mon premier_atelier de dessin.
3. Elle vient avec son nouveau petit-ami. Elle est très_heureuse.
4. Elle prend des cours de piano dans_une école de musique.

Piste 50 — PHONIE-GRAPHIE — 9

1. Le petit_ami d'Antonia, c'est le petit frère d'Olivier.
2. C'est un grand actif. Il prend des cours de judo.
3. Nos enfants sont très timides.

UNITÉ 5

Piste 1 — 1C

1. ● Bonjour, c'est pour une enquête. Pouvez-vous me dire quel est votre moment préféré de la semaine, s'il vous plaît ?
○ Alors, pour moi, c'est le week-end parce que j'ai le temps de cuisiner pour toute la famille !
2. ● Et vous monsieur ?
○ Mon moment préféré ? C'est le dimanche matin, parce que je vais à la mer, j'adore ça !
● Merci !
3. ● Pardon les filles, je peux vous poser une question ? Quel est votre moment préféré de la semaine ?
○ Pour moi, c'est le lundi soir, quand je vais à mon cours de karaté.
● Ah, pour moi, c'est sûr, c'est le week-end ! Je rencontre mes amis pour dîner, ou aller au cinéma, ou aller danser...
4. ● Et vous, monsieur, quel est votre moment préféré de la semaine ?
○ Le mercredi après-midi, quand je vais chercher mes enfants à la piscine.

Piste 2 — 2C

● Salut Julien ! Ça va ?
○ Ça va, et toi ?
● Pfff ! Je suis fatiguée ! Mes journées sont très chargées ! Au travail, c'est compliqué et je termine tous les jours en retard alors...
○ Et tu te reposes un peu ?
● Pas beaucoup. En plus, avec mes horaires, je n'ai jamais le temps d'aller à mon cours de danse. C'est une activité qui me détends mais en ce moment, c'est impossible.
○ Eh bien, je te trouve bien nerveuse. Les loisirs, c'est important, un ciné ce soir, ça te dit ?
● Tu as raison, c'est peut-être une bonne idée.
○ C'est sûr ! Allez, viens !
● D'accord.

Piste 3 — 3B

1. ● Tu l'aimes, lui ? Moi, il m'énerve... justement parce qu'il s'énerve tout le temps ! Et puis, il fume trop, je n'aime pas ça...
○ Moi, il me fait rire avec ses expressions bizarres...
2. ● Comment s'appelle le personnage au chapeau déjà ?
○ Tu parles de Dupont ?

○ Non, pas les deux inséparables. C'est l'inventeur de la fusée lunaire dans l'album *Objectif lune*, tu te rappelles ?
3. ● Je suis fan de ce personnage !
○ Je ne comprends pas pourquoi, il ne sert à rien !
● Quoi ? Il est toujours là et il trouve souvent la solution aux problèmes de Tintin.
○ Bof, je préfère les chats moi...

Piste 4 — 4B

1. Il est neuf heures cinquante.
2. Il est onze heures trente-cinq.
3. Il est douze heures quinze.
4. Il est vingt-deux heures trente.

Piste 5 — EX. 2

1. ● À quelle heure dînez-vous en général ?
○ Nous dînons toujours à huit heures.
2. ● Mais, on est samedi ! Tu es déjà réveillé ?
○ Oui, c'est l'habitude : en semaine, je me lève toujours à sept heures.
3. ● Je voudrais faire un peu de sport tous les jours pendant les vacances.
○ Viens avec moi ! Mon cours de zumba, c'est tous les matins à neuf heures trente.
4. ● Qui prépare le dîner chez toi ?
○ Mon mari. L'après-midi, il rentre tôt : à trois heures, il est à la maison. Il a le temps de cuisiner.
5. ● Et ton bébé ? Il se repose ?
○ Oui, il fait la sieste. Il dort à midi tous les jours.
6. ● On déjeune à quelle heure ?
○ À une heure trente.

Piste 6 — EX. 2

1. ● Bonjour, une petite question, s'il vous plaît. Quels sont vos loisirs et quelle place ont-ils dans votre vie ?
○ Des loisirs ? Moi ? Je travaille trop, je n'ai pas de temps libre !
● Mais si, vous avez bien un petit plaisir...
○ Eh bien non ! Mes amis vont à la pêche, mais moi non, je déteste la pêche !
2. ● Bonjour messieurs, pouvez-vous me dire quels sont vos loisirs et quelle place ont-ils dans votre vie, s'il vous plaît ?
○ Mes loisirs ? Euh... J'aime bien aller au cinéma mais c'est cher. Ma femme et moi, nous allons au cinéma une ou deux fois par an.
3. ● Et vous monsieur ?
○ Personnellement, j'adore le sport : je vais au club deux à trois fois par semaine et le week-end toute la famille fait du sport !
4. ● Madame, quels sont vos loisirs et quelle place ont-ils dans votre vie ?
○ Moi, j'aime bien aller au musée. On fait des sorties culturelles avec nos amis tous les mois.
5. ● Pardon, quels sont vos loisirs et quelle place ont-ils dans votre vie ?
○ Des loisirs ? Je ne sais pas... Ah ! Aller au restaurant ! J'adore les sorties gastronomiques ! Je vais au restaurant toutes les semaines.
6. ● Bonjour mesdames, une petite question : quels sont vos loisirs et quelle place ont-ils dans votre vie ?
○ J'aime beaucoup lire ! Je prends un livre tous les soirs avant de dormir.
7. ● Et vous, madame ?
○ J'ai peu de loisirs... Je vais à la piscine quatre fois par semaine, mais c'est tout.

Piste 7 — LEXIQUE — Exercice 6

Le matin, la première chose que je fais quand je me réveille, c'est allumer mon portable. Ensuite, je vais à la cuisine et là, je prends un bon café pour me réveiller. J'allume mon ordinateur, je lis mes emails et puis je vais à la salle de bains, Je me douche, je m'habille et je me maquille. Après, je me coiffe et la dernière chose que je fais avant de sortir, c'est me brosser les dents !

Piste 8 — LEXIQUE — Exercice 8

● Tu as vu Fabien hier soir ? Il a dansé toute la nuit ! Toute la nuit !
○ Oui ! Il adore s'amuser. Il sort tous les week-ends.

- Mais Marc, il ne supporte pas les fêtes ! Il préfère rester chez lui, tranquille.
- Et il n'aime pas les endroits bruyants et animés. Il adore le calme.
- Et oui ! Ils sont amis mais ils sont très différents tous les deux !

Piste 9 — PROSODIE — 1A

1. Il est quinze heures.
2. Il est dix-huit heures.
3. Il termine à cinq heures.
4. L'après-midi, je dors une heure.
5. Demain, je me lève à quatre heures.

Piste 10 — PROSODIE — 1B

1. Il est quinze heures, -ze heures.
2. Il est dix-huit heures, -t heures.
3. Il termine à cinq heures, -q heures.
4. L'après-midi, je dors une heure, -ne heure.
5. Demain, je me lève à quatre heures, -tre heure.

Piste 11 — PROSODIE — 2A

1. i- / il est / il est quin- / il est quinze heures
2. i- / il est / il est se- / il est sept heures
3. i- / il est / il est cin- / il est cinq heures
4. i- / il est / il est u- / il est une heure
5. i- / il est / il est quat- / il est quatre heures

Piste 12 — PROSODIE — 2B

-ze heures / quinze heures / -l est quinze heures / il est quinze heures

Piste 13 — PROSODIE — 3

1. Ils vivent à la campagne.
2. Le matin, je pars à huit heures et demie.
3. Ils sortent en semaine régulièrement.
4. Ils partent en vacances la semaine prochaine.
5. Ils dorment entre sept et huit heures par nuit.

Piste 14 — PHONÉTIQUE — 4

1. Ils se lavent.
2. Elles écoutent.
3. Ils aiment.
4. Ils s'habillent.
5. Elles s'endorment.
6. Elles arrivent.

Piste 15 — PHONÉTIQUE — 5A

1. Ils s'habillent pour la soirée.
2. Je sors tous les samedis soirs.
3. Nous arrivons à vingt-deux heures quinze.
4. Elles écoutent de la musique.

Piste 16 — PHONÉTIQUE — 6

[s]
Il se lève à sept heures.
Ils sortent trois soirs par semaine.

[z]
Nous faisons la fête de temps en temps.
Ils ont visité le musée.

[s]+[z]
Je sors du travail à six heures.
Le samedi matin, ils ont un cours de danse.

Piste 17 — PHONIE-GRAPHIE — 7

1. Ils sont stressés.
2. Il est casanier, il reste à la maison tous les week-ends.
3. Ils ont dix petits-enfants. Pas six, dix !
4. Elles font du jogging tous les jours à dix-huit heures.

UNITÉ 6

Piste 18 — 1C

- **Elsa** : Regarde sur ce site, on trouve tout ce qu'on cherche. Qu'est-ce qui t'intéresse, toi ?
- **Irène** : Eh bien… Euh… En fait, j'ai besoin de faire du sport, mais je ne suis pas très motivée…
- **Elsa** : D'accord… catégorie sport… Tiens, regarde cette annonce… Il y a un coach sportif, c'est parfait pour te motiver !
- **Irène** : Hum… pourquoi pas !
- **Elsa** : Il y a même des services bizarres… Regarde, lui, il cherche quelqu'un pour monter ses meubles…
- **Irène** : C'est pas bizarre ! Moi non plus je ne sais pas monter mes meubles !
- **Elsa** : Ah bon, moi oui. Ah, et regarde une demande pour moi, j'adore les chats et comme j'ai un jardin, je…

Piste 19 — 2C

- Bonjour Arnaud, asseyez-vous. Alors, laissez-moi vous poser quelques questions pour définir votre personnalité.
- D'accord.
- Pour commencer, que savez-vous bien faire dans votre travail actuel ?
- Eh bien, je pense que je sais écouter mes clients et que je sais les conseiller aussi…
- Très bien. Et, dites-moi, qu'aimez-vous dans ce travail ?
- J'aime le contact avec les gens, j'aime les voyages d'affaires et j'aime surtout former des nouveaux collègues.
- Très bien, je vois que vous avez des connaissances techniques…
- Oui, je connais bien les techniques de vente et je connais plusieurs langues étrangères, c'est pratique pour mes déplacements professionnels.
- D'accord, et…

Piste 20 — 3B

- **Léa** : Tu as reçu la lettre de remerciement ?
- **Bruno** : Oui, c'est sympa. C'est vrai qu'on a bien aidé !
- **Léa** : Oui, mais il reste encore du travail à faire…
- **Bruno** : C'est vrai, l'association est jeune mais il y a déjà beaucoup de bénévoles. Et dire qu'il y a un mois, l'association n'existait même pas !
- **Léa** : Oui, ça fait plaisir de voir que les gens sont sensibles aux problèmes d'environnement !

Piste 21 — 8B

- **Théo** : Bon alors, raconte !
- **Alice** : Ce matin, je me suis levée tôt, j'ai pris mon petit déjeuner à l'hôtel et…
- **Théo** : Et tu as rencontré une star ?
- **Alice** : Non, non attends… Je me suis préparée pour la conférence… Et j'ai rencontré Emma dans l'ascenseur !
- **Théo** : Emma ?
- **Alice** : Oui, tu sais, notre copine de fac…
- **Théo** : C'est fou ! Qu'est-ce qu'elle devient ?
- **Alice** : Elle habite à Bangkok, elle travaille dans l'hôtel où je me loge. On a beaucoup parlé et elle a promis de me faire visiter la ville avant mon départ !
- **Théo** : Et au fait…

Piste 22 — PHONÉTIQUE — 1

1. Je crée / J'ai créé
2. J'ai fait / Je fais
3. J'écris / J'ai écrit
4. J'ai construit / Je construis

Piste 23 — PHONÉTIQUE — 2A

1. J'ai créé une association. / Je crée une association.
2. Je fais des études d'informatique. / J'ai fait des études d'informatique.
3. J'écris un roman. / J'ai écrit un roman.
4. J'ai construit une école. / Je construis une école.

Piste 24 — PHONÉTIQUE — 3

1. Ils sont restés un an en France.
2. Ils ont été bénévoles.
3. Ils sont partis en Afrique.
4. Ils sont venus pour étudier.
5. Ils ont eu leur diplôme.

Piste 25 — PHONÉTIQUE — 4

1. Elles sont devenues amies quand elles ont eu leur diplôme.
2. Ils ont vécu au Mexique. Ils sont restés là-bas dix ans.
3. Ils sont arrivés. Ils ont pris l'avion.
4. Elles ont décidé de changer de vie. Elles sont parties vivre au Québec.

Piste 26 — PROSODIE — 5

1. Un écrivain ennuyeux.
2. Un médecin a beaucoup de travail.
3. Quand êtes-vous allé en Afrique ?
4. Elle a joué dans plus de cent films et elle a eu plusieurs prix.
5. Quand est-ce qu'ils ont terminé leurs études ?

Piste 27 — PROSODIE — 6

● Alors, j'ai reçu votre CV. Vous avez déjà travaillé dans une association ?
○ Oui, dans une association humanitaire en Afrique.
● Et quand avez-vous eu votre diplôme de médecine ?
○ En 2012.
● Vous parlez quelles langues ?
○ Je parle anglais, allemand et un peu espagnol.

Piste 28 — PHONIE-GRAPHIE — 7

1. Il est né. / Elle est née.
2. Elle est restée. / Elles sont restées.
3. Il est parti. / Ils sont partis.
4. Elle est venue. / Elles sont venues.
5. Elle est morte. / Ils sont morts.
6. Il s'est inscrit. / Elle s'est inscrite.

UNITÉ 7

Piste 29 — 1C

Il existe depuis le XIXᵉ siècle et fait le bonheur des enfants. C'est un des biscuits préférés des Français pour le goûter. Aujourd'hui, il est aussi international car il est vendu aux quatre coins du monde. C'est un biscuit au beurre originaire de Nantes.

Piste 30 — 2C

● **Louise** : Allô Lucile, ça va ?
○ **Lucile** : Salut Louise, tu es prête pour notre week-end ?
● **Louise** : Pas encore, je ne sais pas trop quoi prendre... Il fait quel temps en ce moment ?
○ **Lucile** : Tu sais à Marseille, il fait toujours beau et chaud !
● **Louise** : Alors je prends des vêtements légers : avec un short, une jupe et des lunettes de soleil, c'est parfait !
○ **Lucile** : Oui, mais n'oublie surtout pas ton maillot de bain et une robe pour sortir le soir.
● **Louise** : D'accord, on se voit ce week-end alors !
○ **Lucile** : Oui, à samedi, bisous !
● **Louise** : Bisous !

Piste 31 — 5A

1. Vous ne voulez plus perdre de temps au supermarché ? Simplifiez-vous la vie et faites vos achats en un clic. Nous vous proposons un service de qualité et une livraison rapide. N'hésitez plus et contactez-nous !
2. Besoin de repos ? Besoin de soleil ? Besoin de vacances ? Découvrez nos séjours sur mesure et partez tranquille !
3. Nos spécialistes peuvent livrer vos produits dans tout le pays.

Piste 32 — 6A

● **Élise** : Sidonie, finalement je ne peux pas m'occuper des achats pour l'anniversaire de maman, j'ai beaucoup de travail...

○ **Sidonie** : Moi, je peux acheter les cadeaux si tu veux. Qu'est-ce que j'achète ?
● **Élise** : Passe d'abord chez le fleuriste parce qu'il ferme à midi et prends un gros bouquet de roses.
○ **Sidonie** : Des roses blanches ou des roses rouges ?
● **Élise** : Des rouges, après, si tu peux, va chez le boulanger-pâtissier pour acheter un gâteau au chocolat, maman adore ça.
○ **Sidonie** : D'accord. Mais je prends un gâteau au chocolat blanc ou au chocolat noir ?
● **Élise** : Prends un gâteau au chocolat noir, c'est meilleur.
○ **Sidonie** : Et son cadeau ?
● **Élise** : Ah, c'est vrai ! Tu te rappelles du sac noir qu'on a vu l'autre jour dans le magasin de vêtements ? Tu le prends ?
○ **Sidonie** : J'aime beaucoup le sac mais je le préfère en bleu moi !
● **Élise** : Comme tu veux, achète le sac bleu, il est très beau aussi ! À tout à l'heure !
○ **Sidonie** : D'accord, à tout à l'heure !

Piste 33 — PHONÉTIQUE — 1

1. des chaussures
2. une trousse
3. une chemise
4. un costume
5. rouge
6. une jupe

Piste 34 — PHONÉTIQUE — 2

A.
1. J'ai acheté des chaussures rouges.
2. Elle coûte cher cette jupe.
3. Vous voulez ces lunettes ?

B.
1. Il est beau ce petit pull.
2. Je cherche un costume gris.
3. Essayez cette jupe en jean.

Piste 35 — PHONÉTIQUE — 3

[y] [u]
1. Vous voulez ces chaussures ?
2. Il porte toujours un costume.
3. Je voudrais un pull pour ma femme.
4. J'aime bien ce foulard et ces lunettes !

[y] [i]
1. Moi, j'aime bien le costume gris.
2. C'est une jupe d'hiver.
3. Quel est le prix de ces chaussures ?
4. Il porte une chemise grise et des lunettes.

Piste 36 — PROSODIE — 4

1. Achète la veste rouge.
2. Venez avec moi !
3. Lucas, mets ton bonnet !
4. N'oublie pas ton écharpe.

Piste 37 — PROSODIE — 5

1. Prends des vêtements chauds.
2. N'oublie pas ton pull.
3. Mets ton écharpe.

Piste 38 — PHONIE-GRAPHIE — 6

1. chemise
2. pull
3. rouge
4. jean
5. foulard
6. tenue
7. pyjama

UNITÉ 8

Piste 39 — 1C

Dialogue 1
- Les enfants, venez goûter ! Il est déjà cinq heures !
- Miam, du chocolat ! Merci maman.

Dialogue 2
- Qu'est-ce que tu prends le matin au petit déjeuner, du thé ou du café ?
- Moi, je prends toujours du café au lait pour bien me réveiller, et toi ?

Dialogue 3
- Chéri, on va dîner au restaurant ce soir ?
- Bonne idée ! Des moules-frites chez Niels, ça te dit ?

Dialogue 4
- Qu'est-ce que tu cuisines ?
- Je prépare une omelette pour le déjeuner.

Piste 40 — 2C

- **Théo** : Et voilà, c'est ici ! J'adore déjeuner dans ce restaurant !
- **Vincent** : Mais... C'est un bar à salades, j'ai faim, moi !
- **Théo** : Ne t'inquiète pas ! Ce sont de grosses salades et elles sont super bonnes !
- **Vincent** : Alors, qu'est-ce que tu me conseilles ?
- **Théo** : Pour moi, c'est toujours deux salades, une salée et une sucrée en dessert. Je prends cette salade parce que j'aime beaucoup le poisson. Toi, si tu as très faim, il y a cette salade, avec des lentilles !
- **Vincent** : Super, et pour le dessert, tu as une idée ?
- **Théo** : Ben, je prends toujours la même parce que j'adore la mangue et je prends un supplément chantilly avec.
- **Vincent** : Ça a l'air bon, je vais suivre ton choix.
- **Théo** : Très bon choix !

Piste 41 — 3B

- **Élise** : Ce restaurant propose des spécialités de Lyon. Tu vas voir, c'est délicieux !
- **Le serveur** : Bonsoir mesdames... Je peux vous aider ?
- **Élise** : Bonsoir. Moi, ce soir, je mange... une salade de lentilles en entrée, et puis une entrecôte.
- **Le serveur** : Quelle cuisson pour la viande ?
- **Élise** : À point s'il vous plaît.
- **Le serveur** : Très bien. Et pour vous madame ?
- **Kirsten** : Euh... Qu'est-ce que vous me conseillez ?
- **Le serveur** : Je vous recommande notre spécialité : nos quenelles maison !
- **Kirsten** : Oui, c'est une bonne idée... Et en entrée ?
- **Le serveur** : Les cuisses de grenouilles, elles sont très bonnes.
- **Kirsten** : Mmm, d'accord, je vais essayer.
- **Le serveur** : Et comme boisson ?
- **Élise** : Une bouteille de vin blanc et une bouteille d'eau.
- **Le serveur** : De l'eau plate ou gazeuse ?
- **Élise** : De l'eau plate, merci.

Piste 42 — 3C

- **Élise** : Tu prends quoi comme dessert ?
- **Kirsten** : Je ne sais pas... Ça c'est quoi ?
- **Élise** : Des blancs d'œuf avec de la crème anglaise... Ça ressemble à une île, c'est pour ça que ça s'appelle comme ça... La tarte aux pommes est bonne aussi.
- **Kirsten** : Je prends la tarte.
- **Élise** : Moi, je vais prendre la tarte à la praline.
- **Le serveur** : Vous avez choisi mesdames ?
- **Élise** : Oui, une tarte aux pommes et une tarte à la praline.
- **Le serveur** : Et voici vos desserts mesdames !
- **Kirsten** : Il y a des framboises dans la tarte à la praline ?
- **Élise** : Non, c'est la praline rose qui donne cette couleur. Il n'y a pas de fruits, juste de l'amande et du sucre. Tu veux goûter ?

Piste 43 — 5B

1.
   - Bonjour madame, voici le menu et la carte des vins.
   - Merci monsieur.
2.
   - Je peux vous aider ?
   - Oui, quel est le plat du jour ?
3.
   - Qu'est-ce que vous me conseillez ?
   - Je vous recommande la soupe à l'oignon, c'est notre spécialité.
4.
   - Un steak, s'il vous plaît.
   - Et comme cuisson ? Bien cuit, à point, saignant ?
   - Saignant, s'il vous plaît.
   - Et comme garniture, des frites ou du riz ?
5.
   - Je voudrais de l'eau s'il vous plaît.
   - Plate ou gazeuse ?
6.
   - Pouvez-vous m'apporter l'addition s'il vous plaît ?
   - Tout de suite, madame.

Piste 44 — EX. 1

Pour réaliser un gâteau au chocolat, il faut 4 œufs, un sachet de sucre vanillé, 200 grammes de chocolat noir, 100 grammes de farine, 150 grammes de sucre et 100 grammes de beurre.

Piste 45 — LEXIQUE — 6

- **Serveur** : Bonjour, vous désirez ?
- **Monsieur** : Bonjour monsieur, moi je vais prendre une omelette aux champignons, s'il vous plaît.
- **Serveur** : Et comme dessert ?
- **Monsieur** : De la glace au chocolat.
- **Serveur** : Et pour vous, madame ?
- **Madame** : Moi, je prends le menu à 12 euros avec, comme entrée, la salade et comme plat principal, le saumon.
- **Serveur** : Avec du riz ou des légumes ?
- **Madame** : Des légumes, s'il vous plaît. Et de la glace à la fraise comme dessert.
- **Serveur** : Et comme boisson ? De l'eau, du vin ?
- **Madame** : De l'eau.
- **Serveur** : Plate ou gazeuse ?
- **Madame** : Plate.
- **Serveur** : C'est noté. Je vous apporte ça tout de suite.

Piste 46 — PHONÉTIQUE — 1

1. la cuisine
2. du pain
3. des féculents
4. une banane
5. une salade bretonne
6. du poisson

Piste 47 — PHONÉTIQUE — 2

1. de la viande
2. du vin
3. des oignons
4. une dinde
5. des champignons
6. du piment

Piste 48 — PHONÉTIQUE — 3

1. pain / bon / blanc
2. vent / vin / font
3. sont / sans / sain
4. train / thon / temps
5. lent / long / lin
6. rond / grain / grand

Piste 49 — PHONÉTIQUE — 4

a. [*], [2]
1. Saignante ou à point ?
2. Un verre de vin blanc, c'est suffisant.
3. Tu manges trop de pain !

b. [2] [7]
1. Tu prends du jambon ?
2. Il est appétissant ce poisson !
3. Il est très bon ce restaurant !

Piste 50 — PHONÉTIQUE — 5

1. Mmmm, miam miam, c'est bon !
2. Mmmm, il est bon ce jambon !
3. Le matin, je prends du pain.
4. Le poisson, c'est bon avec du vin blanc.
5. Le citron, c'est excellent et c'est très sain.

Piste 51 — PHONIE-GRAPHIE — 6

1. pain
2. endives
3. saumon
4. orange
5. végétarien
6. vin

Piste 52 — PROSODIE — 7

C'est booooooonn le cassoulet. / C'est bon le cassoulet.
La mousse au chocolat, j'adore ça. / La mousse au chocolat, j'a-dore -ça.
Je **dé**teste les endives. Je déteste les endives.

Piste 53 — PROSODIE — 8

1. ● Tu connais cette pâtisserie ?
   ○ Oh oui ! J'adoooooore leurs tarte aux citron !
2. ● Quel est ton plat préféré ?
   ○ La mousse au chocolat, j'a-dore.
3. ● Tu aimes le fois gras ?
   ○ Le fois gras ? Je n'aime pas : j'adore !

PRÉPARATION AU DELF A1

Piste 54 — Exo 1

Amateurs d'art et de nouvelles tendances, ne manquez pas Art Paris, le salon international d'art contemporain. À partir du 27 mars, le Grand Palais accueille la plus grande exposition d'art contemporain de France. Cette année, le pays invité est la Chine ; venez découvrir les artistes chinois les plus tendances ! Informations et réservations au 0800.41.51.81. 0800.41.51.81.

Piste 55 — Exo 2

● Salut Fanette !
○ Bonjour Agathe, tu vas bien ?
● Oui très bien, et toi ?
○ Ça va, merci. Tu fais quoi ce week-end ?
● On va faire un cours de cuisine japonaise avec ma sœur vendredi soir. On va apprendre à préparer des sushis !
○ Génial ! J'adore la cuisine japonaise !
● Tu veux venir avec nous ? Ça commence à 19h30 et ça dure environ 2 heures.
○ D'accord, bonne idée.
● Tu dois envoyer un mail au professeur pour réserver ta place. Je vais te donner l'adresse.
○ Ok, merci beaucoup !

Piste 56 — Exo 3

Mesdames, Messieurs, votre attention s'il vous plaît. L'embarquement pour le vol AF6332 à destination de Marseille, départ 18h15, va commencer. Nous invitons tous les passagers à se présenter porte 51 avec leur carte d'embarquement. Merci.

Piste 57 — Exo 4

Dialogue 1
● Je vais au supermarché. Il faut quelque chose ?
○ Euh... oui, regarde, il n'y a plus de lait.
● J'en prends combien de bouteilles ?
○ 2 bouteilles, c'est bien.

Dialogue 2
● Tu as l'air fatigué ! Ça va ?
○ Mmm... je ne dors pas beaucoup en ce moment et je me lève tôt.
● Tu veux un café ?
○ Oui je veux bien, merci.

Dialogue 3
● Tu n'as pas de dictionnaire ?
○ Non, je ne le trouve pas ! Il doit être chez moi...
● Tiens, prends le mien.
○ Merci beaucoup !

Dialogue 4
● Mets-toi devant la cathédrale, je vais te prendre en photo !
○ Non, attends ! On fait une photo tous les deux, d'accord ?
● D'accord !

Dialogue 5
● Bonjour à tous et merci d'assister à cette réunion. Nous allons commencer. Je laisse la parole à Monsieur Belza.
○ Bonjour, je suis Édouard Belza, le nouveau responsable du département marketing.

CAHIER D'ACTIVITÉS - UNITÉ 1

Piste 1 — 1A

● **Journaliste** : Bonjour Thomas, ce matin dans la matinale, vous présentez le classement des prénoms de l'année. Beaucoup de prénoms classiques cette année !
○ **Thomas** : Oui en effet. Les prénoms classiques sont à la mode ! Par exemple pour les garçons, c'est Gabriel en position 4.
● **Journaliste** : Et pour les filles ?
○ **Thomas** : Pour les filles, c'est Manon en position 6.
● **Journaliste** : Et il y a des prénoms modernes ?
○ **Thomas** : Oui, Timéo pour les garçons en 5 et Jade pour les filles en 7.
● **Journaliste** : Et est-ce qu'il y a une autre tendance cette année ?
○ **Thomas** : Tout à fait Isabelle, c'est le grand retour des prénoms rétro. Chez les garçons Louis, en 7, et chez les filles, en 8, Louise !
● **Journaliste** : Ah, c'est joli Louise !

Piste 2 — 1B

● **Journaliste** : Et alors, le palmarès ? Quels sont les prénoms en tête du classement ?
○ **Thomas** : Pour les garçons, Nathan est le nº1 et Lucas le nº2.
● **Journaliste** : Et pour les filles ?
○ **Thomas** : Pour les filles, Emma est le Nº 1 et Lola est le nº2.
● **Journaliste** : Eh bien merci Thomas pour ces informations.
○ **Thomas** : Merci à vous !

Piste 3 — 2A

1. François	**3.** Karine	**5.** Corentin	**7.** Laurence
2. Philippe	**4.** Quentin	**6.** Lucie	**8.** Sophie

Piste 4 — 3

A. 5-5-15-1	**C.** 9-9-19-2	**E.** 4-4-14-3	**G.** 12-2-2-10
B. 8-6-6-18	**D.** 7-16-16-17	**F.** 20-20-15-1	**H.** 19-17-17-16

Piste 5 — 4A

A. un plus trois	**E.** quatre fois cinq
B. deux plus douze	**F.** six plus sept
C. treize moins trois	**G.** onze plus quatre
D. huit moins six	**H.** douze divisé par deux

Piste 6 — 4B

A. un plus trois égal quatre	**C.** treize moins trois égal dix
B. deux plus douze égal quatorze	**D.** huit moins six égal deux

E. quatre fois cinq égal vingt
F. six plus sept égal treize

G. onze plus quatre égal quinze
H. douze divisé par deux égal six

Piste 7 — 6A

1. Je cherche
2. Nous écoutons
3. Tu regardes
4. Ils aiment
5. Vous pensez
6. Tu visites

Piste 8 — 9

- **Rym** : Bonjour ! Je m'appelle Rym et toi, tu t'appelles comment ?
- **Romain** : Romain. Enchanté.
- **Rym** : Alors je te présente les autres. Lui, il s'appelle Frédéric, il est de Montpellier et elle, elle s'appelle Juliette, elle est de Paris. Eux, ce sont des étudiants de Rome, ils s'appellent Dario et Francesco.
- **Romain** : Et elles ? Elles s'appellent comment ?
- **Rym** : Elles s'appellent Mariam et Bridget. Ce sont des étudiantes de Los Angeles.
- **Romain** : Enchanté.

Piste 9 — 10

À l'université

- Salut, ça va ?
- Super, et toi ?
- Ça va bien.

En cours de français

- Salut, moi c'est Stephan, et toi ?
- Moi c'est Iván.
- Enchanté Iván. Tu vas bien ?
- Très bien, et toi ?

Dans un salon professionnel

- Bonjour, Manuel Lenoir, directeur commercial de Vinlan, et vous ?
- Bonjour, je m'appelle Bertrand Steiner, je suis commercial chez Chusard.
- Vous allez bien ?
- Très bien et vous ?
- Très bien, merci.

À la boulangerie

- Voilà monsieur, 3 baguettes. 3 euros s'il vous plaît.
- 1, 2 et voilà 3 euros !
- Merci monsieur. Au revoir et à bientôt !
- À bientôt !

Piste 10 — 14

1. les cours
2. la classe
3. les langues
4. les taxis
5. le métro
6. l'université

Piste 11 — 17

En classe

- **Éléa** : Salut, je m'appelle Éléa, et toi ?
- **Malo** : Salut, moi, c'est Malo.
- **Éléa** : Et eux ? Comment ils s'appellent ?
- **Malo** : Lui, c'est Farid et elle, c'est Camille.

À la boulangerie

- **La boulangère** : Messieurs ?
- **Philippe** : Alors, pour moi un croissant et pour toi Gabriel ?
- **Gabriel** : Deux pains au chocolat, s'il vous plaît ! J'adore les pains au chocolat !

Piste 12 — COMPRÉHENSION DE L'ORAL

- Cette année, le concours « Dis-moi dix mots » est consacré aux mots d'origine étrangère en français. Mais les mots voyagent dans les deux sens. On retrouve beaucoup de mots d'origine française dans les langues étrangères, n'est-ce pas Alain Drey ?
- Absolument Patrick. Il y a beaucoup de mots français en anglais, et aussi en espagnol, en allemand et en italien !
- Par exemple ?
- Par exemple, en anglais, on retrouve le mot *unique* qui se prononce *unique* mais le mot s'écrit de la même façon en anglais : U-N-I-Q-U-E. D'autres mots comme *Restaurant* existent aussi en anglais.
- Et en allemand, il y a des mots français ?
- Oui, en allemand, on retrouve « die Dame », la dame, qui s'écrit aussi D-A-M-E et « der aperitif » qui s'écrit A-P-E-R-I-T-I-F, comme en français, mais en français, le E est avec un accent aigu.
- Danke Schön Alain, thank you very much !
- You're welcome, merci à vous Patrick.

UNITÉ 2

Piste 13 — 1B

- **Journaliste** : Bonjour Tao, merci d'être avec nous.
- **Tao** : Bonjour, et merci pour votre invitation.
- **Journaliste** : Alors Tao, tu es étudiant à Paris. Tu étudies dans quelle université ?
- **Tao** : J'étudie à Paris 3, à la Sorbonne.
- **Journaliste** : Tu fais des études d'ingénieur mais tu prends des cours de langues aussi. Tu étudies quelles langues ?
- **Tao** : Je prends des cours de français et d'espagnol aussi.
- **Journaliste** : Quel est ton mot préféré en français ?
- **Tao** : Amour.
- **Journaliste** : (rires) D'accord, et justement quelles sont tes passions ?
- **Tao** : J'ai deux passions. La chanson française et la littérature.
- **Journaliste** : Ah oui ? Et quels sont tes auteurs français préférés ?
- **Tao** : Victor Hugo et Voltaire.
- **Journaliste** : Merci beaucoup Tao pour tes réponses.
- **Tao** : Merci à vous !

Piste 14 — 1B

1
- Tonino, tu es étudiant en informatique, mais ta passion c'est la photo.
- Oui.
- Et quel est ton photographe préféré ?
- Henri Cartier-Bresson. Ses photos sont magnifiques.

2
- Sacha, vous êtes reporter photographe. Vous aimez votre métier ?
- J'adore mon métier. Les voyages, c'est ma passion !
- Quels sont vos pays préférés ?
- Mes pays préférés ? Je ne sais pas, mais mon continent préféré, c'est l'Amérique du Sud.

Piste 15 — 3

1. Mon mari est espagnol.
2. Tes enfants ont quel âge ?
3. Tu as ton téléphone avec toi ?
4. Ma professeur de yoga est très sympa.
5. Son chanteur préféré, c'est Stromae.
6. Ses deux sœurs habitent au Japon.

Piste 16 — 4

1. J'adore la cuisine italienne.
2. Je n'aime pas le sport.
3. Vous n'êtes pas photographe.
4. Il est créatif.
5. Vous êtes architecte.
6. Il ne parle pas français.

Piste 17 — 6

1. • **Secrétaire** : Bonjour madame, je peux vous aider ?
- **Cliente** : Bonjour, c'est pour m'inscrire à l'atelier d'accroyoga.
- **Secrétaire** : Oui, votre nom, s'il vous plaît ?
- **Cliente** : Gadel, G-A-D-E-L.
- **Secrétaire** : Et votre prénom ?

- **Cliente** : Chloé.
- **Secrétaire** : Est-ce que je peux vous demander votre âge ?
- **Cliente** : Bien sûr, j'ai 36 ans.
- **Secrétaire** : Et votre numéro de téléphone, s'il vous plaît ?
- **Cliente** : C'est le 06 85 91 95 51.
- **Secrétaire** : Le 06 85 91 95 51, c'est bien ça ?
- **Cliente** : Oui tout à fait.
- **Secrétaire** : Parfait. C'est bon, vous êtes inscrite.

2. • **Agent** : Bonjour monsieur.
- **Client** : Bonjour, je cherche des renseignements sur votre safari au Kenya.
- **Agent** : Bien sûr. Vous êtes inscrit dans notre agence ?
- **Client** : Non.
- **Agent** : Je vous enregistre et comme ça vous pouvez recevoir toute la documentation nécessaire.
- **Client** : Ah, très bien.
- **Agent** : Alors votre nom et votre prénom, s'il vous plaît ?
- **Client** : Sentier, Étienne.
- **Agent** : Sentier Étienne, d'accord et quelle est votre date de naissance ?
- **Client** : Le 24/06/78.
- **Agent** : Et votre numéro de téléphone, s'il vous plaît ?
- **Client** : Alors, c'est le 06 99 43 89 61.
- **Agent** : Merci monsieur. Alors nous proposons plusieurs formules…

Piste 18 — 7B

- **Journaliste** : Bonjour les Sattellix et bienvenue dans notre émission !
- **Sattelix** : Merci beaucoup. Bonjour à tous !
- **Journaliste** : Quel succès ! Vous êtes en concert dans le monde entier !
- **Sattelix** : Oui, nous voyageons beaucoup.
- **Journaliste** : Vous commencez votre tournée d'été par l'Europe, n'est-ce pas ?
- **Sattelix** : Oui, nous sommes en concert en Belgique, au Danemark et en Suède.
- **Journaliste** : Et vous visitez aussi le sud de l'Europe ?
- **Sattelix** : Oui, nous chantons en Espagne et au Portugal.
- **Journaliste** : Et ensuite, vous traversez l'Atlantique vers l'Amérique !
- **Sattelix** : Tout à fait. Nous allons aux États-Unis, au Mexique et nous terminons par Rio, au Brésil !
- **Journaliste** : Whaou ! Quelle tournée !

Piste 19 — 11

1. Une langue
2. Un voyage
3. Une passion
4. Une profession
5. Un pays
6. Un continent
7. Une ville
8. Un métier

Piste 20 — 12

1. Les Pyrénées sont des montagnes situées en France et en Espagne.
2. La pizza est une spécialité italienne.
3. Le métier d'architecte est un métier créatif. C'est le métier de Jean Nouvel.
4. À Paris, il y a des monuments très célèbres, comme la tour Eiffel, le Louvre et les Invalides.
5. Londres est une ville célèbre. C'est la capitale du Royaume-Uni.
6. La salsa est une danse cubaine et le tango est une danse argentine.
7. Jean Dujardin est un acteur très célèbre. C'est l'acteur principal de *The Artist*.

Piste 21 — 12A

1. • Bonjour monsieur, votre nom de famille, s'il vous plaît ?
  ○ Degen.
  • Et votre prénom ?
  ○ Thomas.
  • Quelle est votre nationalité ?
  ○ Je suis allemand.
  • Vous avez quel âge ?
  ○ 34 ans.

• Vous êtes marié ? Célibataire ?
○ Je suis marié et j'ai deux enfants.
• D'accord, merci.

2. • Bonjour mademoiselle ! Quel est votre nom de famille, s'il vous plaît ?
  ○ Ribeiro.
  • Et votre prénom ?
  ○ Tania.
  • Vous êtes de quelle nationalité ?
  ○ Je suis brésilienne.
  • Et est-ce que je peux vous demander votre âge ?
  ○ Bien sûr. J'ai 29 ans.
  • Vous êtes mariée ou célibataire ?
  ○ Je suis mariée.
  • Vous avez des enfants ?
  ○ Non, je n'ai pas d'enfants.
  • Très bien, merci.

3. • Bonjour monsieur, votre nom, s'il vous plaît ?
  ○ Smith, Daniel.
  • Vous êtes de quelle nationalité ?
  ○ Je suis anglais.
  • Vous avez quel âge ?
  ○ J'ai 63 ans.
  • Vous êtes marié ?
  ○ Non, je suis veuf.
  • Merci monsieur.

Piste 22 — 14

1. allemand
2. française
3. suédoise
4. français
5. allemande
6. suédois

Piste 23 — COMPRÉHENSION DE L'ORAL

○ **Journaliste** : Patricia, où travaillez-vous ?
● **Patricia** : À Paris.
○ **Journaliste** : Quel âge ont vos élèves en général ?
● **Patricia** : Nous proposons des séjours pour les jeunes et pour les adultes. Les jeunes ont 15, 16 ans et les adultes entre 21 ans et 35 ans.
○ **Journaliste** : Et en général, ils sont de quelle nationalité ?
● **Patricia** : Nous avons des élèves anglais, allemands, espagnols et aussi des Chinois et des Japonais.
○ **Journaliste** : Comment peut-on s'inscrire ?
● **Patricia** : Par mail ou par téléphone. Notre adresse mail est destination. babel@entrenous.en et notre numéro de téléphone est le 08 45 75 78 91.

UNITÉ 3

Piste 24 — 3

J'habite un quartier très bruyant. Dans ma rue, il y a des bars et des restaurants. Juste à côté de chez moi, il y a une station de métro et un arrêt de bus. C'est un quartier très animé mais il n'y a pas de cinéma, et il n'y a pas de théâtre. Il y a des petits commerces partout : une boulangerie, une boucherie, une épicerie. Il y a aussi un marché. Mais il n'y a pas de supermarché.

Piste 25 — 7

1. Oui, il y a une librairie à côté de la station de métro.
2. Dans ma rue, il y a une boulangerie, une librairie et un petit supermarché.
3. Non, il n'y a pas de cinéma mais il y a un théâtre.
4. Oui, il y a un métro. C'est pratique.
5. Sur la place, il y a un fleuriste, une pharmacie et une librairie.

Piste 26 — 20

1. Ancienne
2. Petite
3. Grand
4. Vivant
5. Silencieuse
6. Grande
7. Vieux
8. Bruyante
9. Important

Piste 27 — 22

1. Aéroport   2. Marché   3. Jardin public   4. Café

Piste 28 — COMPRÉHENSION DE L'ORAL

1. **Charline** : J'aime beaucoup mon quartier car il est très agréable et très tranquille. Il y a beaucoup de jardins. J'habite tout près du jardin botanique.
2. **Alexandre** : J'aime vivre ici car c'est un quartier international et animé. Il y a beaucoup de bars, de restaurants et de clubs. C'est pratique pour sortir.
3. **Olivier** : J'habite à côté de la gare. Mon quartier est bien desservi mais il est bruyant.
4. **Monique** : J'habite dans un quartier très calme. Il y a des maisons très belles. C'est loin du centre-ville mais c'est un quartier chic.

UNITÉ 4

Piste 29 — 8A

Journaliste : Mesdemoiselles, bonjour, on fait un petit reportage sur les goûts musicaux des Français. Vous aimez la musique ?
Personne 1 : Moi, j'adore la musique classique, surtout Mozart !
Personne 2 : J'aime toutes les musiques mais pas le jazz, je déteste ça !
Personne 3 : Moi, j'aime la chanson française, Barbara, Brassens mais aussi Souchon.
Journaliste : Messieurs bonjour, juste une question : vous écoutez quel type de musique ?
Personne 4 : Quelle musique j'écoute ? Le RN'B surtout, j'aime bien, ouais.
Personne 5 : Alors moi je suis très rock, j'adore ça !
Personne 6 : Moi, j'écoute toutes les musiques, mais je préfère la musique électronique.

Piste 30 — 11B

- **Animateur** : Chers amis, bonjour ! Aujourd'hui nous accueillons deux nouveaux candidats. Des applaudissements pour Melissa et Fernando. Melissa et Fernando, vous êtes prêts ?
- **Melissa** : Oui !
- **Fernando** : Oui !
- **Animateur** : C'est parti pour la première manche ! Aujourd'hui, le thème est « Loisirs et géographie ». Top Chrono ! De quel massif montagneux vient le ski ? Fernando ?
- **Fernando** : Des Alpes !
- **Animateur** : Bravo... TOP ! De quel pays est originaire le Scrabble ? Melissa ?
- **Melissa** : D'Angleterre !
- **animateur** : Non, Fernando ?
- **Fernando** : Des États-Unis ?
- **animateur** : Oui ! TOP ! Quel est le pays d'origine du vélo ? Melissa ?
- **Melissa** : L'Allemagne ?
- **Animateur** : Oui, bravo, le vélo vient d'Allemagne ! On continue... TOP ! De quel pays vient la photographie ? Melissa ?
- **Melissa** : D'Espagne ?
- **Animateur** : Non, Fernando ?
- **Fernando** : De France !
- **Animateur** : Oui ! Attention... TOP ! De quel pays vient le violon ? Melissa ?
- **Melissa** : D'Italie !
- **Animateur** : Oui, bravo ! Attention à la dernière question, TOP ! Quel est le pays d'origine du théâtre ? Fernando ?
- **Fernando** : La Grèce ?
- **Animateur** : Oui ! Bravo Fernando ! Vous avez gagné !

Piste 31 — COMPRÉHENSION DE L'ORAL

- **Journaliste** : Tous les ans, en novembre, le Salon Créations et Savoir-faire ouvre ses portes à des milliers de personnes qui pratiquent le DIY. Des milliers d'apprentis créateurs visitent le salon. Nous retrouvons Rebecca, une fan du DIY qui vient exprès de Strasbourg. Bonjour Rebecca. Quelles sont vos impressions ?
- **Rebecca** : C'est super ! Je suis vraiment contente.
- **Journaliste** : Qu'est-ce que vous avez fait ?
- **Rebecca** : J'ai participé à un atelier de restauration de meubles et un autre d'origami.
- **Journaliste** : Et vous avez appris beaucoup ?
- **Rebecca** : Oui, et je me suis bien amusée.
- **Journaliste** : Vous faites vous-même un loisir créatif ?
- **Rebecca** : Oui, je fais du bricolage et de la décoration aussi. C'est un excellent anti-stress !
- **Journaliste** : Et chez vous ? Il y a d'autres créateurs ?
- **Rebecca** : Oui, mon mari : il fait de la cuisine créative.
- **Journaliste** : Quelle chance ! Merci Rebecca.

UNITÉ 5

Piste 32 — 1

1. Bonjour, et bienvenue chez Bleu Télécom. Nos conseillers sont à votre disposition de 7 h 30 à 21 h en semaine et de 9 h 30 à 18 h 30 le week-end. Pour plus d'informations, connectez-vous sur notre site Internet bleutelecom@emdl.en.
2. Bonjour et bienvenue au service clients de Voyage Express. Nous sommes ouverts du lundi au jeudi de 8 h 45 à 13 h et de 14 h 15 à 18 h. Le vendredi, nous sommes ouverts le matin, de 9 h à 11 heures et demie. Merci de votre appel.

Piste 33 — 4

- **Journaliste** : Bonsoir Sami.
- **Sami** : Bonsoir Laurent.
- **Journaliste** : Vous commencez le travail à 16 h et vous terminez à minuit. Et à quelle heure vous vous couchez ?
- **Sami** : Entre deux heures et trois heures du matin.
- **Journaliste** : Et vous vous réveillez à quelle heure ?
- **Sami** : Vers midi en général.
- **Journaliste** : Vous travaillez beaucoup. Vous vous reposez quand ?
- **Sami** : Je me repose un week-end sur deux et j'ai des vacances en été.
- **Journaliste** : Vous aimez ce rythme ?
- **Sami** : Oui mais c'est un peu compliqué avec ma copine. On n'a pas le même rythme : elle, elle se lève à 7 h et elle se couche à 23 h alors...
- **Journaliste** : C'est difficile, non ?
- **Sami** : Oui, mais c'est une question d'habitude !

Piste 34 — 7A

- **Manuel** : Bonjour monsieur, je réalise une enquête sur les loisirs des Français.
- **Le passant** : C'est rapide ?
- **Manuel** : 5 minutes.
- **Le passant** : Bon d'accord.
- **Manuel** : À quelle fréquence allez-vous au cinéma ?
- **Le passant** : Au cinéma ? Euh... peut-être deux ou trois fois par an.
- **Manuel** : Et au musée ?
- **Le passant** : J'ai un abonnement pour les musées de la ville alors je vois souvent des expositions.
- **Manuel** : Vous faites du sport ?
- **Le passant** : Non, je ne fais pas de sport, je n'aime pas trop ça.
- **Manuel** : Est-ce que vous voyagez à l'étranger de temps en temps ?
- **Le passant** : Mmmm oui, mais c'est rare.
- **Manuel** : Merci monsieur pour vos réponses.
- **Le passant** : Mais de rien. Bonne journée.

Piste 35 — 9

1. Ils sortent rarement.
2. Il dort six heures par nuit.
3. Il part à 16 h.
4. Ils vivent bien.
5. Il suit des cours d'informatique.

Piste 36 — 13

1. J'ai regardé le match. Je regarde la télé.
2. Je travaille ce matin. J'ai travaillé tard.
3. J'ai adoré ce film. J'adore cette fille.

4. J'ai participé au sondage. Je participe à la réunion.
5. Je voyage souvent. J'ai voyagé au Liban.

Piste 37 — COMPRÉHENSION DE L'ORAL

● **Journaliste :** Musique, chorale, judo, cuisine, ou encore informatique et volley-ball, toutes ces activités sont proposées par cette école primaire à Angers. Fabien, vous êtes en direct de l'école de la Martinière d'Angers avec Elisa et Tom.
○ **Fabien :** Bonjour Patrick. En effet, je suis avec Elisa, 9 ans et Tom, 8 ans, ils sortent tous les deux de leur cours de chorale. Bonjour les enfants !
■ **Elisa :** Bonjour.
- **Tom :** Bonjour.
○ **Fabien :** Vous sortez de la chorale, tu as aimé Elisa ?
■ **Elisa :** Beaucoup !
○ **Fabien :** Et toi Tom ?
- **Tom :** Ça va. Mais je préfère le sport.
○ **Fabien :** Mais tu fais aussi du sport à l'école, non ?
- **Tom :** Oui, j'ai fait du volley-ball mais maintenant je fais du judo.
■ **Elisa :** Il fait tout le temps du sport !
○ **Fabien :** Et toi Elisa ? Tu fais quoi ?
■ **Elisa :** Moi, j'ai fait du foot et maintenant je fais de l'informatique.
○ **Fabien :** Et vous suivez ces activités tous les jours ?
■ **Elisa :** Non, c'est une fois par semaine.
○ **Fabien :** Donc, la chorale, c'est le vendredi, et l'informatique ?
- **Tom :** Le mardi.
○ **Fabien :** Et de quelle heure à quelle heure ?
■ **Elisa :** De 15h à 16h30.
○ **Fabien :** Et les cours sont animés par vos professeurs ?
- **Tom :** Non, les cours, c'est avec des animateurs.
○ **Fabien :** Merci les enfants.

UNITÉ 6

Piste 38 — 7A

● **Nicolas :** L'association Les *Restos du cœur* commence sa campagne d'hiver. Déborah, vous nous résumez l'histoire de cette association qui a été créée par Coluche en septembre 1985.
○ **Déborah :** Oui, alors Les *Restos du cœur* ont distribué plus de 130 millions de repas ces trente dernières années et depuis la mort de Coluche en juin 1986, l'association a continué à grandir. Depuis la première campagne d'hiver en 85-86 l'association a évolué. En effet, dans les années 90, l'association a ouvert les premiers *Restos bébés du cœur*.
● **Nicolas :** Elle connaît aussi un véritable succès avec les tournées musicales des Enfoirés.
○ **Déborah :** Tout à fait. Depuis 1989, les Enfoirés, une équipe de chanteurs francophones célèbres, font des concerts tous les ans.
● **Nicolas :** Merci Déborah.

Piste 39 — 7B

En septembre 1985, Coluche annonce à la radio la création de son association Les *Restos du cœur*. En novembre 85, plus de 5 000 bénévoles distribuent 8,5 millions de repas.
Après l'accident mortel de Coluche, en juin 1986, l'association évolue. Tous les ans, depuis 1989, des chanteurs célèbres francophones solidaires se réunissent pour faire des concerts : c'est « La tournée des Enfoirés ». De 1985 à 2013, l'association a permis de distribuer 130 millions de repas. Et ce n'est pas fini !

Piste 40 — 13

● **Conseiller :** Bonjour monsieur. Alors, je vois que vous avez une expérience intéressante. Est-ce que vous pouvez me raconter votre parcours ?
○ **Étienne :** Bien sûr. Alors, à 16 ans, j'ai travaillé comme aide cuisinier dans le restaurant de mon père. Et puis, à 18 ans, je suis parti vivre en Espagne. Là-bas, j'ai travaillé dans un bar.
● **Conseiller :** Vous êtes resté combien de temps en Espagne ?
○ **Étienne :** Un an. Puis je suis revenu en France, je me suis inscrit à un cours de maçonnerie. Et je suis devenu maçon.
○ **Conseiller :** Pendant combien de temps ?
● **Étienne :** Pendant dix ans. Ensuite, j'ai créé mon entreprise de maçonnerie. Et puis il y a eu la crise économique, je me suis retrouvé sans travail pendant deux ans. Alors je suis parti au Canada. Là-bas, j'ai suivi une formation de gestion hôtelière. Maintenant, je cherche à ouvrir un restaurant.
○ **Conseiller :** Très bien. Et...

Piste 41 — COMPRÉHENSION DE L'ORAL

● **Journaliste :** Le mot diversité n'est pas un mot nouveau. Mais le métier de responsable diversité existe seulement depuis dix ans. Nous recevons aujourd'hui Nathalie Sianko. Bonjour Nathalie.
○ **Nathalie :** Bonjour Mathieu.
● **Journaliste :** Alors, responsable diversité, qu'est-ce que c'est exactement ?
○ **Nathalie :** Être esponsable diversité, c'est encourager la diversité dans les entreprises et lutter contre les discriminations.
● **Journaliste :** Alors une entreprise qui respecte la diversité encourage l'égalité homme-femme, c'est bien ça ?
○ **Nathalie :** Oui, et elle emploie aussi des personnes de plus de 50 ans et des personnes d'origine étrangère.
● **Journaliste :** Et concrètement, comment est-ce que vous intervenez en entreprise ?
○ **Nathalie :** J'anime des formations et des conférences.
● **Journaliste :** Et quelles sont les compétences d'un responsable diversité ?
○ **Nathalie :** Il faut être très créatif et bien connaître le droit du travail, les techniques de communication.
● **Journaliste :** Merci Nathalie pour ce témoignage. Vous faites un beau métier.
○ **Nathalie :** Un métier important pour la société surtout. Merci à vous de m'avoir reçue.

UNITÉ 7

Piste 42 — 6

1. ● Désirez-vous voir autre chose ?
○ Non merci, ce sera tout.
2. ● Bonjour, je peux vous aider ?
○ Oui, je cherche une chemise blanche.
3. ● Est-ce que vous avez ce pull en rouge ?
○ En rouge ? Non, je l'ai seulement en vert et en noir.
4. ● Excusez-moi, il coûte combien ce pantalon ?
○ Il coûte 79 euros. Vous voulez l'essayer ?
5. ● Vous acceptez les chèques ?
○ Non, désolé monsieur, mais nous acceptons les cartes bleues.

Piste 43 — COMPRÉHENSION DE L'ORAL

● **Marina :** Bonjour Vincent.
○ **Vincent :** Bonjour Marina.
● **Marina :** Aujourd'hui, vous nous donnez des conseils pour s'habiller éthique.
○ **Vincent :** Absolument. On sait aujourd'hui que 71 % des Français veulent être mieux informés sur les conditions de fabrication de leurs vêtements. J'ai donc préparé pour vous quelques conseils pour s'habiller sans polluer la planète.
● **Marina :** C'est difficile en effet.
○ **Vincent :** Difficile mais possible. Tout d'abord, conseil nº1, informez-vous sur la marque pour savoir si elle est transparente, si elle informe bien le client.
● **Marina :** Est-ce qu'on doit acheter du « Made in France » ?
○ **Vincent :** Le « Made in France » ne garantit pas du tout une fabrication en France. Choisissez les vêtements avec un label comme le label « Origine France Garantie », qui authentifie l'origine du produit.
● **Marina :** Quels textiles choisir ?
○ **Vincent :** Les textiles naturels. Mais faites attention au coton qui pollue énormément. Choisissez le coton bio ou d'autres matières végétales comme le lin.

- **Marina** : Et comment s'habiller éthique pas cher ?
- **Vincent** : Avec des vêtement retouchés.
- **Marina** : Merci Vincent !
- **Vincent** : Merci Marina.

UNITÉ 8

Piste 44 — 2A

- **Animateur** : Nous recevons aujourd'hui Bénédicte Fromentin, diététicienne. Bénédicte, il y a de plus en plus d'adeptes de l'alimentation vegan. Ce sont plutôt des jeunes ?
- **Bénédicte** : Oui, plutôt des jeunes.
- **Animateur** : On connaît le régime végétarien, mais qu'est-ce que le régime vegan ?
- **Bénédicte** : Comme les végétariens, les vegans ne mangent aucun produit d'origine animale. Mais ils ne mangent pas de produits laitiers et pas d'œufs non plus.
- **Animateur** : Ils ne consomment pas de poisson ?
- **Bénédicte** : Non. Ils doivent donc compenser avec des aliments riches en protéines végétales : des céréales complètes, des légumes secs, des fruits et des légumes frais et du lait d'origine végétale, comme le lait de soja ou d'amande.
- **Animateur** : C'est un régime assez strict !
- **Bénédicte** : Oui, et il faut faire très attention...

Piste 45 — 8

- **Journaliste** : Anthony Texier, vous avez reçu le prix de la meilleure baguette de Paris. Quel est le secret d'une bonne baguette ?
- **Anthony** : Pour faire une bonne baguette, il faut beaucoup de temps, pas trop de sel, un peu d'eau seulement.
- **Journaliste** : Et c'est tout ?
- **Anthony** : Oui, c'est simple.

Piste 46 — 11

- **Serveur** : Messieurs-dames, vous avez choisi ?
- **Client** : Oui, nous allons prendre le menu à 15 euros. Quel est le plat du jour ?
- **Serveur** : Du poulet basquaise.
- **Client** : Alors, un plat du jour, s'il vous plaît.
- **Serveur** : Et comme boisson, qu'est-ce que vous allez prendre ?
- **Client** : De l'eau et une bouteille de vin rouge.

Piste 47 — 13

- **Journaliste** : Judith, apparemment nous sommes toujours de bons vivants.
- **Judith** : En effet, nous consommons beaucoup de viande. En France, on mange 50 kg de viande de bœuf par seconde ! Cela représente 55 grammes de viande de bœuf par jour par personne.
- **Journaliste** : Et nous buvons beaucoup de vin.
- **Judith** : La France a une consommation annuelle de 44 litres de vin par habitant, soit 60 bouteilles.
- **Journaliste** : Et le fromage ?
- **Judith** : Pour le fromage, on peut dire qu'en France, on consomme 15 boîtes de camembert par seconde !
- **Journaliste** : On continue à manger du sucre ?
- **Judith** : On consomme beaucoup de chocolat. En France, 4 millions de tablettes de chocolat sont consommées chaque jour, cela représente 7 kg de chocolat par personne et par an.

Piste 48 — 15

Dans une épicerie
- **Ahmed** : Bonjour madame Giroux, comment allez-vous ?
- **Madame Giroux** : Très bien merci.
- **Ahmed** : Alors, qu'est-ce que vous allez prendre aujourd'hui ?
- **Madame Giroux** : De la farine et des œufs. Je vais faire un gâteau pour l'anniversaire de mon petit-fils.
- **Ahmed** : C'est bien ça. Il va avoir quel âge ?
- **Madame Giroux** : 12 ans.

Dans une boucherie
- **Le boucher** : Monsieur, qu'est-ce que je vous sers ?
- **Le client** : Je vais préparer un bœuf bourguignon. Qu'est-ce que vous me conseillez ?
- **Le boucher** : Je vous conseille ce morceau de bœuf. Avec ça, vous allez vous régaler.
- **Le client** : Très bien. Je vais prendre du jambon également.

Piste 49 — COMPRÉHENSION DE L'ORAL

- **Animateur** : Aujourd'hui, 16 octobre, c'est la Journée nationale de la lutte contre le gaspillage alimentaire. C'est une journée très importante pour la planète.
- **Ophélie** : Absolument. Nous sommes tous concernés car le gaspillage alimentaire représente 20 à 30 kg de nourriture jetée par an et par foyer.
- **Animateur** : Que pouvons-nous faire pour éviter de gaspiller ?
- **Ophélie** : Nous devons déjà commencer par faire attention quand on fait les courses. Il faut acheter des quantités adaptées et planifier nos repas.
- **Animateur** : Des petits gestes simples en effet. Et si on cuisine trop ?
- **Ophélie** : Ce n'est pas un problème. Vous pouvez congeler vos plats. De plus, avec les restes de nourriture, on cuisine d'excellents plats : des crêpes, des sauces pour les pâtes ou pour le riz, ou encore des soupes. À la fin du repas, vous devez jeter seulement les restes qui ne peuvent pas être conservés.
- **Animateur** : Merci Ophélie pour ces conseils.

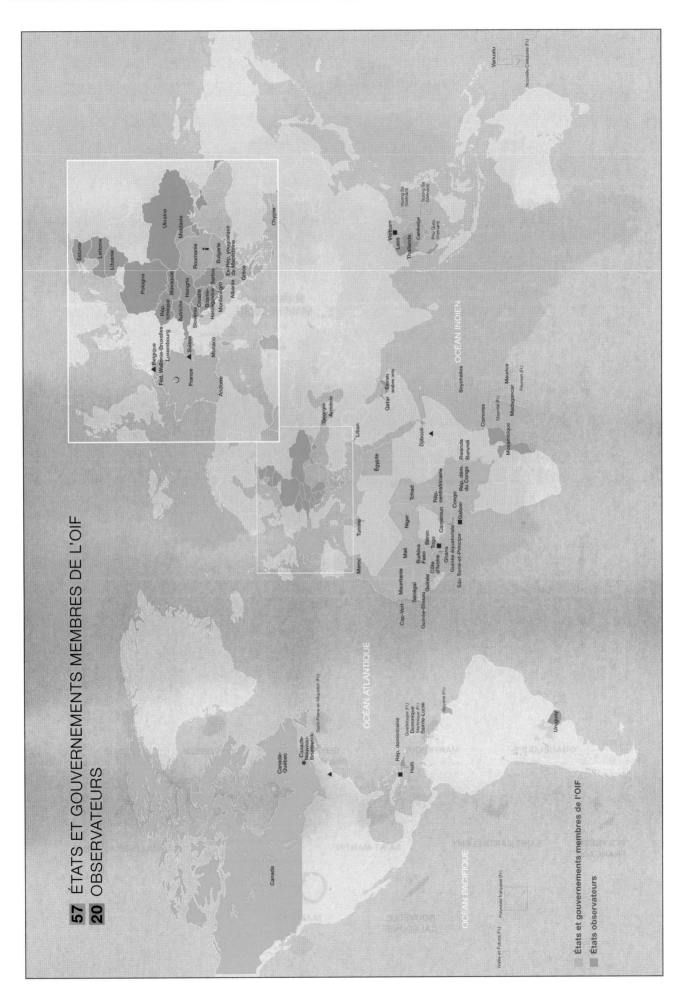

57 ÉTATS ET GOUVERNEMENTS MEMBRES DE L'OIF
20 OBSERVATEURS

Ukraine
Moldavie
Estonie
Lettonie
Lituanie
Pologne
Roumanie
Bulgarie
Slovaquie
Hongrie
Autriche
Serbie
Ex-Rép. yougoslave de Macédoine
Rép. tchèque
Bosnie-Herzégovine
Croatie
Slovénie
Monténégro
Albanie
Grèce
Chypre
Belgique
Féd. Wallonie-Bruxelles
Luxembourg
Suisse
Monaco
France
Andorre

Vietnam
Laos
Thaïlande
Cambodge
Hoàng Sa (Vietnam)
Truong Sa (Vietnam)
Phu Quoc (Vietnam)

Vanuatu
Nouvelle-Calédonie (Fr)

OCÉAN INDIEN
Seychelles
Maurice
Mayotte (Fr)
Madagascar
Réunion (Fr)
Comores
Mozambique

Géorgie
Arménie
Liban
Égypte
Qatar
Émirats arabes unis
Djibouti

Rwanda
Burundi
Rép. dém. du Congo
Congo
Gabon
Rép. centrafricaine
Cameroun
Tchad
Niger
Guinée équatoriale
São Tomé-et-Príncipe
Bénin
Togo
Ghana
Côte d'Ivoire
Burkina Faso
Guinée
Guinée-Bissau
Mali
Sénégal
Mauritanie
Cap-Vert
Tunisie
Maroc

OCÉAN ATLANTIQUE
Saint-Pierre-et-Miquelon (Fr)
Guadeloupe (Fr)
Dominique
Martinique (Fr)
Sainte-Lucie
Guyane (Fr)
Rép. dominicaine
Haïti
Uruguay
Canada-Québec
Canada-Nouveau-Brunswick
Canada

OCÉAN PACIFIQUE
Polynésie française (Fr)
Wallis-et-Futuna (Fr)

■ États et gouvernements membres de l'OIF
■ États observateurs

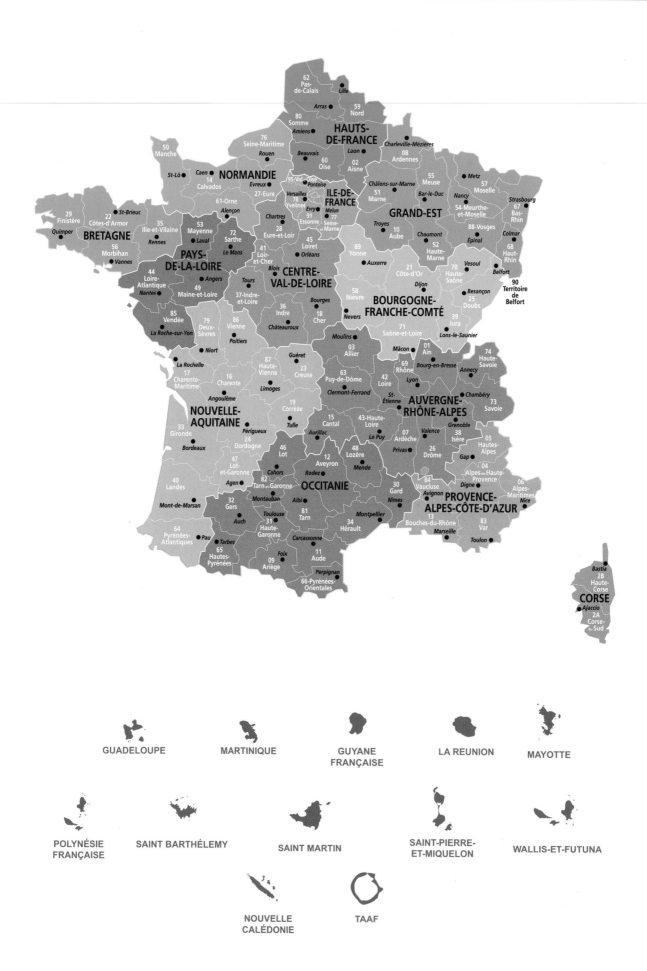

GUADELOUPE   MARTINIQUE   GUYANE FRANÇAISE   LA REUNION   MAYOTTE

POLYNÉSIE FRANÇAISE   SAINT BARTHÉLEMY   SAINT MARTIN   SAINT-PIERRE-ET-MIQUELON   WALLIS-ET-FUTUNA

NOUVELLE CALÉDONIE   TAAF

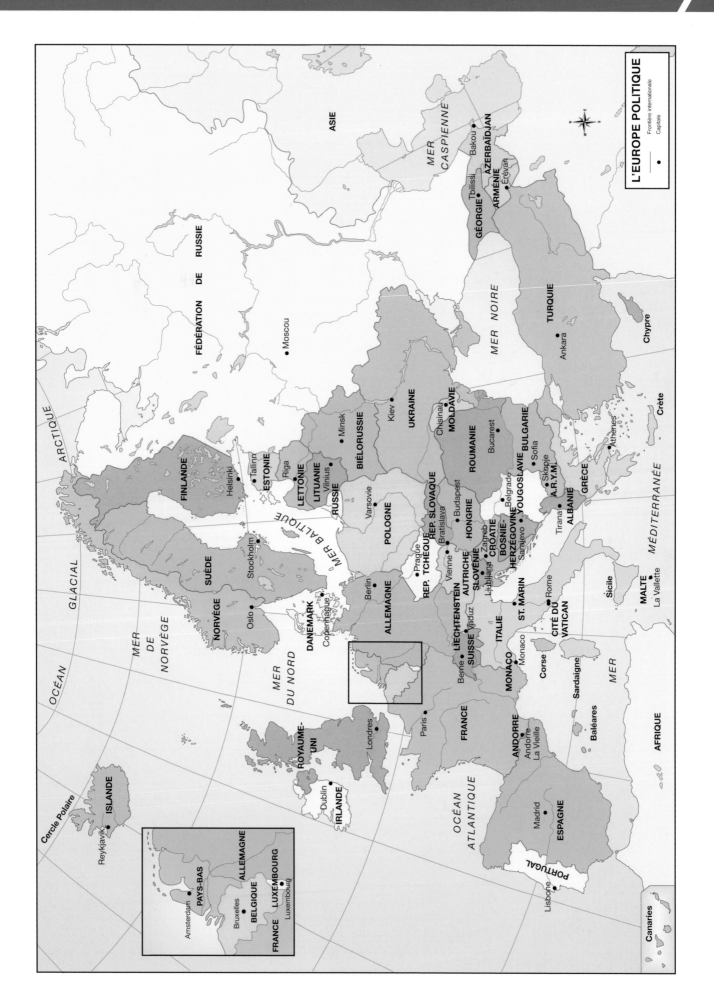

L'EUROPE POLITIQUE

Frontière internationale
● Capitale

OCÉAN GLACIAL ARCTIQUE

FÉDÉRATION DE RUSSIE

● Moscou

ASIE

MER CASPIENNE

● Bakou
AZERBAÏDJAN
GÉORGIE ● Tbilissi
ARMÉNIE ● Érévan

MER NOIRE

TURQUIE
● Ankara

Chypre

Crète

Cercle Polaire

ISLANDE
Reykjavik ●

MER DE NORVÈGE

FINLANDE
Helsinki ●
ESTONIE
Tallinn ●
Riga ●
LETTONIE
LITUANIE
Vilnius ●
RUSSIE

BIÉLORUSSIE
Minsk ●

Kiev ●
UKRAINE

Chisinau ●
MOLDAVIE

ROUMANIE
Bucarest ●

BULGARIE
Sofia ●
Skopje ●
A.R.Y.M.
Belgrade ● Tirana ●
YOUGOSLAVIE
ALBANIE

GRÈCE
Athènes ●

MÉDITERRANÉE

MER DU NORD

NORVÈGE
Oslo ●
Stockholm ●
SUÈDE

MER BALTIQUE

Varsovie ●
POLOGNE

Prague ●
REP. TCHÈQUE
REP. SLOVAQUE
Bratislava ●
Budapest ●
HONGRIE
Vienne ●
AUTRICHE
SLOVÉNIE
Ljubljana ●
Zagreb ●
CROATIE
BOSNIE-
HERZÉGOVINE
Sarajevo ●

DANEMARK
Copenhague ●

Berlin ●
ALLEMAGNE

LIECHTENSTEIN
Berne ● Vaduz ●
SUISSE

ITALIE

MONACO
Monaco ●

ST. MARIN
Rome ●
CITÉ DU VATICAN

Corse

MALTE
La Vallette ●

Sicile

MER

Sardaigne

ROYAUME-UNI
Londres ●

Paris ●
FRANCE

ANDORRE
Andorre-
La Vieille ●

Baléares

AFRIQUE

Dublin ●
IRLANDE

OCÉAN ATLANTIQUE

Madrid ●
ESPAGNE

PORTUGAL
Lisbonne ●

Canaries

PAYS-BAS
Amsterdam ●
ALLEMAGNE
Bruxelles ●
BELGIQUE
LUXEMBOURG
Luxembourg ●
FRANCE

ENTRE NOUS TOUT EN UN - MÉTHODE DE FRANÇAIS
LIVRE DE L'ÉLÈVE + CAHIER D'ACTIVITÉS - NIVEAU A1

AUTEURS

Neige Pruvost (unités 1, 4, 6 et 8)
Frédérique Courteaud (unités 1 et 5)
Sonia Gómez-Jordana (unités 1, 2 et 7)
Fatiha Chahi
François Blondel (rubrique *phonétique* et *Cahier d'activités*)
Cindy Daupras (parties *Regards Culturels* et *Dossier Culturel*)
Gaëlle Delannoy (parties *Regards Culturels* et *DELF*)

Katia Brandel (partie *Dossier apprenants*)
Sylvie Poisson-Quinton (partie *Précis de grammaire*)
Ginebra Caballero
Aurore Lebel (activités autocorrectives)
Auteurs *Version Originale 1* - Livre de l'élève
Agustin Garmendia
Monique Denyer

COMITÉ DE LECTURE ET RÉVISION PÉDAGOGIQUE

Christian Puren
Agustin Garmendia
Fatiha Chahi
Ginebra Caballero
Katia Coppola

ÉDITION

Lourdes Muñiz

CORRECTION

Sarah Billecocq

DOCUMENTATION

Mateo Caballero, Alicia Carreras, Gaëlle Suñer

CONCEPTION GRAPHIQUE ET COUVERTURE

Guillermo Bejarano

MISE EN PAGE

Guillermo Bejarano, Laurianne López

ILLUSTRATIONS

Laurianne López

REPORTAGES PHOTOGRAPHIQUES

García-Ortega, June Curiel, Camille Ducellier

ENREGISTREMENTS

Studio d'enregistrement : Blind Records

VIDÉOS

Unité 1 : Victor Manselon / http://www.pimentsrouges.com/
Unité 2 : BEST OF : 9 mois à la rencontre de ces Français du bout du monde / Anne Sellès / http://allervoirailleurssijysuis.fr/
Unité 3 : La Fête des Lumières à Lyon / Ville de Lyon – Direction des Evènements – Fête des Lumières.
Unité 4 : Le festival des Vieilles Charrues, I Live U / France 3 Paris Île-de-France
Unité 5 : Les habitudes des Parisiens le matin / 19-20. Édition Bretagne, Jou : Tangi Kermarrec, 18/07/2013 ©INA
Unité 6 : Café Cœur d'ARTichaut / Virginie Penalba / Tous droits reservés
Unité 7 : Les clichés des Français / Cédric Villain / http://www.cedric-villain.info
Unité 8 : Disco Soupe Nantes

REMERCIEMENTS

Nous tenons à remercier d'une part, toutes les personnes qui ont contribué par leurs conseils et leurs révisions à la réalisation de ce manuel, notamment, Katia Coppola, Vinciane Devaux, Agustin Garmendia, Pablo Garrido, Emilio Marill, Antonio Melero, Aurélie Muns, Christian Puren et Detlev Wagner, mais également les personnes qui ont participé de près ou de loin à la concrétisation de ce projet, notamment Syndie Barroyer, Ludovic Gaucher, Lauréda Kharbache, Charline Menu, Caroline Natali, Marjory Nguyen, Tabita Peralta et Antoine Trottin.

© PHOTOGRAPHIES ET IMAGES

Couverture : webphotographeer ; Eugenio Marongiu ; pawel.gaul ; Alija ; Tony Tremblay ; Jonathan Stutz ; Alija ; topdeq ; MichaelUtech ; Eugenio Marongiu ; Ekaterina Pokrovsky ; Garcia Ortega

Dossier apprenant : raoulgalop ; images.fix ; LiliGraphie ; kate_smirnova ; NRoytman Photography ; goleador ; Lsantilli ; mick20 ; bbourdages ; Symposiarch ; TTstudio ; cook_inspire ; fabiomax ; zea_lenanet ; underdogstudios ; blantiag ; maxximmm ; derkien ; Dani Vincek ; alain wacquier ; gkrphoto ; EyeEm ; orpheus26 ; jpldesigns; peterphoto_92 ; alain wacquier ; luca472 ; avirid ; olezzo ; Big Face ; Jérôme Rommé ; Jacques PALUT ; PhotoKD ; Christian Jung ; S.Bachstroem ; Africa Studio ; alain wacquier ; M.studio ; Laurent Hamels ; Brent Hofacker ; volff ; Christian Jung ; nata_vkusidey ; Leonid Andronov ; Rafael Laguillo ; PackShot ; Pixel & Création ; Dan Breckwoldt ; scaliger   **Unité 1 :** nito ; aperturesound ; illustrez-vous ; Pictures news ; Michiel ; Alexi TAUZIN ; manipulateur ; Steve Debenport ; Jean-Pierre Dalbéra ; ChantalS ; fotofrank ; dlewis33 ; bbsferrari ; Rhombur ; koti ; sborisov ; javiindy ; andròmina ; Anna-Mari West ; M.studio ; Pixavril ; Photographee.eu ; Arochau   **Unité 2 :** CharlesKnox ; lightgirl ; Georges Biard ; aurélien bertrand ; grafikplusfoto ; georgejmclittle ; Elenathewise ; kake ; Les Cunliffe ; Lavanda Green ; Nikolai Sorokin ; highviews ; dzimin ; rhoon ; Halfpoint ; Eduardo Rivero ; Igor Mojzes ; Jörg Hackemann ; jorisvo ; f11photo ; tobago77 ; trofotodesign ; Taras Vyshnya ; silvanoreflex ; davidf ; FilippoBacci ; goodluz ; Alexandra Karamyshev ; Vladimir Melnik ; kostrez ; dmitrygorelov ; leowolfert ; andriigorulko ; redkoala ; hurricane   **Unité 3 :** June Curiel ; Blackslide ; photlook ; JJMaree ; Thomas Pajot ; Richard ; Eugenio Marongiu ; Wanja Jacob ; pkchai ; Eugenio Marongiu ; seb hovaguimian ; Graphictools ; Nikada ; Tannjuska ; laszlolorik ; arenysam ; Philippehalle ; auremar ; jedphoto ; jawcey ; bobistraveling ; Johanna Billingskog ; katie_martynova ; Cartographer ; hassan bensliman ; Guillaume Jacoberger ; dell ; Luis Estallo ; jejcic ; Pixel & Création ; Nikitin Mikhail ; Beboy ; eyetronic ; Eric Gaba ; AnVer ; Ian Judd ; Manu Chartier   **Unité 4 :** JazzIRT ; Denis Makarenko ; GlobalStock ; Maxal Tamor ; JackF ; GlobalStock ; Nikada ; rendermax ; PeopleImages ; andròmina ; Rawpixel ; PeopleImages ; mma23 ; Joachim Martin ; Eugenio Marongiu ; Alaidden El Ouahabi   **Dossier culturel :** beyhan yazar ; nito100 ; Julian Flong ; Jean-Pierre Dalbera ; Medelie Vendetta ; Frederic Prochasson ; alain wacquier ; Pixel & Création ; Zouzou ; Schorle ; Dany Tolenga ; Holger Karius ; Sergii Figurnyi ; Ssolbergj ; Veronika Druk ; reddiplomat ; elPadawan ; Rob Mieremet ; Tycoon751 ; Fabrizio Troiani ; Mirco Vacca ; Jorisvo ; juliedeshaies ; Elzbieta Sekowska ; Ellen Jedida ; alpegor ; diak ; Pascal06 ; BoJe   **Unité 5 :** Andriy Petrenko ; jordanthomasmitchell ; Steve Debenport ; GeorgePeters ; Kaspars Grinvalds ; Minerva Studio ; Nicola_Del_Mutolo ; Focus Pocus LTD ; Ivonne Wierink ; eldadcarin ; Ottonera ; rakijung ; Serban Enache ; Roman Sigaev ; Jlindsay ; windu ; Richard Villalon ; Mushy ; Alliance ; Martinan ; Anton Gvozdikov ; WavebreakMediaMicro ; Denis Aglichev ; Celso Pupo rodrigues ; Hanik ; pkchai ; Naty Strawberry ; hurricane ; Picture-Factory ; grafikplusfoto ; Selmer van Alten ; akaitori ; mangostock ; catthesun ; lzf ; mangostock ; Alexander Podshivalov ; Soham Banerjee ; ounwolf ; JJRD ; sylv1rob1 ; gstockstudio ; Christian Schwier ; Athanasia Nomikou   **Unité 6 :** sellingpix ; Barbara Helgason ; Photographee.eu ; zaretskaya ; sakkmesterke ; grigvovan ; Rido ; ChristArt ; EduardSV ; shock ; Ekaterina Pokrovsky ; Claudia Paulussen ; jure ; Micaela Sanna ; M.studio ; sellingpix ; Logostylish ; Jan Engel ; De Visu ; seksanwangjaisuk   **Unité 7 :** Bernd Rehorst ; Andrey Bandurenko ; dianamower ; Aleksandr Ugorenkov ; Ocswart ; samsonovs ; Ekaterina Pokrovsky ; haveseen ; Eugenio Marongiu ; kichigin19 ; georgejmclittle ; De Visu ; seksanwangjaisuk ; Brad Pict ; gtranquillity ; Hayati Kayhan ; baibaz ; Oleksiy Mark ; Nik_Merkulov ; scenery1 ; eldadcarin ; Vankad ; Paul_Brighton   **Unité 8 :** L.Bouvier ; Jérôme Rommé ; egorxfi ; msk.nina ; Diana Taliun ; gertrudda ; Tim UR; ComZeal ; Andris T ; mates ; CUKMEN ; atoss ; Jérôme SALORT ; Robyn Mackenzie ; Anna Kucherova ; emuck ; gavran333 ; kwasny221 ; machiavel007 ; M.studio ; HLPhoto ; Margouillat ; nata_vkusidey ; Brad Pict ; nipaporn ; EM Art ; Andris T ; PeopleImages ; Warren Goldswain ; oneinchpunch; Achim Prill ; mariontxa ; Diane White Rosier ; Jérôme Rommé ; Hayati Kayhan ; dusk ; Africa Studio ; dmitrygorelov ; amenic181 ; baibaz ; Christian Jung JPC-PROD ; SOLLUB ; dmitrydesigner   **DELF :** Rostislav Ageev ; dima266f ; Chatchai ; Naypong ; Wrangel ; Monkey Business Images ; Andres Rodriguez ; Monkey Business ; Razvan Ionut Dragomirescu ; Dreamstime Studio ; Liubov Grigoryeva ; Lebazele ; Catalina Zaharescu Tiensuu ; adisa ; Production Perig ; pkchai ; bit24 ; jovannig ; Vytenis ; Jérôme Rommé ; Eugenio Marongiu ; PhotoKD ; joingate ; neirfy ; SkyLine ; 3dsguru ; Talaj   **Cahier d'activités :** katrinaelena ; Jose Ignacio Soto ; pictarena ; krasnevsky ; andersphoto ; Bruce Robbins ; Pixel & Création ; Erickn ; Scaliger ; Éléonore H ; Softlighta ; MinervaStudi ; Anna Penigina ; Eugenio Marongiu ; Laurent Hamels ; DURIS Guillaume ; Ekaterina Pokrovsky ; goodluz ; Talaj ; Daniel Ernst ; Lotharingia ; gael_f ; Aprescindere ; Guillaume Jacoberger ; Ams22 ; Dennis Dolkens ; Guillaume Jacoberger ; orpheus26 ; Helder Almeida ; Picture-Factory ; erwinova ; gpointstudio ; Bratty1206 ; contrastwerkstatt ; mariesacha ; Kzenon ; LifesizeImages ; Tarzhanova ; cedrov ; Anton Stariko ; Jodie Johnson ; olhaafanasieva ; ipag ; prochkailo ; Subbotina Anna ; konradbak ; lynea ; Lilyana Vynogradova ; Velirina ; Mike ; Ramon Grosso.

Toutes les photographies sont issues de Fotolia.com, Dreamstime.com, iStockphoto.com.
Toutes les photographies provenant de www.flickr.com et Wikipedia sont soumises à une licence de Creative Commons (Paternité 2.0 et 3.0).

Getty Images : p. 36 Julien M. Hekimian / stringer ; ROBYN BECK / staff ; Pascal Le Segretain / staff ; D. Clarke Evans / contributor ; p. 43 Bloomberg / contributor ; p. 46 BERTRAND GUAY/AFP/Getty Images ; Jun Sato / contributor ; BERTRAND GUAY / staff ; Foc Kan / contributor ; Julian Finney / staff; STEPHANE DE SAKUTIN / staff ; Dominique Charriau / contributor ; p. 66 Pascal Le Segretain / staff ; RDA / contributor ; Valerie Macon / stringer ; JACK GUEZ / staff ; p. 68 Bertrand Rindoff Petroff / contributor ; p. 69 Tony Barson / contributor / Getty Images; p. 90 AFP / stringer / Getty Images ; BARBARA SAX / staff / Getty Images ; Louis MONIER / contributor ; Francois LOCHON / contributor ; isifa / contributor ; Philippe GIRAUD / contributor ; Louis MONIER / contributor ; p.114 GAROFALO Jack / contributor ; PAGES Francois / contributor ; Kristy Sparow / contributor ; Michel Dufour / contributor ; p. 136 PIERRE ANDRIEU / staff ; p. 186 Alexis DUCLOS / contributor.

D.R. p. 21 © Le Voyage à Nantes / Réalisation : Anima Productions ; La ligne verte © Jean-Dominique Billaud ; p. 24 © Ville de Lille / Lille's city pass ; p. 40 : infographie Tour du monde. Merci à François et Sylvain : www.voyageautourdumonde.fr ; p. 66 : Joseph et Olga Ginsburg © LucienGrix/FliKr ; p. 68 : photos floutées *Fais pas ci, Fais pas ça* © Elephant Story ; p. 78 : Infographie festivals d'été 2014 © *Télérama* ; p. 95 © Hergé / Moulinsart 2015 ; p. 113 © Greenpeace ; © WWF ; © La Croix-Rouge ; p. 121 : association © Les Givrées ; p. 125 : La vache qui rit © Bel.

Cet ouvrage est basé sur la conception de l'unité didactique et méthodologique définie par les auteurs de *Version Originale* et *Aula* (Difusión).
Tous les textes et documents de cet ouvrage ont fait l'objet d'une autorisation préalable de reproduction. Malgré nos efforts, il nous a été impossible de trouver les ayants droit de certaines œuvres. Leurs droits sont réservés à Difusión, S. L. Nous vous remercions de bien vouloir nous signaler toute erreur ou omission ; nous y remédierions dans la prochaine édition. Les sites Internet référencés peuvent avoir fait l'objet de changement. Notre maison d'édition décline toute responsabilité concernant d'éventuels changements. En aucun cas, nous ne pourrons être tenus pour responsables des contenus de liens vers des tiers à partir des sites indiqués.

© Difusión, Centre de Recherche et de Publications de Langues, S.L., 2015
ISBN édition internationale : 978-84-8443-918-9
ISBN édition Alliance Française Mexique : 978-84-16943-07-4
ISBN version Talenland : 978-94-6325-0191
ISBN édition Premium : 978-84-17249-73-1
Réimpression : janvier 2021
Imprimé dans l'UE

www.emdl.fr/fle